DR. ATKINS

La nueva
revolución dietética

punto de lectura

Título original: *Dr. Atkins' New Diet Revolution*
© 1992, Robert C. Atkins, M. D.
© De la traducción: Adolfo Martín
© Ediciones B, S.A.
© De esta edición: febrero 2001, Suma de Letras, S.L.
Barquillo, 21. 28004 Madrid (España) www.puntodelectura.com

ISBN: 84-663-0171-2
Depósito legal: B-18.771-2001
Impreso en España – Printed in Spain

Portada: IBD
Diseño de colección: Ignacio Ballesteros

Impreso por Litografía Rosés, S.A.

Segunda edición: marzo 2001

DR. ATKINS

La nueva
revolución dietética

*A mi amante y cariñosa esposa Verónica,
que en todo momento me ha
proporcionado alimento emocional,
intelectual, espiritual y bajo en
hidratos de carbono.*

Prefacio

Hay docenas de dietas que le harán perder peso por un tiempo. Pero si lo que usted desea es tener salud además de perder peso, en mi opinión debe dar un paso más. Formúlese a sí mismo preguntas más concretas y más interesantes: ¿Cuántas dietas me devolverán aquel vigor y aquella sensación de bienestar que casi había olvidado? ¿Cuántas dietas reforzarán positivamente mi salud, día a día y año tras año?

Yo creo que ése es el tipo de dieta que usted necesita: una dieta que le haga sentirse bien, una dieta que le llene de energía, una dieta que le proporcione bienestar durante toda la vida.

En mi calidad de veterano de las guerras dietéticas, escribo desde una perspectiva excepcional. Acuden a mí personas preocupadas por su salud, conscientes de que yo sé algo acerca de la pérdida de peso. Pero creo que son más vívidamente conscientes aún del hecho de que poseo la reputación de ayudar a hombres y mujeres afectados de graves trastornos de salud. El Atkins Center for Complementary Medicine es una importante instalación médica ambulatoria situada en la calle Cincuenta y cinco de Manhattan, con una población asistida de casi diez mil personas. Son pacientes de diabetes, enfermedades cardiacas y esclerosis múltiple, de artritis, de fatiga crónica y de hipertensión. Menos del 5 % de esos pacientes se hallaban primariamente interesados en perder peso la primera vez que llamaron a mi puerta. Sin embargo, la fama y la fortuna me llegaron como experto en el establecimiento de dietas eficaces. Sólo después de que la dieta Atkins me hiciera famoso me dediqué a la medicina de la nutrición, utilizándola para tratar graves problemas de salud. ¿Por qué, entonces, estoy escribiendo otro libro de dietética?

La dietética es una parte crucial de la atención sanitaria que yo proporciono. Si no come usted bien no puede tener buena salud, y si come bien, entonces, hablando en términos generales, no tendrá exceso de peso.

Éste es un axioma básico que toda mi experiencia como médico ha ido consolidando.

Obesidad y mala salud, irritabilidad y agotamiento, somnolencia durante el día e insomnio por la noche; permítame decirle que todo eso es un sonsonete familiar en los oídos de un médico que ha tratado durante mucho tiempo al norteamericano moderno, obeso, inadecuadamente alimentado y sedentario. La obesidad no es una acumulación accidental de gramos adicionales, es un trastorno metabólico básico íntimamente relacionado con la mala salud.

Cuando escribí mi primer best-séller, *La revolución dietética*, hace veinte años, mi propósito principal era enseñar a la gente a perder peso rápidamente, de forma cómoda y sin grandes esfuerzos ni molestias. Los principios que establecí para lograrlo continúan vigentes. Constituyen un medio eficaz de eliminar los kilos y centímetros sobrantes e impedir su reaparición. De hecho, dudo mucho de que se haya propuesto jamás un método dietético que ofrezca más garantías de éxito y que haga pasar menos hambre.

Pero los principios sobre los que he estado trabajando desde mis primeros días como médico dietético se refieren a algo más que la simple pérdida de peso. Entrañan un compromiso con la salud completa, la base metabólica de un satisfactorio bienestar.

DR. ROBERT C. ATKINS

PRIMERA PARTE

POR QUÉ FUNCIONA LA DIETA

1

La revelación dietética del doctor Atkins

¿Es usted éste?

Decidido a perder peso, usted prometió hacerlo de la manera «correcta», hasta conseguir el éxito. Dejó de comer carnes rojas, tomaba tortillas hechas solamente con claras de huevo en una sartén antiadherente, le quitaba la piel al pollo, comía grandes cantidades de pasta y patatas hervidas sin mantequilla. Yogur helado y sorbete de fruta como postre, copos de avena y leche descremada para desayunar o, si no, una ración de cereales y un plátano. En el almuerzo, carne blanca de pavo y una abundante ensalada sin aceite.

Y usted perseveró en ello. Sabía que era la dieta correcta porque todo el mundo se mostraba complacido al ver que la seguía y le felicitaba por su saludable buen gusto para comer. Sin embargo, nunca pareció ser exactamente la dieta correcta y nunca funcionó como usted esperaba. Se encontró con que no quedaba completamente satisfecho comiendo así, a veces tenía hambre, no experimentaba la clase de estímulo físico que usted esperaba de la dieta «correcta» y —lo peor de todo— no lograba una pérdida de peso apreciable y permanente.

Nunca encontró aquello que fundamentalmente buscaba en una dieta.

Bien, si encaja en esta descripción, lo probable es que sea usted una persona normal que ha resultado engañada. Engañada por la sociedad en que vivimos, que le indujo a creer en una dieta inadecuada para usted. Engañada por los medios de comunicación, que favorecen las modas del momento sin prestar atención al metabolismo de las personas que deben seguirlas. Pero si la persona que he estado describiendo es usted, estas frustraciones se hallan próximas a su fin. Yo he ayudado a veinticinco mil personas que acudieron a mí, que necesitaban perder peso y no sabían cómo lograrlo, y le ayudaré también a usted.

Las dietas pasan, pero lo que la gente espera obtener de ellas se mantiene constante. Deje volar su imaginación. ¿No le gustaría seguir una dieta que...

- no pusiera límites a la cantidad de alimentos que puede usted tomar?
- excluyera por completo el hambre de la experiencia de la dieta?
- incluyera alimentos tan sabrosos como los que jamás ha visto en ninguna otra dieta?
- redujera el apetito en virtud de una función perfectamente natural del cuerpo?
- le otorgara una ventaja metabólica tan importante que el concepto mismo de controlar las calorías le resultara a usted absurdo?
- produjera una constante pérdida de peso,

aunque usted haya experimentado dramáticos fracasos o recuperaciones de peso con otras dietas?

- fuera tan perfectamente adecuada para su utilización durante toda la vida que, a diferencia de la mayoría de las dietas, no reapareciera el peso perdido?

- mejorara considerablemente la mayoría de los problemas de salud que acompañan al exceso de peso?

¿Demasiado bueno para ser verdad? En absoluto. Simplemente, verdad. Además, repetidamente demostrable y científicamente incontrovertible. Es una revelación.

Éstos son los resultados para más del 90 % de las decenas de miles de personas que, bajo mi supervisión personal, han adoptado la dieta que se expone en este libro y supongo que para un porcentaje muy elevado de los millones de ellas que lo han hecho por su propia cuenta. Si sufre usted exceso de peso, esta perspectiva es susceptible de producir en su vida unas repercusiones tales que no dudo de que se sentirá tentado a considerarla una perita en dulce caída del cielo. No tardará en darse cuenta de lo inadecuado de la analogía. En primer lugar, le voy a retirar el dulce y, en segundo, estos resultados dietéticos, lejos de pertenecer a las regiones celestiales, se basan en un conjunto de hechos científicos sólidamente asentados a los que apenas nadie en el campo de la dietética presta atención en la actualidad.

La salud era el principal objetivo

He pasado veinticinco años tratando a personas con exceso de peso y, sin embargo, significativamente, la mayoría de mis pacientes durante los últimos quince años no acudía a mí en un principio para perder peso. Los kilos de que se desprendían eran un beneficioso efecto marginal de tratamientos totalmente eficaces para afecciones mucho más graves que la obesidad. Como médico, era su incipiente bienestar lo que a mí me impresionaba. Como potencial seguidor de la dieta, será su recién hallada delgadez lo que le impresionará a usted.

Así que disculpe el título de este capítulo, pero es apropiado. Y si la primera mitad de la revelación se encuentra en la tentadora promesa de perder peso, la segunda mitad se encuentra en la ciencia que la respalda. Esa ciencia posee una importancia extraordinaria para personas que, a través de una dura experiencia, han descubierto que no es tan sencillo mantenerse en un peso deseable. Permítame poner desde el principio estos hechos sobre la mesa:

1. Casi toda obesidad obedece a razones metabólicas. La mayoría de los estudios han demostrado que los obesos ganan peso con menos calorías que las personas sin problemas de peso.
2. Los científicos han desarrollado con bastante exactitud a lo largo de los diez o quince últimos años la base del trastorno metabóli-

co presente en la obesidad. No guarda relación con el metabolismo de la grasa que uno ingiere, sino con el hiperinsulinismo y la resistencia a la insulina. La hormona insulina y su efecto sobre los niveles de azúcar en la sangre (que están constantemente subiendo y bajando en respuesta a los alimentos que se ingieren) se halla mucho más directamente relacionada de lo que se sospechaba en el pasado con el cuadro de salud general y con la probabilidad de caer víctima de peligros tales como las enfermedades y ataques cardiacos. Es también el determinante singular de más importancia del peso. Por este motivo ocurre que, en la quinta década de su vida, el 85 % de los diabéticos del tipo II son obesos.

3. Se puede impedir este defecto metabólico asociado con la insulina restringiendo los hidratos de carbono. Cuando se limita su cantidad, se evita la subdivisión de los alimentos causante de la obesidad.

4. Esta corrección metabólica es tan sorprendente que muchos de ustedes podrán perder peso ingiriendo un número de calorías mayor que el que han estado ingiriendo con dietas muy altas en hidratos de carbono. La llamada «teoría de las calorías» ha sido una piedra de molino al cuello de los seguidores de regímenes alimenticios y una desdichada y maligna influencia sobre sus esfuerzos por adelgazar.

5. Las dietas altas en hidratos de carbono son precisamente lo que la mayoría de las personas con exceso de peso no necesitan y con lo que no pueden adelgazar.
6. Una dieta baja en hidratos de carbono es tan eficaz para disolver el tejido adiposo que se puede producir una pérdida de grasa mucho mayor que la que se deriva del ayuno.
7. Nuestras epidemias de diabetes, enfermedades cardiacas y alta presión arterial son en gran medida producto de la asociación con el hiperinsulinismo.
8. La dieta Atkins puede corregir y de hecho ha corregido estas graves complicaciones médicas de la obesidad. De hecho, el 35 % de mis pacientes acuden a mi consulta debido a sus problemas cardiovasculares. La dieta Atkins es, con toda probabilidad, la dieta más favorecedora de la salud que usted tendrá nunca oportunidad de seguir.

Volvamos ahora a la palabra «revelación». Su significado y sus connotaciones hacen referencia a la acción de dar a conocer verdades que siempre han estado ahí. Bien, pues si los hechos que he reseñado han sido aceptados como verdades por un importante sector de la comunidad científica y, sin embargo, la mayoría de la gente no sospecha siquiera su existencia, entonces este libro será realmente un acto de revelación. Durante los últimos veinte años se le ha sugerido al público, mediante técnicas casi tan intensas como el lavado de cerebro, que la única dieta adecuada y sana para un ser humano es una dieta baja en grasas. Si esto fuese cierto, resultaría claro y evidente lo que todos y cada uno de nosotros debe hacer. Pero no es verdad: para muchos de nosotros, nuestra solución final es prescindir de los hidratos de carbono.

Echemos ahora un vistazo a varias de las ideas equivocadas acerca de la dieta que muchos sostienen todavía.

Yo creía que la gente engordaba porque comía demasiado

No es cierto. La mayoría de las personas con exceso de peso no come en exceso. Cuando lo hace, hay casi invariablemente un componente metabólico que las impulsa a ello, de ordinario un ansia realmente compulsiva de hidratos de carbono.

Las personas que comen los alimentos adecuados comen lo que quieren y se mantienen en su peso ideal. Sin embargo, la experiencia normal a medida que uno envejece es descubrir que no puede tomar la antinatural dieta del mundo moderno y mantenerse delgado y saludable.

Su cuerpo, hecho para funcionar durante toda una vida larga y vigorosa con alimentos sanos, se va tornando cada vez más sensible a la acción de los alimentos nocivos. Su metabolismo empieza a rechinar y gemir. No sólo aumentan los kilos, sino también las penalidades. Fatiga abrumadora, jaquecas, languidez, irritabilidad, depresión; todo esto en realidad no debe acompañar el proceso de alcanzar una edad madura, aunque así lo parece en nuestra sociedad, debido principalmente a lo que comemos.

Sus fuertes y robustos antepasados prehistóricos no comían alimentos procesados y desvitalizados, acondicionados para conservarse durante mucho tiempo, pan blanco industrial y pizza en torno a sus fogatas al aire libre y, desde luego, no consumían azúcar (como en nuestros refrescos y zumos) cuando sus cuerpos les decían que necesitaban agua. Si lo hubieran hecho, nosotros nunca habríamos llegado a la civilización.

Hidratos de carbono o grasas

Conviene empezar por el exceso de peso, no sólo porque es lo primero que mis lectores quieren resolver, sino también porque el exceso de peso es el síntoma más visible de dieta. La experiencia que he obtenido tratando a veinticinco mil pacientes con exceso de peso me ha mostrado que en el 90 % de los casos el exceso de peso se debía a un metabolismo alterado de los hidratos de carbono.

Basándome en mi hipótesis de trabajo de que detrás de la obesidad se halla un metabolismo alterado de los hidratos de carbono, mi éxito ha sido clamoroso, superior a todo lo conocido y extraordinariamente reproducible.

Me gustaría recordar una vieja historia. Hace veinte años, tras difundirse ampliamente el insólito éxito que obtuve en el tratamiento de la obesidad, vendí seis millones de ejemplares de *La revolución dietética del doctor Atkins.**

Escribo este nuevo libro para explicar a una nueva generación la evolución más reciente operada en lo que ha sido la dieta para perder peso más eficaz de todo el siglo XX. Lo escribo también para explicar a mis críticos —nunca voy a ninguna parte sin ellos— cuántas nuevas pruebas científicas han aparecido (sobre todo en los diez últimos años) en apoyo de los principios fundamentales de la dieta baja en hidratos de carbono, un régimen alimenticio rechazado en los años recientes por la influyente pero, ¡ay!, ineficaz escuela del régimen alimenticio bajo en grasas y en calorías que sin duda todos y cada uno de ustedes conocen perfectamente. Ésta ha sido la tendencia dominante en el campo de las dietas durante la pasada década, pero su dominio ha resultado en conjunto ineficaz para eliminar los kilos sobrantes.

Examinemos el mito de las calorías

Caloría es una palabra interesante que designa, simplemente, una unidad de energía, en concreto la cantidad de calor necesaria para elevar un grado centígrado la temperatura de un gramo de agua a la presión de una atmósfera.

* En la actualidad, las ventas superan ya los diez millones de ejemplares en todo el mundo.

Ahora bien, siempre se ha supuesto que el aumento de peso es consecuencia de absorber más calorías de las que se consumen mediante el ejercicio físico, de la termogénesis (la propia producción de calor del cuerpo) y de todas las demás funciones metabólicas. De hecho, esto es completamente cierto.

Lo que no es cierto es la conclusión que muchos médicos han extraído de esto y han transmitido a sus desventurados pacientes. Me refiero a la idea de que la única forma de perder peso es controlar estrictamente la absorción de calorías. Los médicos educados en esta escuela de pensamiento dirán a sus pacientes que todas las dietas son básicamente iguales por lo que a su potencialidad para hacer perder peso se refiere. ¡Lo único que importa es cuántas calorías se absorben!

Las cosas no funcionan así. Distintos tipos de dietas pueden producir efectos diferentes sobre el total de calorías que el cuerpo de una persona consume diariamente y, siguiendo caminos metabólicos diferentes, pueden hacer que el cuerpo necesite cantidades diferentes de energía para realizar su trabajo. Con una dieta baja en hidratos de carbono, existen ventajas metabólicas que le permitirán a usted ingerir tantas calorías, o más, como las que venía ingiriendo antes de empezar su dieta y, sin embargo, empezar a perder kilos y centímetros.

Y si toma menos calorías —la mayoría de la gente lo hace con esta dieta—, perderá peso muy deprisa. No es que las calorías no importen, es sólo que puede usted expulsarlas de su cuerpo, sin usarlas, o disipadas como calor.

¿Cómo opera todo esto en las personas reales afectadas de problemas reales? Considérese el caso de Stanley Moskowitz, un vigoroso escultor de sesenta y cuatro años que había sobrevivido en la década de los ochenta a tres ataques cardiacos, dos «menores» y uno grave. Stanley tenía exceso de peso, sus niveles de colesterol eran demasiado altos y padecía una artritis generalizada desde hacía mucho tiempo. Naturalmente, le prohibimos su helado y sus patatas fritas, y también naturalmente le instamos a que comiera mucha carne, pescado, aves y huevos cuando le apeteciesen, frutos secos, ensaladas, verduras y un poco de queso. Una típica dieta baja en hidratos de carbono que le encantó. Pero ¿qué iba a hacer con respecto a su cuerpo y a su asediado corazón?

Stanley pronto aprendió a sonreír sobre sus resultados también en eso. Su colesterol bajó de 228 a 157, lo que, conforme al método clásico de calcular estas cosas, entrañaba una reducción del 64 % en su riesgo de sufrir otro infarto. ¿Y su peso? Bajó de 103 kilos a 86, un peso bastante aceptable para un hombrachón que mide 1,80 y que crea todas las esculturas de metal en su estudio. Por cierto que, como efecto incidental de su nueva dieta, el dolor en las articulaciones de los hombros y los brazos a que tan acostumbrado estaba Stanley mejoró hasta llegar a sentirse mejor de lo que se había sentido nunca desde hacía más de veinte años.

Pregunté a Stanley qué pensaba de todo esto y respondió:

—Pues mire, doctor Atkins, éstos son probablemente los cambios físicos más sorprendentes que he experimentado en toda mi vida y, extrañamente, lo único que he tenido que hacer ha sido pasarlo bien.

Exacto. Ahora, permítame que le hable de otro paciente con más detalle.

Mary Anne Evans

Antes de visitarme, Mary Anne había renunciado. Le pedí que me contase su historia.

Me dije a mí misma: «Simplemente, voy a ser una persona gorda durante el resto de mi vida.» Pesaba 95 kilos cuando vine a verle a usted y había estado engordando constantemente durante veinte años, sobre todo después del nacimiento de mis hijos.

De 1,65 de estatura y 42 años de edad, los casi cien kilos de Mary Anne constituían un grave peligro para su salud y así se lo advertí. Me respondió que había probado innumerables dietas, regímenes bajos en calorías con controles de peso; un programa hospitalario que medía calorías y una dieta proteínica líquida con la que perdió más de trece kilos en tres meses y los recuperó luego, con intereses, en cuatro.

Ella había pensado que resultaba razonable controlar las calorías para perder peso, pero el caso era que nunca le había dado resultado. Además, representaba un esfuerzo terrible. Los kilos que eliminaba con tan angustioso procedimiento retornaban, sin más, al poco tiempo, lo cual no parecía justo.

Entonces, ¿para qué todo? Además, no había acudido a mí con la idea de perder peso. Sus problemas eran de tipo médico. Mary Anne tenía una presión arterial elevada (160/100), padecía varias alergias y su principal queja era la extrema fatiga que venía soportando durante los últimos años. Añadiendo a todo esto su exceso de peso, comprendí que se encaminaba hacia una delicada crisis de la madurez. Era mejor actuar sin demora.

Para empezar, le suprimí todos los hidratos de carbono. Con una ingestión de casi cero gramos de hidratos de carbono, incluso el cuerpo más retenedor de grasas desarrollará un proceso de cetosis/lipólisis, lo que significa, ni más ni menos, que estará quemando su propia grasa a manera de combustible. La cetosis es el arma secreta para una dieta eficaz. Una persona en ese estado está eliminando cetonas, pequeños fragmentos de carbono que son los subproductos de la combustión de las grasas almacenadas.

Muchos médicos tienen una imagen desfavorable de la cetosis, pero, de hecho, usada como la usará usted en el programa Atkins, le resultará tan segura como les resultó a mis primeros veinticinco mil pacientes con exceso de peso. Se trata de un estado sumamente deseable y merece, sin duda, la denominación que he acuñado para ella: Cetosis Dietética Benigna (CDB). Pero recuerde, no puede usted estar en cetosis salvo que no ingiera apenas ningún hidrato de carbono. Para la mayoría de las personas esto significa menos de cuarenta gramos diarios. Como orientación, recuerde que una persona corriente consume aproximadamente 300 gramos de hidratos de carbono al día. Y, por supuesto, algunas personas ingieren muchos más.

Así pues, consideremos el caso de Mary Anne. Yo quería que tuviese cetosis. Ella estaba dispuesta a intentarlo. ¿Qué hizo? Mary Anne abandonó las galletitas que comía con el almuerzo y las patatas que tomaba en la cena, renunció a las palomitas de maíz, la tarta y la pizza que solía picotear durante el día, dejó de echarle azúcar al café, suprimió los ocasionales refrescos, prescindió del zumo de naranja en su desayuno y, temporalmente, renunció incluso a las verduras que tomaba en la cena.

Comía huevos con jamón para desayunar, atún para almorzar, y pollo, chuletas de cerdo o filete para cenar. Al cabo de unos días resultó evidente que no había tenido dificultad para entrar en CDB y añadimos una ensalada en el almuerzo y otra en la cena.

A la segunda semana, me di cuenta de que me sentía muchísimo mejor. Tenía mucha más energía que con la antigua dieta y no notaba hambre.

El no tener hambre es un resultado típico de la CDB y uno de los grandes atractivos iniciales de la dieta.

No tardó en surgir otro estímulo para mantener la dieta: Mary Anne estaba perdiendo peso; cuatro kilos y medio en dieciséis días. Al cabo de cinco semanas, había perdido nueve kilos y medio y su presión arterial era 120/78.

Mary Anne Evans tardó nueve meses en llegar a 63 kilos, que estaba muy cerca de lo que ella quería conseguir. Al eliminar 32 kilos, ha prescindido de una tercera parte de la persona que había sido.

Fue muy fácil hacerlo. Perdía peso sin ninguna dificultad. Comía cosas que me gustaban y nunca tenía hambre. Me dijo usted que, si tenía hambre, debía comer tanto como quisiera y cualquier cosa que quisiera, siempre que no tuviese hidratos de carbono, y eso es lo que hacía. Y el cambio que se operó en mi vida fue increíble. Antes, me pasaba la vida sentada. Ahora me voy de acampada con mi hijo menor, que es *boy scout*, y el verano pasado hice una excursión a caballo por las Rocosas. Mis compañeros de trabajo del laboratorio están asombrados de la nueva mujer en que me he convertido. Suelo ir a comer con algunas de las otras mujeres que siguen dietas alimenticias, que no parecen poder perder peso y padecen hambre. Y me ven a mí allí sentada, comiendo una hamburguesa y una abundante ensalada.

Han pasado otros dos años. El peso de Mary Anne oscila en torno a los 64 kilos. Un par de noches a la semana, se toma un vaso de vino antes de cenar y come semanalmente dos patatas. Sus únicos hidratos de carbono aparte de esto son verduras y ensaladas en abundancia. Sigue una dieta que le satisface plenamente. Se encuentra plena de energía y su presión arterial es normal. Es una típica dietista Atkins.

¿Le sorprende esto?

En tal caso, es usted totalmente normal. Contradice a la mitología que asegura que el único modo de estar delgado, sano y en forma es seguir siempre una dieta baja en grasas. Esa mitología se basa en algunos datos científicos bien observados y mal interpretados. Se trata de una mitología sumamente peligrosa, porque una dieta baja en grasas que permite comer azúcar, harina refinada y otros alimentos procesados no es en absoluto sana.

Y una severa dieta baja en grasas que puede ser sana si excluye los alimentos procesados y tratados con aditivos químicos, es simplemente demasiado austera para la mayoría de la gente e infinitamente más austera que la dieta Atkins.

No debería ser necesario decirle a usted que una dieta moderadamente baja en grasas —como la dieta baja en calorías que la precedió— es un completo fracaso cuando se trata de lograr una pérdida de peso permanente. Un fracaso tan estrepitoso que es causa de considerable turbación nacional. Sólo entre el 3 y el 5 % de quienes han seguido dietas restrictivas de calorías y/o bajas en grasas han conseguido liberarse de sus kilos sobrantes.

Todos los dietistas expertos saben que la prueba de fuego de una buena dieta es el lograr mantener bajo el peso. Cualquier dieta rígidamente observada puede eliminar al principio esos gramos y centímetros. Pero cuando el dietista sometido a un régimen bajo en calorías o en grasas no puede tolerar por más tiempo la brecha biológica entre el hambre y la satisfacción que se encuentra en tales dietas, no tarda en producirse un considerable retroceso.

Mientras tanto, la inmensa mayoría de quienes han seguido la dieta Atkins no han encontrado ninguna dificultad para mantener su peso ideal después de haberlo alcanzado.

Siempre que hablo sobre dietas en mi programa radiofónico nocturno en la WOR de Nueva York, me llaman numerosas personas para decirme que llevan cinco años, diez o veinte, siguiendo la dieta y se sienten de maravilla. ¿Grasa? No, no ha vuelto a reaparecer. Yo sonrío y les felicito. Y río alegremente para mis adentros. Lo que me están diciendo es que no son solamente mis pacientes quienes han triunfado con la dieta Atkins.

Pero es que el éxito con una dieta baja en carbohidratos adecuadamente llevada es casi inevitable.

¿Cuál es la importancia de la dieta?

La palabra «dieta» viene del latín *diaeta* y del griego *diaita* y significa «modo de vida» o «régimen». No algo que uno hace durante dos o tres meses y luego abandona, sino el modo en que come siempre. Así es como quisiera que la considerase usted, porque ésa es la única manera en que conseguirá perder peso.

La mayoría de los norteamericanos come una dieta moderna típica. El 40 % de ellos acaba con exceso de peso. ¿Por qué?

Los alimentos que tomamos se dividen en tres categorías básicas: hidratos de carbono, grasas y proteínas. Las mayores concentraciones de proteínas se encuentran en alimentos animales tales como carne, pescado, aves, huevos y queso. También se encuentran en las verduras, en alimentos tales como frutos secos y semillas, y en legumbres de alta concentración proteínica tales como las judías. La grasa se presenta en numerosas variedades, pero existe en casi todos los alimentos animales y en muchos vegetales. Los hidratos de carbono se hallan en todas las verduras, frutas, féculas y granos, y en su forma más pura en el azúcar refinado.

Si hace mucho tiempo que está usted gordo, es casi seguro que padece una alteración en el metabolismo de los hidratos de carbono. Eso es lo que la inmensa mayoría de los estudios realizados ha puesto siempre de manifiesto. Esto significa que los azúcares, los hidratos de carbono refinados, los alimentos procesados que constituyen una proporción tan grande de la dieta norteamericana, son un veneno lento para usted. Esos alimentos son nocivos para su salud, nocivos para su nivel de energía, nocivos para su estado mental, nocivos para su figura. Nocivos para sus expectativas profesionales, nocivos para su vida sexual. Nocivos para su digestión, nocivos para su química sanguínea, nocivos para su corazón. Lo que le estoy diciendo es que son realmente nocivos.

La mayoría de las personas con exceso de peso en todo el mundo es sensible a los hidratos de carbono; a menudo son verdaderos adictos a los hidratos de carbono. Necesitan una solución metabólica, no una restricción de grasas. Han pugnado una y otra vez con dietas bajas en calorías o en grasas y siempre han fracasado. ¿Por qué tienen éxito con esta dieta?

Esta dieta debe de tener ventajas especiales

Sí. Ya puede usted estar seguro de que las tiene. He aquí seis razones por las que la dieta es eficaz:

Primera: Provoca una movilización de grasas mayor que ninguna otra dieta que usted haya conocido jamás. Se ha demostrado (repetidamente) que elimina más grasa que otras dietas con las que estaría usted ingiriendo igual número de calorías.

Segunda: Una dieta baja en hidratos de carbono no es austera. El hambre es el motivo oculto de la mayoría de los fracasos de dietas. Una dieta para toda la vida tiene que ser sabrosa, agradable y saciadora. La principal austeridad de esta dieta es el abandono del azúcar y de los hidratos de carbono refinados tales como la harina blanca.

Pero la mayoría de las personas se encuentran con que, una vez liberadas de la adicción al azúcar, ya no sienten fuertes deseos de volver a tomarlo. Para ellas, una dieta con la que pueden comer una variedad casi ilimitada de carne, pescado, ensaladas y verduras preparadas de la forma más apetitosa (es decir, con mantequilla, crema, especias y hierbas al gusto de cada uno) es cualquier cosa menos austera. La dieta Atkins es una dieta de ensueño, sabrosa, sana, saludable y variada.

Tercera: Ésta es la dieta más fácil para mantener la pérdida de peso. Lo malo de perder peso con una dieta corriente baja en calorías o de proteínas líquidas es que el programa de mantenimiento resulta muy diferente del programa para perder peso. Por eso, los kilos se recuperan con desalentadora rapidez, ya que, falto de preparación para el mantenimiento, uno vuelve a su anterior forma de comer. Existen sólidas razones fisiológicas para ello. Cuando se restringen las calorías que se ingieren, el cuerpo tiende a dedicarse metabólicamente a recuperar el peso.

El éxito en el mantenimiento de la pérdida de peso es el dato más positivo de la dieta Atkins. Eso es interesante, ya que la mayoría de la gente sabe que con el régimen bajo en hidratos de carbono se puede perder mucho peso rápidamente. Y es cierto. Pero no es eso lo importante. El único peso perdido útil es el peso que no se recupera.

Por esta razón, existen en realidad cuatro dietas Atkins. La Dieta 1 es la dieta inicial de Inducción, que hace romper la mayoría de las barreras que se oponen a la pérdida de peso y que, generalmente, hará perder peso al cuerpo retenedor de grasas, incluso de la persona más metabólicamente resistente. La Dieta 2 es la Pérdida de Peso Progresiva, que le conducirá a usted suavemente hasta su objetivo. La Dieta 3 es Premantenimiento; ésta empieza a enseñarle las lecciones de un estilo de comer que, con un modesto grado de diligencia por su parte, le mantendrá siempre delgado. La Dieta 4 es la de Mantenimiento. Mientras lee usted esto, miles de mis antiguos pacientes y cientos de miles de mis antiguos lectores están practicando esta dieta para no volver a engordar jamás.

Permítame mencionar un dato crucial que debe usted tener siempre presente. Con la dieta Atkins, bien llevada, es casi imposible no mantener la pérdida de peso.

Cuarta: No sólo no es austera esta dieta, sino que le hace a usted sentirse bien. Es una dieta de alta energía. Es una solución rápida y duradera para muchas de las molestias que los pacientes cuentan a los médicos en la intimidad de la consulta. Fatiga, irritabilidad, depresión, dificultad para concentrarse, jaquecas, insomnio, aturdimiento, numerosas formas de dolores articulares y musculares, pirosis, colitis, retención de líquidos, síndrome premenstrual, incluso la adicción al tabaco. Para la mayoría de los pacientes, una dieta baja en hidratos de carbono es un tratamiento contra esas enfermedades. Y ello constituye un factor decisivo para mantener la pérdida de peso, porque pocas personas están dispuestas a sentirse de nuevo mal tras haber vuelto a experimentar la alegría de la salud.

Quinta: La dieta es saludable. Lo descubrí muy pronto cuando empecé a aplicársela a mis pacientes hace veinticinco años. Comenzaron a recuperarse de enfermedades que yo no había pretendido tratar de esa manera. Me encontré con que la mayoría de mis pacientes padecía una afección que yo denomino Trastorno Relacionado con la Dieta (TRD), afección que describiré en los capítulos 11 a 14, en los que trato acerca de la hipoglucemia, infecciones por hongos, alergias o intolerancias alimenticias y otras numerosas afecciones.

Corregir el TRD fue la clave para que la mayoría de mis pacientes dispusiera de una nueva oportunidad para recuperar la salud. Además, la hipertensión, la diabetes y la mayoría de las afecciones cardiovasculares responden con extraordinaria rapidez a esta dieta. Como yo era cardiólogo en ejercicio cuando empecé a prescribir la dieta, y entre el 30 y el 40 % de mi nutrida población paciente continúa compuesta por personas con problemas cardiovasculares, puede usted imaginar qué parte tan considerable de mi éxito se debe a los beneficios que la dieta produce en el corazón.

Sexta: La dieta es eficaz porque, como un creciente conjunto de pruebas científicas pone de manifiesto, actúa sobre el factor básico del control de la obesidad y de la mayoría de las modernas enfermedades degenerativas. Ese factor está constituido por los niveles excesivos de insulina, una hormona esencial en el cuerpo humano. La insulina gobierna el mecanismo por el que el cuerpo se recubre de grasa. Cuando se encuentra en niveles excesivamente altos —estado que los médicos conocemos por el nombre de hiperinsulinismo—, favorece vigorosamente el desarrollo de diabetes, aterosclerosis e hipertensión.

De este modo, la dieta Atkins —en parte por casualidad, pues yo no pretendía atacar las modernas enfermedades degenerativas cuando comencé a desarrollar la dieta— se encuentra en el centro de las medidas destinadas a proteger la salud y lograr así una vida larga y vigorosa.

Esto debe cambiar la forma en que usted mira su cuerpo

Defecto metabólico. Hiperinsulinismo. TRD. No tardará usted en entender estos términos. Ya le proporcionan un indicio de por qué tiene usted un problema de peso. Por el momento, simplemente recuerde esto: las dietas altas en azúcar e hidratos de carbono refinados incrementan radicalmente la producción de insulina del cuerpo, y la insulina, como señaló un famoso científico, es «el mejor índice de adiposidad». Esta última palabra significa «grasa» en la jerga médica.

Apuesto a que conoce personas que comen más que usted y hacen menos ejercicio y, sin embargo, parecen incapaces de engordar un kilo. No mienten acerca de la cantidad que comen, como tampoco usted. Comen mucho. Irritante, pero cierto.

¡Un hecho auténticamente revolucionario! En cierto modo, un motivo de celebración. Si tiene usted exceso de peso, no es que sea usted glotón, débil de voluntad, perezoso ni sibarita, sino, con toda probabilidad, tan sólo metabólicamente infortunado. ¿No es eso mucho más razonable? ¿Comer en exceso? Rara vez se da tal cosa. La mayoría de las personas come cuando tiene hambre y deja de hacerlo cuando se sacia.

Bien, entonces ¿cómo podría comer en exceso? Obedece los dictados de su cuerpo, y el cuerpo posee una especie de sabiduría.

El factor crítico es qué se come.

¿Qué tienen de malo los hidratos de carbono?

Si se refiere usted a qué tiene de malo una hoja de brécol o un manojo de espinacas, la respuesta es que casi nada, que son unos alimentos magníficos. Cuando hablo de hidratos de carbono me refiero a los nocivos: azúcar y harina blanca, leche y arroz blanco, alimentos procesados y refinados de todas clases, alimentos con aditivos químicos y similares. Pero, al menos durante la fase de pérdida de peso de la dieta Atkins, es preciso controlar incluso los hidratos de carbono potencialmente saludables, tales como las féculas y la mayoría de las frutas.

Cuando haya perdido sus kilos sobrantes podrá volver a las féculas y las frutas en la medida en que no alteren su equilibrio metabólico y le hagan empezar a ganar peso de nuevo. Pero los alimentos refinados que he mencionado simplemente no le convienen, y no le convendrán nunca. ¿Estoy propugnando una dieta alta en grasas? No a la larga. Como se vieron obligados a reconocer mis críticos hace veinte años, cuando consideraron el asunto, y como demostró el profesor John Yudkin, ésta no es una dieta alta en grasas. La persona media que sigue una dieta baja en hidratos de carbono ingiere menos grasas de las que tomaba con su anterior dieta «equilibrada», ¡la dieta habitual hoy en día en Estados Unidos![1]

Existen para ello muchas razones, de las cuales le hablaré más adelante. Por el momento, consideremos la cuestión de si nos hallamos en problemas porque nos estamos atiborrando de filetes y bocadillos de frankfurt.

No necesito hablarle de nuestra forma de comer. Todos ustedes han visto los pasillos del supermercado abarrotados de bizcochos y galletas, helados, pastas, tartas, bebidas carbónicas y panes de molde sintéticos tan repugnantes para el metabolismo que muchas especies de roedores —más sabios que nosotros— rehúsan comer, excepto como último recurso.

Esto no es comida verdadera; es comida inventada, falsa. Está llena de azúcar, hidratos de carbono altamente refinados y grasa (por no mencionar una terrible panoplia de aditivos químicos). Durante millones de años, los seres humanos tuvieron suerte: no existía ninguno de estos alimentos. Ahora no nos podemos librar de ellos. Dada su increíble rentabilidad, están profusamente distribuidos. Sin embargo, ni una sola persona en este planeta debería comerlos.

Me encuentro en condiciones de asegurarle que, si quiere disfrutar de esbeltez y vigor, no puede comer así, pero puede comer como un rey o una reina y, sin la menor duda, como un príncipe o una princesa. (Cuando mire las recetas que se incluyen en la parte quinta de este libro y vea algunas de las delicias que les ha preparado nuestro excelente *chef* especialista en comidas bajas en carbohidratos, Graham Newbould —ex cocinero de los príncipes de Gales—, comprenderá lo adecuado de mi afirmación.)

Con la dieta Atkins, puede usted tomar los naturales y sanos alimentos animales y vegetales que las personas comían y con los que se mantenían fuertes en el siglo pasado. No necesita ser austero ni extravagante. No necesita comer como un conejo; puede comer como un ser humano. Puede saborear ensaladas y pescado, cordero asado y langosta, mantequilla y brécol e incluso la constante pesadilla del experto en dietética: huevos con tocino para desayunar.

Respondamos ahora a la pregunta que encabeza esta sección: ¿Qué tienen de malo los hidratos de carbono? La respuesta es: nada, si no desea usted perder peso y si son los hidratos de carbono adecuados. La dieta Atkins recibe el nombre de dieta baja en hidratos de carbono porque durante las dos primeras etapas de la dieta los únicos hidratos de carbono que usted come son moderadas raciones de verduras y ensaladas. Más tarde, cuando haya alcanzado su peso ideal, podrá comer raciones mayores de aquellos alimentos con hidratos de carbono saludables, siempre que se mantenga por debajo del nivel crítico de hidratos de carbono para mantenimiento (NCHCM), lo cual le impedirá recuperar el peso perdido. La dieta Atkins no es una dieta extravagante, exótica. Es la dieta llevada a su extremo más saludable y despojada de los inventos alimentarios del siglo XX, tan deliciosos económicamente y fisiológicamente tan desastrosos.

La sugerencia de que ésta no es una forma perfectamente saludable de comer porque no le digo que huya aterrorizado de un filete es cómica, pero al mismo tiempo triste. Hay grandes mentiras acechando en los bosques médicos y una de las cosas que aprenderá en este libro será a descubrirlas.

Lo que usted necesita hacer

Quisiera pedirle que pruebe la dieta durante catorce días. Eso será tiempo más que suficiente no sólo para que pierda una sorprendente cantidad de peso, sino también para que descubra lo bien que se sentirá con un régimen alimenticio bajo en hidratos de carbono y lo agradable que es perder kilos y centímetros mientras come tanto como le apetezca.

Hay muchas dietas con las que puede usted perder peso temporalmente y pasarlo fatal mientras lo hace. Ésta no es una de ellas.

Naturalmente, cuando le propongo que pruebe la dieta durante catorce días, estoy seguro de que comprende que no espero que se detenga usted ahí. Estoy tratando de atraerlo a su dieta para toda la vida.

La segunda razón para un estrecho seguimiento de lo que le sucede a usted en los primeros catorce días es que le ayudará a conocer el grado de su resistencia metabólica a perder peso. (Vea la tabla de pesos del capítulo 17.)

Resistencia metabólica

No todo el mundo pierde peso con la misma facilidad, ni siquiera con una dieta baja en hidratos de carbono. Las personas con un grado de resistencia metabólica inferior a la media pierden entre 4 y 7 kilos en dos semanas de dieta. Las personas con un nivel medio, algo menos.

Sin embargo, la persona que es de verdad metabólicamente resistente no perderá mucho peso sin hacer más ejercicio o tomar suplementos nutritivos que le ayuden a ello o, incluso, sin restringir ligeramente la cantidad de alimento que ingiere. O recurriendo a alguna combinación de las tres cosas. Si es usted una de esas raras personas cuya resistencia metabólica a perder peso es enorme, yo le enseñaré lo que necesita hacer. Para usted el programa será un poco más penoso que para los demás.

Resulta interesante el hecho de que muchas personas que han luchado durante toda su vida con el exceso de peso y nunca han podido tener éxito durante mucho tiempo con otras dietas tienen sólo un grado muy moderado de resistencia metabólica a perder peso y lo pierden rápida y fácilmente con la dieta Atkins. No hay nadie más sorprendido que una persona en esa situación que ve cómo los kilos desaparecen en poco tiempo. Como veterano profesional en este campo, debo decirle que constituye un particular placer presenciar su alegría.

Quiero decirles a todos mis lectores que espero sorprenderles lo mismo que he sorprendido a millones de dietistas en el pasado. Quiero que se sorprendan a sí mismos. Nunca piensen que no se puede hacer. Se ha hecho.

Ésta es una dieta demostrada, ampliada, refinada y, creo yo, mejorada. Pero sigue siendo, en esencia, la misma dieta que ha ayudado a millones de personas a perder peso. Ninguna otra dieta en todo el mundo tiene un historial de éxitos comparable.

NOTAS

1. Yudkin, J. y Carey, M.: «The treatment of obesity by the "high fat" diet. The inevitability of calories», *Lancet* 2 (1960), págs. 939-941.

2

Qué le revelará este libro

Si tiene usted un problema de peso yo me encuentro, sin la menor duda, en condiciones de ayudarle. Supongo que nunca ha habido ningún libro de dietética escrito por un médico con tan nutrido historial de éxitos en materia de pérdida de peso, incluida la inmensa mayoría de las veinticinco mil personas obesas que he tratado en mi consulta del Atkins Center, una instalación clínica que ocupa un edificio de seis plantas en Manhattan. Sin duda, existen también éxitos entre los millones de personas que han leído mis libros o artículos, o han escuchado mis programas radiofónicos nocturnos semanales.

No se habría podido alcanzar este nivel de éxito utilizando un sistema similar a los demás o, incluso, una variación sobre el mismo tema. Solamente habría sido posible alcanzarlo ofreciendo un revolucionario cambio de la habitual sabiduría dietética. Nosotros fuimos a contracorriente, aferrados a nuestros principios científicos, y proporcionamos una dieta completamente distinta de todas las que usted haya podido seguir.

No pretendo criticar otras dietas, pues, con suficiente determinación, se puede lograr que todas resulten eficaces para quienes las practiquen con perseverancia. Por desgracia, durante la pasada década ha prevalecido la tendencia a divulgar una sola dieta, como si fuese mano de santo, la única dieta eficaz.

Jamás en todo el ejercicio de mi profesión he oído a tantos pacientes decir: «Sé los alimentos que no debo comer, pero, ya ve, no consigo adelgazar.» Lo malo es que no saben qué alimentos no deben comer, pero han oído tantas veces la respuesta equivocada que creen que es una verdad incontrovertible.

Habrá oído usted la expresión «dieta de moda». La palabra «moda» alude a lo que consigue un amplio, aunque evanescente, apoyo popular. No implica ningún juicio estimativo sobre el valor final del objeto descrito. La actual moda dietética es la dieta baja en grasas y alta en hidratos de carbono que preconizan virtualmente todas las cadenas de centros dietéticos extendidos por toda la nación, los artículos de las revistas mensuales, los consejeros de los medios de comunicación, las organizaciones profesionales e, incluso, los boletines de la Administración federal. La dieta baja en grasas es eficaz para algunas personas. Lo sé; lo he visto. Pero la idea de que es eficaz para todo el mundo es fruto de una información lamentablemente mala. Si ahonda usted en la literatura médica, descubrirá que la aparente unanimidad sobre sus beneficios es sólo aparente. Además, si sufre exceso de peso quizás usted mismo es la prueba viviente de que en su caso este tipo de dieta resulta ineficaz. Mi experiencia me lleva a decir que para decenas de millones de personas —la mayoría de las que padecen exceso de peso en Estados Unidos— no se producen resultados inmediatos. Se encuentra en contraposición con las pruebas científicas existentes sobre el metabolismo humano y la acción de los hidratos de carbono.

Tal vez recuerde que hace veinte años el preeminente nutricionista británico doctor John Yudkin anunció que la mayoría de los médicos británicos recomendaba una dieta baja en hidratos de carbono y que la mayoría de los dietistas norteamericanos, habiendo leído mis libros, así como los de los doctores Taller, Stillman y Tarnower, había creado una conciencia tal del principio de restricción de hidratos de carbono que ese régimen había quedado elevado a la categoría de «moda». Con anterioridad, la moda había sido el recuento de calorías. Pero ¿se ha producido durante estos años algún cambio en la fisiología de los humanos obesos? Lo dudo. El péndulo, simplemente, oscila.

Urge otra oscilación del péndulo. La moda actual se basa en una especie de lógica simplista que impresiona a las personas sencillas: «Si no quiere usted tener grasas, no coma grasas; si no quiere colesterol, no coma colesterol.» Se trata del argumento «se es lo que se come», desprovisto por completo de toda referencia a mecanismos metabólicos conocidos. Y los resultados son lamentables.

El peligro de la moda de los alimentos bajos en

grasas queda perfectamente de manifiesto si se estudian las estadísticas del Departamento de Agricultura de Estados Unidos. El péndulo empieza a oscilar hacia la limitación de grasas en el año 1975. Fue entonces cuando comenzó a disminuir el consumo *per capita* de carnes rojas y experimentó un aumento un tanto sorprendente el de pescado, pollo y leche desnatada. Durante los últimos quince años se ha mantenido constante el movimiento en estas direcciones. Pero las cifras implican una ominosa advertencia. En estos quince años el consumo *per capita* de azúcares (incluido el almíbar de maíz) se ha disparado desde 53 kilos anuales hasta 62.[1] Traduzcamos esto a términos que usted comprenda mejor. Estamos consumiendo casi 680 calorías de azúcar al día. Y eso el hombre, mujer o niño corrientes, no el adicto al azúcar. Lo cual significa que, con arreglo a un cálculo moderado, entre la tercera y la cuarta parte del total de calorías que un adulto ingiere a diario procede de edulcorantes calóricos nutricionalmente nulos y metabólicamente perjudiciales.

Si no le puedo convencer a usted de que tanto azúcar constituye un importante riesgo potencial para la salud, entonces probablemente me costaría mucho convencerle de que debe abrigarse en invierno.

No voy a caer en el error de los partidarios de la dieta baja en grasas, quienes aseguran que su dieta es eficaz para todo el mundo. Me sentiría un tanto estúpido si lo hiciese. Ninguna dieta es eficaz para todo el mundo. La individualidad biológica humana es muy acusada. Sin embargo, durante los últimos veinticinco años he trabajado en el perfeccionamiento de una dieta que, según me ha demostrado la experiencia, le va bien a la inmensa mayoría de los pacientes. Y es una dieta que los hace sentirse mejor, que favorece su salud a largo plazo y que controla su peso sin hacerles pasar hambre ni causarles molestias, todo lo cual constituye una notable ventaja.

Dieta de la naturaleza

Nunca insistiré demasiado en que la naturaleza nos ha abastecido con gran prodigalidad. Incluso antes del comienzo de la agricultura, el animal humano fue capaz, durante millones de años, de mantenerse fuerte y sano en condiciones de brutal privación, comiendo los peces y los animales que corrían y nadaban a su alrededor, y las frutas, verduras y bayas que crecían en sus proximidades. Sin medicinas, sin conocimientos técnicos, sin viviendas térmicamente aisladas ni calefacción, no obstante logramos sobrevivir.

Nos ayudó inmensamente el hecho de que el aspecto dietético de nuestro primitivo estilo de vida fuese tan enormemente saludable.

El aspecto dietético de nuestro refinado estilo de vida moderno es enormemente perjudicial para la salud.

Confío en que aprenderá usted a apreciar plenamente el hecho de que los alimentos frescos —sin refinar, sin procesar, sin elaborar, sin mejorar, sin «enriquecer»— son de todo punto recomendables.

La dieta Atkins, que espero fervientemente que siga usted durante el resto de su vida, contiene, en su más liberal forma de mantenimiento vitalicia, la mayoría de las verduras, frutos secos y semillas, algunos cereales y féculas en la medida en que lo permita su metabolismo y alguna que otra fruta. Contiene también una espléndida variedad de deliciosos alimentos proteínicos y otros con abundante cantidad de grasas, como la mantequilla y la crema, que usted encontrará excluidos de casi todas las demás dietas en boga.

Esto no se debe a que sea una dieta alta en grasas. No lo es, aunque bien sabe Dios que con frecuencia me han acusado de ello. En la actualidad, se aduce virtualmente todo en descrédito de las grasas alimenticias y, sin embargo, nunca parecen mencionarse sus ventajas para la persona sometida a dieta. La grasa sacia el apetito. La grasa suprime el deseo de hidratos de carbono. Y la grasa, en ausencia de hidratos de carbono, acelera la combustión de la grasa acumulada. El dietista avisado puede utilizar la grasa en su propio beneficio.

Pero la dieta Atkins no es una dieta alta en grasas, en parte porque algunas de las mayores fuentes de grasa en la dieta moderna son los alimentos de elaboración industrial y las comidas rápidas que yo nunca le permitiría a usted tomar. Con la dieta Atkins, comerá usted una cantidad de carne, pescado, aves, huevos y mantequilla mayor de la que consumía antes de adoptarla, pero estará tomando probablemente mucha menos grasa en total.

Aunque le mostraré los beneficios de la grasa y las proteínas, debo hacer hincapié en que la verdadera fuente de la mejora de salud que se obtiene con esta dieta será la exclusión del moderno consumo típicamente pantagruélico de hidratos de carbono. En el capítulo 3 explicaré el hiperinsulinismo y en cuanto empiece usted a comprender este fundamental concepto moderno —uno de los auténticos descubrimientos científicos y médicos de los últimos quince años— entenderá por qué la persona que sigue esta dieta no necesita una dieta baja en grasas. Las mejorías de salud que se experimentan, inseparables de una dieta que excluye toda posible combinación de azúcar y harina blanca, son más que suficientes para convertir la dieta Atkins en uno de los regímenes alimenticios más sanos que usted podría adoptar jamás.

Debo dejar esto bien sentado ya desde el principio, porque es fundamental para todo lo que quiero que sepa. Puede que compre usted este libro —y que yo obtenga un éxito editorial— porque quiere presentar una figura atractiva en el gimnasio, y me parece excelente, pero eso no sería una razón suficiente para escribirlo.

Esta dieta está ideada para ser la base de su buena salud. No me cabe la menor duda de que lo será. Mis pacientes no son tontos —muy pocas personas lo son cuando se trata de averiguar lo que sienten— y lo que a ellos les va bien es lo que le estoy ofreciendo a usted. Lo importante es que les ha dado una salud mejor. El hecho de que les eliminara su exceso de peso no fue para la mayoría de ellos más que un beneficio marginal. Pero si bien los beneficios emocionales fueron una cuestión marginal, los beneficios médicos fueron fundamentales. El exceso de peso guarda relaciones complejas pero innegables con la mala salud. Yo no podía dejar que mis pacientes estuvieran gordos, porque habían acudido a mí para recuperar la salud, y la salud ideal requiere un peso ideal.

En su caso, usted se ha puesto en contacto conmigo para adelgazar y, para conseguirlo, voy a tener que mejorar también su salud. Con el programa Atkins, no creo que pudiera usted separar esos resultados ni aunque se lo propusiera.

Pero, doctor Atkins, yo quiero disfrutar comiendo, disfrutar viviendo y perder peso de forma definitiva

Y lo hará. ¿Cree que un hombre puede pasar de engordar doscientos gramos semanales a perder dos kilos por semana sin alterar significativamente el número de calorías que consume? Permítame entonces presentarle a Harry Kronberg. Hay un gran número de Harrys Kronberg en mi experiencia, pero no tuve que rascarme la cabeza intentando decidir de quién debía hablar, porque dio la casualidad de que Harry vino a visitarme el día en que yo estaba redactando este capítulo. Quiero que preste usted mucha atención a esta historia y procure no ceder a la incredulidad, porque estos resultados son reales. Y creo que iré sacando a colación a Harry en varios otros lugares de este libro.

Harry Kronberg, de treinta y nueve años y encargado de un almacén de maderas, vino a verme con arritmia cardiaca y un desesperado problema de peso. Había sido regordete ya de niño, pero ahora las cosas se habían desbocado. Unos años antes, había acudido a un centro dietético y, siguiendo una dieta baja en grasas, había bajado su peso desde 111 kilos hasta 84. Y después había vuelto a ganar nada menos que 43 kilos.

En efecto, cuando Harry vino a verme pesaba 127 kilos y, con una estatura de 1,66, eso era realmente excesivo. En los 35 meses anteriores, con una dieta baja en grasas y relativamente feculenta de unas 1.700 calorías diarias, había ganado 35 kilos, exactamente un kilo al mes, lo cual indicaba con toda claridad que tenía un problema metabólico. Comenzó entonces mi dieta, la dieta que usted va a conocer en este libro. Esta dieta le ha restringido radicalmente los hidratos de carbono, al tiempo que le permite comer cuanta carne, pescado, aves y huevos quiera. Se le dijo a Harry que comiese todo lo que quisiera. El total de calorías era sorprendentemente similar al que había estado ingiriendo con su dieta anterior, pero nunca se saltaba una comida y nunca sufría un momento de hambre. El resultado fue que exactamente en los tres primeros meses de dieta perdió 24 kilos (2 kilos por semana) y sigue perdiendo peso a razón de

1,3 kilos semanales. Sus síntomas cardiacos han desaparecido, el colesterol ha bajado de 207 a 134 y los triglicéridos de 133 a 31.

Creo poder asegurar que Harry se quedó impresionado. De hecho, me dijo: «No voy a dejar de tomar estas vitaminas que me está dando, doctor. En ellas hay algo que me hace perder peso.» Bueno, tenían algo para suavizarle la experiencia, pero debo confesar que no contenían nada para hacerle adelgazar.

Pero, con esta dieta, ¿podré disfrutar comiendo?

Me sorprenderá mucho que no lo haga. Echemos un vistazo al menú de Patricia Finley. Lleva tres meses y medio siguiendo la dieta de inducción Atkins y ha perdido 14 kilos. Aún le quedan por perder otros 16, pero creo que lo conseguirá.

Por cierto, la mayoría de los pacientes acerca de los cuales le hablaré en este libro habrá alcanzado ya su peso ideal, pero no veo ninguna razón para circunscribirme a ellos. He tenido tantos miles de éxitos con mi dieta que no es ninguna presunción por mi parte dar por supuesto que también logrará su objetivo una gran mayoría de los dietistas de que les hablaré que aún se encuentran en el proceso de pérdida de peso.

Patricia, que solía comer muchas féculas y que se daba a veces grandes atracones de pasteles cuando estaba nerviosa o preocupada, se ha con-

54

vertido a una sabrosa dieta baja en hidratos de carbono.

Para desayunar, toma huevos con tocino, o una tortilla de queso o unas cuantas verduras con queso azul. El almuerzo puede ser atún o pollo con abundante ensalada. Pero a veces toma solomillo picado salteado con cebollas, chile en polvo y pimientos. A Patricia le encanta tomar pinchitos de aceitunas o puntas de espárragos, pero dedica la máxima energía y atención a la cena. Considera que no es posible sentirse insatisfecha cuando se saborea una comida compuesta de guacamole (para los no iniciados, digamos que se trata de aguacates triturados aliñados en ensalada con tomate y cebolla) y lonchas de pollo. Añádase su pasión por los calabacines rallados en aceite de oliva, con mantequilla y nuez moscada, su afición al brécol con salsa Meunière y su receta casera de sopa de pollo y ¿qué encontramos? ¿Hambre? No. A Patricia le gusta también la pierna de cordero con cebolla picada, preparada con aceite de oliva, hierbas aromáticas y sal. Y me asegura que esto constituye sólo una pequeña muestra de las comidas que encuentra posible y agradable ingerir sin salirse de su dieta.

Sí, les he descrito una dieta estricta para perder peso. Una dieta que puede usted adaptar a sus propios gustos personales, siempre que coma solamente alimentos permitidos.

Yo creo que hay materia de reflexión en esta historia. Mencionaré ahora algunas de las otras cosas que le enseñará este libro.

- Cómo proporcionarse a sí mismo una situación favorable, una ventaja metabólica que le permita perder peso ingiriendo un número de calorías superior a la cantidad con que haya perdido peso en cualquier ocasión anterior.

- Cómo tendrá éxito aunque haya podido usted sentirse hambriento, fatigado, deprimido y frustrado con otras dietas. Con ésta no experimentará ninguno de esos sentimientos.

- Por qué no necesitará fuerza de voluntad con la dieta Atkins.

- Cómo se puede poner fin a las comilonas en un solo día.

- Cómo puede usted alcanzar su peso ideal quemando su exceso de grasa como combustible, la maravillosa situación de la Cetosis Dietética Benigna.

- Cómo asegurarse de que está perdiendo grasa y no tejido corporal magro.

- Cómo puede eliminar para siempre esos kilos de más mediante un cambio dietético vitalicio en el que conserva como dieta básica la misma con la que perdió peso y añade a ella algunos de los alimentos que más le gustan.

- Cómo puede determinar su grado de resistencia metabólica a la pérdida de peso y cómo modificar consiguientemente su dieta.

- Cómo utilizar el nuevo ayuno de grasas At-

kins si tiene usted resistencia metabólica intensa.
- Cómo utilizar la medicina nutricional para contribuir a vencer la resistencia metabólica.

CAMBIOS DE SALUD

- Cómo vencer el Trastorno Relacionado con la Dieta; el pernicioso trío de hipoglucemia, infecciones zimóticas e intolerancias alimenticias.
- Cómo puede evitar la catástrofe que representa el hiperinsulinismo para la salud.
- Cómo puede elaborar su propio programa de ejercicio personalizado.
- Cómo mejorar su nivel de energía.
- Cómo puede, en conjunción con la dieta, organizar un programa de complementación nutricional que hará maravillas en su salud.
- Cómo bajar con la dieta su nivel de colesterol y mejorar el resto de valores de lípidos en sangre.
- Cómo utilizar la dieta para vencer afecciones tales como diabetes, enfermedades cardiacas e hipertensión arterial, que con tanta frecuencia aparecen asociadas a la obesidad.

CAMBIOS ALIMENTICIOS

- Cómo utilizar los sabrosos alimentos prohibidos en otras dietas para convertir su nueva dieta en algo digno de un príncipe o una princesa.
- Cómo crear manjares altamente apetitosos que sustituyan a los hidratos de carbono que a usted tanto le gustan.
- Cómo comportarse en supermercados, restaurantes y fiestas privadas cuando haya comenzado su nuevo estilo de vida.
- Cómo personalizar su dieta de manera que se acomode a sus gustos, estilo de vida y metabolismo.
- Cómo los alimentos animales pueden eliminar su ansia de dulces.

CAMBIOS PERSONALES Y FAMILIARES

- Cómo explicar la dieta a sus familiares y amigos.
- Cómo comer tranquilamente con ellos aunque su estilo de comidas se mantenga diferente al de usted.

CÓMO MANTENER LA DIETA

- Qué hacer si le asaltan deseos de dulces y féculas.

- Cómo seguir una dieta de mantenimiento que se convertirá en una segunda naturaleza para usted.
- Cómo seguir durante toda la vida el plan de mantenimiento.
- Cómo romper la dieta y, sin embargo, sobrevivir.
- Cómo utilizar la grasa dietética para mejorar su salud.
- Cómo ajustarse a su peso ideal y recuperarlo si alguna vez engorda demasiado.
- Cómo no rebasar nunca en más de dos kilos su peso ideal.

ÉSTA PODRÍA SER LA DIETA PARA USTED

Acabo de esbozar un programa ambicioso y a veces paso por momentos ingenuos y románticos en los que casi desearía poder decirle que va a ser difícil y que tendrá que hacer acopio de todas sus reservas de energía y valor para atenerse a él. Pero la verdad es que no puedo pretender nada tan heroico. Le resultará sorprendentemente fácil y va a producir un cambio fundamental en su vida.

Yo he pasado treinta años junto a personas que no sabían lo que la grasa les estaba haciendo, personas jóvenes y personas viejas, unas con sólo cinco kilos de más, otras con casi noventa. Yo he visto a personas sentarse en mi consulta y romper a llorar incontrolablemente, abrumadas por sus repetidos fracasos y desesperadamente necesitadas de ayuda.

Espero haberle convencido de que, en este preciso instante, tiene la ayuda en sus manos.

NOTAS

1. Putnam, J.J. y Allshouse, J.E.: *Food Consumption, Prices, and Expenditures, 1968-89*, Departamento de Agricultura de Estados Unidos, Statistical Bulletin, n.º 825, pág. 61.

3

¿Es usted éste? Tres tipos que necesitan una dieta cetogénica

Tiene usted derecho a preguntarse de qué estoy hablando. He dicho que, si tiene usted un problema de peso, hay más de un 90 % de probabilidades de que yo le ayude a resolverlo. ¿Es eso realmente relevante para su particular y muy personal situación de peso? Con el fin de ayudarle a comprender dónde encaja o no usted, trazaré el perfil de mi paciente de obesidad típico. No es difícil. Hay varias características en el exceso de peso debido a trastornos del metabolismo de los hidratos de carbono que son instantáneamente reconocibles.

¿Responde usted a esta descripción? Personas del Grupo A

- ¿Tiene usted exceso de peso a pesar de que no come tanto?
- ¿Sigue usted dietas de adelgazamiento clásicas y, sin embargo, no consigue perder peso o se queda muy lejos de su objetivo?
- ¿Ha observado que las personas delgadas

consumen más alimentos y más calorías diarias que usted?

- ¿Se siente hambriento con las dietas de pocas calorías?
- ¿Considera que la cantidad de alimentos que come es el mínimo que puede tomar sin sentirse físicamente insatisfecho?
- ¿Experimenta la sensación de no haberse saciado cuando toma una comida normal?
- ¿Considera que cuando come la cantidad de alimentos que estima adecuada, no pierde peso o incluso lo gana?
- ¿Ha dicho usted muchas veces: «En realidad soy muy disciplinado; debe de ser cosa de mi metabolismo»?

¿O es ésta una mejor descripción de usted? Personas del Grupo B

- ¿Tiene usted una inexplicable obsesión por la comida?
- ¿Costumbre de comer por la noche?
- ¿Tendencia a las grandes comilonas?
- ¿Ansia de alimentos abundantes en hidratos de carbono, como dulces, pasta y pan?
- ¿Se pasa todo el día picoteando cuando tiene comida a mano?
- ¿Un intenso deseo de volver a comer poco después de haber comido hasta hartarse?
- ¿Se considera un comedor compulsivo? ¿Se ha dicho alguna vez: «Ojalá pudiera contro-

lar mi comportamiento cuando se trata de comer»?

- ¿Tiene usted síntomas específicos de mala salud, tales como los que relaciono a continuación, que ceden o desaparecen por completo en cuanto come? ¿Sufre usted de:

— Irritabilidad?
— Inexplicables pérdidas de fuerza y energía en varias ocasiones a lo largo del día, a menudo abrumadores accesos de fatiga, sobre todo por la tarde?
— Cambios de humor?
— Dificultad para concentrarse?
— Dificultades con el sueño: a menudo la necesidad de dormir mucho, algunas veces la costumbre de despertar de un sueño profundo?
— Ansiedad, tristeza y depresión sin que haya ninguna situación que lo explique?
— Vértigos, temblores, palpitaciones?
— Aturdimiento y pérdida de agudeza mental?

¿O le corresponde quizás esta descripción? Personas del Grupo C

- ¿Tiene usted algún alimento o bebida concretos de los que considera que no podría prescindir?
- ¿Rechazaría asistir a una comida elegante por no pasarse sin su alimento favorito?

- ¿Hay alguna comida o bebida concreta que le haga sentirse mejor en cuanto la toma?
- ¿Ha pensado alguna vez: «Me pregunto si podría contraer adicción hacia esa comida o bebida»?
- ¿Experimenta este sentimiento con relación a una categoría de alimentos? (Dulces, refrescos, productos lácteos, cereales, etcétera.)

Qué le revelan estas respuestas

Veamos ahora qué hace usted con esta información. En primer lugar, permítame decirle que me costaría creer que pudiera haber una persona con importante exceso de peso que no diera ninguna respuesta afirmativa. Si usted responde afirmativamente, entonces este libro es para usted y, probablemente, yo tengo una solución para su problema.

Si la mayoría de sus respuestas afirmativas se encuentra en el grupo A, usted tiene un problema metabólico, manifestado, o bien por a) una relativa incapacidad para perder peso o mantener la pérdida de peso, o por b) hambre o incapacidad para lograr y mantener la saciedad.

Si la mayoría de sus respuestas afirmativas lo fue a preguntas del grupo B, entonces probablemente tiene usted intolerancia a la glucosa, situación generalmente conocida como hipoglucemia.

Si la mayoría de sus respuestas afirmativas lo fue a preguntas del grupo C, entonces probablemente tiene usted una adicción a la comida o bebida que ha señalado. Otras denominaciones del fenómeno son «alergia alimentaria» o, más precisamente, «intolerancia a alimentos concretos».

Si se halla incluido en el grupo C y la comida o bebida que ha identificado es o contiene hidratos de carbono, entonces tiene usted adicción a los carbohidratos y este libro le proporcionará más respuestas de las que haya creído posibles.

Estas tres respuestas son facetas del mismo problema

Aquellos de ustedes que se incluyan en los grupos A y B (y también la mayoría de los encuadrados en el C) padecen una afección que es el denominador común subyacente a casi todos sus problemas y que se llama hiperinsulinismo.

Antes de explicar el significado del hiperinsulinismo y dar la buena noticia de lo fácilmente que se puede vencer con esta dieta, quiero que reflexione sobre la importancia del comer.

Pregúntese a sí mismo: ¿Qué otra cosa hago a lo largo del día que constituya una alteración tan dramática e intensa de mi cuerpo, como tragar los alimentos que ingiero?

En el tiempo que transcurre desde que se levanta hasta que se acuesta, usted se lleva kilos de materia orgánica a la boca. Su cuerpo funciona gracias a ello. No se sorprenda de que, si realiza elecciones inadecuadas, tenga que pagar un precio.

Y ahora, antes de entrar en detalles sobre el mecanismo de los problemas metabólicos que resultarán, consideremos el impacto que produce el consumo de azúcares e hidratos de carbono en las personas.

Vida sin control

Es frecuente el comportamiento obsesivo con las comidas y algunos de los casos más graves pueden resultar difíciles de resolver incluso con esta dieta, e imposibles de solventar con cualquier otro recurso. Ciertos tratadistas de temas dietéticos han hablado de adicción a los hidratos de carbono, y se trata de un término adecuado. Los hombres y mujeres que se hartan de comida y fantasean y a menudo casi viven solamente para comer se encuentran en una situación semejante a la del adicto al alcohol o las drogas. Necesitan desesperadamente un enfoque metabólico de su problema.

Gordon Lingard, agente inmobiliario, era un ejemplo extremo. Tenía cincuenta y tres años cuando vino a verme y pesaba 139 kilos con una estatura de 1,77. Gordon había pasado de un peso normal en la universidad (cuando era socorrista de playa) a una situación de obesidad extrema a los treinta años. Había llegado a pesar 204 kilos. No tenía desequilibrios hormonales y lo había probado todo: grapado de estómago, eméticos, laxantes y toda clase de dietas.

Gordon se resultaba a sí mismo tan inexplicable como a sus numerosos médicos. Sólo sabía que tenía que comer. Sentía un ansia indescriptible. Me dijo que constantemente estaba planeando su siguiente comilona. Litros de helado desaparecían tan rápidamente como un adicto corriente a los hidratos de carbono engulle una chocolatina. El azúcar era la obsesión principal de Gordon.

No había ni un solo instante en que no lo deseara. A menudo, me ponía a temblar convulsivamente hasta que podía llevarme algo de azúcar a la boca. Los síntomas eran totalmente físicos y resultaban aterradores. Para mí, no existía nada aparte de la comida. Tenía un trayecto de una hora en coche desde la oficina a casa y me conocía todos los restaurantes, todos los bares, todas las máquinas automáticas de chocolatinas, todos los puestos de refrescos a todo lo largo de la ruta.

Estará usted pensando que esto era casi por completo psicológico; pues se equivoca.

El de Gordon era un caso especial y durante algún tiempo no resultó nada fácil tratarlo. En su caso, algunas de las ayudas vitamínicas que describo en el capítulo 22 constituyeron una parte importante de la solución. Pero lo que deben comprender es que el problema de Gordon no era sencillamente una versión más extrema de los problemas que sufren tantas y tantas personas con exceso de peso. Sus dificultades eran básicamente metabólicas y podían resolverse tratándolas metabólicamente. En la actualidad, Gordon Lingard ha alcanzado casi su peso normal por primera vez en treinta años y ya no se siente compelido a consumir azúcar.

Gordon había fracasado repetidamente con dietas bajas en grasas o en calorías. ¿Y por qué no? Su problema estribaba en su respuesta metabólica a los hidratos de carbono. Resolver una situación descontrolada como ésta restringiendo las calorías sin vigilar los hidratos de carbono es como adentrarse en las rompientes con la firme intención de hacer retroceder al océano.

Tal vez haya cogido usted este libro con la secreta convicción íntima de ser un «comedor compulsivo». Muy probablemente, usted es un adicto a los hidratos de carbono. ¿Cuántos comedores compulsivos de filetes ha conocido? No muchos, ¿verdad? Permítame decirle que constituyen una rara especie.

El ansia de dulces suele ser una señal

Muchas personas empiezan de niños comiendo la llamada dieta «equilibrada», pero, ya de adultos, ésta se va tornando cada vez menos equilibrada. Antes, comer no les parecía tan importante, pero ahora, sí. Y se miran el contorno de la cintura, miran luego lo que comen y comprenden que tienen un problema. Por lo general, advierten que su gusto en materia de comida ha ido en una dirección específica.

Los hidratos de carbono constituyen ahora el grueso de lo que comen; panes y alimentos cocidos, pasteles y bombones, pasta y palomitas de maíz. Es típica la presencia de sorprendentes e ilógicas ansias de comida. ¿Toma usted alguna vez una cena con un postre abundante y casi inmediatamente después se encuentra con que desea comerse un bombón? Eso es una señal, como lo es la fatiga, de que algo marcha mal en su metabolismo.

No es que coma usted cuando no tiene hambre, sino que al parecer siempre tiene hambre. Sin embargo, cuando come el alimento con hidratos de carbono que ansía, sólo se siente mejor por poco tiempo. Su situación es exactamente la contraria de la que experimentará con la dieta Atkins. Con ésta, hallará que su apetito disminuye y en cambio aumenta su satisfacción en los alimentos que come.

¿Se siente un comedor compulsivo?

Muchos adictos a los hidratos de carbono serían tan incapaces de pasar por delante de un frigorífico sin abrirlo como podría serlo Martina Navratilova de dejar pasar una pelota alta sobre su cabeza sin devolverla con la raqueta. He oído a muchos pacientes decir: «Es irresistible, doctor Atkins. Soy un esclavo. ¿Cómo podrá usted ayudarme?»

Yo respondo: «No se preocupe; sus compulsiones no me asustan y pronto tampoco le asustarán a usted. Cuando pase por delante de la nevera, ábrala y tenga en su interior una ensalada de pollo o carne asada. Si come como yo le pido que haga, encontrará deliciosos esos alimentos, pero las compulsiones se desvanecerán.»

Y es que su compulsión alimenticia no es un trastorno del carácter, es un trastorno químico llamado hiperinsulinismo y usted lo tiene simplemente porque ha comido de la misma forma insalubre con que come la mayoría de las personas en nuestra cultura.

La dieta causante

Existen acusadas similitudes entre las dietas que se comen en todos los países desarrollados del mundo, así que, por el momento, mencionaré solamente las estadísticas referentes a Estados Unidos. Cuando comprenda cómo puede ser una forma saludable de comer, las encontrará tan extrañas y terribles como yo.

En primer lugar, y el peor, está el azúcar. Permítame que le hable un poco acerca de él. Hace doscientos años, las personas ingerían por término medio menos de cuatro kilos y medio de azúcar al año. Después, hace casi exactamente cien años, se rompieron las barreras. En la década de 1890, barrió el país una auténtica pasión por las bebidas de cola, lo cual significa que cuando estábamos sedientos y ansiábamos agua ingeríamos azúcar también. El resultado neto fue que la ingestión de azúcar, que había sido de 5,5 kilos al año en 1828, fue casi diez veces más en 1928. Las últimas estadísticas del Departamento de Agricultura muestran que el norteamericano medio consumió 53,5 kilos de edulcorantes calóricos (sobre todo azúcar refinado y almíbar de maíz con grandes cantidades de fructosa) en 1975 y 62 kilos en 1990.[1] Esto significa que el azúcar y el almíbar de maíz constituyen por sí solos un porcentaje extraordinariamente elevado de la dieta del norteamericano medio. Esas cifras equivalen a 170 gramos de azúcar (y almíbar de maíz) al día. Como la persona media ingiere 425 gramos de hidratos de carbono al día, 105 gramos de proteína y 168 gramos de grasa, el azúcar constituye el 40 % del total de hidratos de carbono y casi la cuarta parte, en peso, de nuestro alimento diario.

El azúcar carece por completo de valor nutricional y es directamente perjudicial para la salud. Pese a enardecidos intentos por defenderlo, hay centenares de estudios que evidencian sin lugar a dudas lo nocivos que pueden ser sus efectos.[2] No entraré en ellos ahora, porque quiero que se informe usted acerca del hiperinsulinismo en el capítulo siguiente y el azúcar se merece un libro entero.

Quiero que recuerde en qué consiste la dieta occidental moderna, concretamente en Estados Unidos. Recuerde también que, aunque no tome azúcar directamente, lo encontrará ya contenido en mil alimentos y bebidas diferentes antes de que lleguen a su mesa, agregado en su mayor parte a artículos que, de no haber sido endulzados de esta forma, le harían arrugar la nariz. El azúcar es el amigo de la industria alimentaria norteamericana y, si se ha dejado usted impresionar por las enormes cantidades de propaganda antigrasa divulgada a manera de educación nutricional durante los diez últimos años, puede que haya llegado casi a olvidar lo que realmente contienen los envases de esos expositores de supermercado.

Permítame asegurarle que comer carne, pescado y aves no es una penalidad necesaria para conservar la salud, es lo que el carnívoro humano ha comido durante millones de años.

Consideremos el modo en que comía la gente en el siglo XIX. Se consumía mantequilla y manteca de cerdo en abundancia, se comía buey y cerdo, y no había limitaciones al consumo de huevos. Sin embargo, casi nadie moría de infarto. Paul Dudley White, que fue cardiólogo personal de Eisenhower, recordaba que no vio un primer ataque al corazón hasta después de su primer año de práctica profesional, en los años veinte. Si quiere un dato más esclarecedor, considere éste: el francés del siglo XX, con su dieta cargada de mantequilla, queso y paté de hígado de oca, tiene una tasa de enfermedades cardiacas inferior en un 60 % a la de sus colegas norteamericanos.[3] (La francesa está mejor aún, tiene la tasa más baja de enfermedades cardiacas de todo el mundo occidental.)

Así pues, ¿qué causó el alud de enfermedades degenerativas? Sólo le pido que observe cómo cambió nuestra dieta en el siglo pasado. No sólo se inventaron las colas en la década de 1890, sino que, para empeorar las cosas, en esos años se desarrollaron los molinos capaces de refinar el trigo y convertirlo en una harina blanca y exenta de valor nutricional. Una vez que a la harina se unieron gustos dulces y gustos salados, tuvimos los elementos fundamentales de la cultura de comida industrial de Estados Unidos y muchos de los demás países desarrollados, pero no todos.

Consideremos de nuevo al francés, el tipo de los dientes clavados en el *pâté de foie gras*. Como sabe cualquiera que haya estado en Francia o vea el programa «Sixty Minutes», los franceses padecen mucha menos obesidad y enfermedades cardiacas que los estadounidenses. Sin embargo, su dieta es más alta en grasas. (Comen cantidades comparables de carne y pescado, cuatro veces más mantequilla y el doble de queso que los norteamericanos.) ¿Qué significa todo eso? ¿Podría tener algo que ver con el hecho de que el consumo per cápita norteamericano de azúcar es cinco veces y media mayor que el de los franceses?

Sin embargo, todos sabemos que la grasa es la fuente de todas las enfermedades. ¿Verdad?

Vigile su metabolismo

El azúcar activa determinados procesos metabólicos que son perjudiciales para la salud y desastrosos para la línea. El azúcar es un veneno metabólico.

Naturalmente, usted podría hacer caso omiso

de este hecho e intentar controlar su exceso de peso contando calorías y comiendo sólo tantos trozos de esto y sólo tantos gramos de aquello. Es decir, podría centrar su atención en la cantidad en vez de en la calidad de su dieta. ¿No es eso lo que la dietética al uso le aconseja que haga?

Pero yo quiero decirle que la probabilidad de que usted pierda peso de manera permanente controlando sus calorías es casi nula.

Seguramente usted ya lo sospechaba. El sentido común indica que cuando muchas personas prueban la misma solución al mismo problema y todas fracasan, algún defecto habrá en esa solución. Puede que usted haya probado una dieta baja en calorías. Estoy seguro de que ha visto probarla a otras personas. Después de un prometedor comienzo, acaban fracasando. Quizá no tenga ningún sentido golpearse la cabeza contra la pared.

Melissa Jackson, de treinta y cinco años de edad y ejecutiva de una compañía de seguros, vino a verme pesando 101 kilos con una estatura de 1,62. Había probado literalmente todas las dietas de que había tenido noticia o que alguien le había sugerido desde que cumplió los dieciséis años. Había sido gorda ya desde niña.

La situación la había atormentado y obsesionado siempre, porque la gordura no sólo afectaba a su vida, sino que era algo a lo que no sabía cómo enfrentarse. Probó píldoras dietéticas y dietas de proteínas líquidas y luego una larga lista de otros regímenes bajos en grasas. A los treinta años, estaba acostumbrada a que se le dijese después de meses de esforzada lucha que se estaba «estabilizando en los 90 kilos».

La situación escapaba a mi control y, debido a ello, me sentía disgustada conmigo misma. Llegué al punto en que estaba continuamente hambrienta con dietas bajas en grasas o en calorías y conseguía perder quizá 900 gramos en un mes. Después, no perdía ni siquiera eso. Me dejaba casi literalmente morir de hambre y al cabo de cuatro o cinco días de no comer nada me encontraba con que había perdido 200 gramos.

Melissa Jackson se sometió a la dieta Atkins y perdió 35 kilos en un año. Sin pasar hambre. Siempre le han gustado —y durante gran parte de su vida había ansiado— las tartas, los pasteles, los helados y los platos de pasta, y renunció a esos alimentos. Pero comía todo lo demás que le gustaba. Al cabo de unas semanas ya no echaba en falta lo que no tomaba. Tenía más energía, necesitaba dormir menos, bajó su nivel de colesterol y subió su proporción de LAD por colesterol LBD. Antes llevaba vestidos de talla 46, ahora gasta la talla 40 o 42.

Si todo esto le parece todavía misterioso, sólo puedo aconsejarle que siga leyendo.

He dicho antes que toda una amplia categoría de obesidad, que hemos convenido en llamar grupo A, es metabólica. Veamos de qué manera concreta.

NOTAS

1. Putnam, J.J. y Allshouse, J.E.: *op. cit.*, pág. 61.

2. Véase especialmente la bibliografía en Shafrir, E.: «Effect of sucrose and fructose on carbohydrate and lipid metabolism and the resulting consequences», en Reitner, R., ed. *Regulation of Carbohydrate Metabolism*, vol. II, Boca Raton, Florida, CRC Press, 1985.

3. Dolnick, E.: «Le Paradoxe Français», *Hippocrates*, mayo/junio, 1990, págs. 37-43.

4

Insulina: la hormona que engorda

Voy a hablarle de la hormona cuyo nombre ha oído usted muchas veces: la insulina. Aunque este capítulo habla de ciertas cuestiones técnicas, yo creo que debe leerse atentamente porque, para muchos de ustedes, las respuestas están aquí.

Casi todo el mundo ha oído hablar de la insulina porque se administra a ciertas clases de diabéticos para ayudarles a controlar el nivel de azúcar en la sangre. Esta hormona insulina es una de las sustancias más poderosas y eficientes que el cuerpo utiliza para controlar el uso, distribución y almacenamiento de energía.

El cuerpo es una máquina de energía que nunca descansa, se encuentra siempre metabólicamente activa y funciona sobre todo mediante el uso de glucosa (una forma básica de azúcar) en la sangre. Necesita tener glucosa y aun en condiciones de inanición continuará obteniéndola mientras haya en el cuerpo algo que el organismo pueda convertir en glucosa. Así pues, incluso con un ayuno total y prolongado, el cuerpo puede mantener su nivel de glucosa dentro de unos márgenes normales bastante estrechos. Como regla general, naturalmente, el cuerpo obtiene mediante la comida su principal provisión de combustible.

Al tomar la comida

Llega la hora del almuerzo. Se sienta usted a la mesa e ingiere una comida de tres platos. ¿Qué hace su cuerpo? En algún lugar entre la masticación y la excreción, absorbe ciertas sustancias de sus alimentos, principalmente a través de la superficie del intestino delgado. En ese momento es cuando el alimento entra realmente en el cuerpo para ser utilizado.

De los hidratos de carbono que usted come su cuerpo absorberá azúcares simples, todos los cuales o bien son glucosa, o bien se pueden convertir rápida y fácilmente en glucosa. De las grasas, absorbe glicerol y ácidos grasos, y de las proteínas absorbe aminoácidos, los sillares de la proteína.

Evidentemente, si come muchos hidratos de carbono, producirá mucha glucosa en la sangre. Parece estupendo, ¿verdad? Un montón de energía recorriendo su sistema. Coma azúcar, féculas o fruta y sus niveles de azúcar en sangre subirán rápidamente, ¿no?

Si le gustan los bombones, quizás esté usted pensando: «Genial, cuanto más coma, más fuerte seré.»

Pero, ay, se trata de un grave error. Mire usted, su cuerpo fue diseñado allá en los tiempos anteriores al hombre de Neanderthal, cuando no había bombones.

La capacidad de su cuerpo para habérselas con alimentos no refinados, tal como se presentan en la naturaleza, es totalmente adecuada; su capacidad para enfrentarse a un exceso de azúcares simples de rápida energía es bastante escasa, lo cual constituye la verdadera razón por la que nuestra dieta del siglo XX nos causa complicaciones.

Si aún no comprende usted esto, consideremos qué hacen la insulina y las otras hormonas reguladoras de la energía cuando comemos.

Cuando sube el nivel de glucosa en la sangre

Si sus niveles de azúcar en la sangre suben bruscamente, como ocurre en cuanto toma usted hidratos de carbono, su cuerpo adopta una decisión instantánea. ¿Cuánto de esa pura energía va a utilizar para atender a necesidades inmediatas y cuánto almacenará para satisfacer exigencias futuras?

El instrumento de su decisión es la insulina, porque la insulina gobierna el procesado del azúcar en la sangre.

La insulina se fabrica en una zona del páncreas llamada los islotes de Langerhans. Cuando el nivel de azúcar en la sangre sube la insulina acude velozmente y convierte una porción de esa glucosa en glucógeno, un almidón que se almacena en los músculos y el hígado y del que se puede disponer prontamente para uso energético. Si las zonas de almacenamiento del glucógeno están llenas y en la sangre todavía hay más glucosa de la que el cuerpo necesita para funcionar, la insulina convertirá el exceso en tejido graso llamado triglicérido, que llevamos en nuestro cuerpo como componente químico principal del tejido adiposo, la materia de la que usted desea desembarazarse y por la cual está leyendo este libro. Por este motivo se ha dado en llamar a la insulina «la hormona productora de grasa».

La insulina es un trabajador muy eficiente. Si no lo fuese, el cuerpo no podría procesar la glucosa, su combustible básico, y los niveles de glucosa en la sangre aumentarían mientras el cuerpo buscaba otros combustibles, primero los almacenes de grasas y luego el tejido muscular mismo. Eso es lo que sucede en la diabetes por deficiencia de insulina cuando se produce ausencia de esta hormona. Por el contrario, si la insulina fuese demasiado eficaz o se encontrara en cantidades excesivas, procesaría demasiada cantidad también, dejando demasiado poco en la sangre para su transporte como combustible hasta el cerebro.

El cuerpo intenta acomodarse liberando hormonas contrarreguladoras, sobre todo glucagón, adrenocorticoides y adrenalina para elevar el nivel de glucosa, pero una potente dosis de insulina puede neutralizarlas a todas. Afortunadamente para la mayoría de nosotros, esta acción equilibradora de la glucosa se realiza de modo automático y nuestro nivel de azúcar en sangre se mantiene dentro de unos límites normales bastante estrechos de entre 65 y 110 miligramos por cada 100 centímetros cúbicos de sangre.

Hiperinsulinismo

Resulta fácil comprender que existe una relación entre las clases de alimentos que se comen y la cantidad de insulina que contiene el torrente sanguíneo. Los alimentos con hidratos de carbono, especialmente hidratos de carbono simples como el azúcar, la miel, la leche y la fruta, que contienen glucosa, e hidratos de carbono refinados tales como la harina, el arroz blanco y la fécula de patata, que como se absorben enseguida a través del intestino se convierten rápidamente en glucosa, requieren gran cantidad de insulina. Las proteínas y las grasas, por el contrario, no producen casi ninguna alteración en el nivel de insulina.

A medida que una persona con exceso de peso va engordando más, aumenta también el problema de la insulina. Numerosos estudios han puesto de manifiesto que el individuo obeso (y diabético) es sumamente insensible a la acción de la insulina. Ahí es donde verá usted el término «resistencia a la insulina». Los hidratos de carbono están provocando la liberación de grandes cantidades de hormona, pero el cuerpo no puede utilizarla con eficacia. El cuerpo reacciona expulsando más insulina aún. Por consiguiente, exceso de peso y altos niveles de insulina son conceptos casi sinónimos.*

* Y para complicar un poco más la cuestión, se ha demostrado experimentalmente que incluso altos niveles de insulina pueden incrementar la resistencia a la insulina. Esto significa que los altos niveles de insulina pueden ser la causa de todo el círculo vicioso hidrato de carbono-insulina-resistencia a la insulina.

Por lo visto sucede que los receptores de insulina existentes en las superficies de las células del cuerpo se ven impedidos de realizar su función, lo cual, a su vez, impide que la insulina estimule la transferencia de glucosa a las células para uso energético. Ésa es una razón por la que los individuos con exceso de peso están casi todo el tiempo cansados. Como la insulina no consigue convertir la glucosa en energía, lo que hace es transferir cada vez más cantidad a la grasa acumulada. Usted querría adelgazar, pero su cuerpo se está convirtiendo, de hecho, en una máquina productora de grasas.

El sistema hormonal de su cuerpo se encuentra ahora en una situación desesperada. La insulina —su hormona productora de grasa— está ahora siendo segregada continuamente para habérselas con altos niveles de azúcar, pero lo está haciendo cada vez con menos eficacia. Con el tiempo, hasta los receptores de insulina que convierten la glucosa en grasa empiezan a deteriorarse y esto anuncia la aparición de diabetes. En casos graves, incluso el páncreas queda exhausto a consecuencia del esfuerzo requerido para producir tanta insulina y una diabetes alta en insulina se transforma en otra del tipo dependiente de la insulina.

Tener los niveles de insulina más o menos permanentemente altos y, sin embargo, ser resistente a los efectos de la insulina, es lo que se denomina hiperinsulinismo.

¿Diabetes como consecuencia?

El paso siguiente en este trágico proceso es, en efecto, la diabetes, una epidemia entre las personas con exceso de peso.[1]

En esta situación, la primera señal de diabetes suele ser que la persona obesa, que nunca ha podido adelgazar, empieza a perder peso inexplicablemente. Ello se debe a que el azúcar contenido en la sangre ya no se convierte en energía ni en grasa. La insulina, la crucial hormona productora de grasa, ha quedado reducida a la impotencia.

La diabetes es una enfermedad grave que no sólo aumenta el riesgo de contraer dolencias cardiacas, sino que ejerce también efectos adversos a largo plazo sobre los ojos, los riñones, el sistema nervioso y la piel.

Varios problemas más relacionados con la insulina

No todas las personas gruesas llegan a la diabetes, pero, afectadas como están de hiperinsulinismo, se encuentran en una situación prediabética que tiene sus propios importantes peligros. Quienes respondieron afirmativamente al grupo B de síntomas deben reconocerse a sí mismos.

En primer lugar, y también lo más perceptible, se presentan los persistentes accesos cotidianos de fatiga respecto a los que las personas obesas parecen incapaces de hacer nada; luego, temblores y hambre, a los que se unen frecuentemente depresión, irritabilidad y deficiente funcionamiento mental. Las personas con exceso de peso no sólo se fatigan porque sus células no reciben energía suficiente, sino que, de forma intermitente a lo largo del día, son víctimas de hipoglucemia, o bajo nivel de azúcar en sangre, consecuencia irónica de consumir demasiado azúcar.

A medida que un hombre o una mujer se hunde más profundamente en el trastorno metabólico inducido por los hidratos de carbono, la hipoglucemia va afianzándose más y más. Incluso una pequeña cantidad de glucosa provocará la afluencia de insulina y ello hará descender a una cota anormalmente baja los niveles de azúcar en sangre. Si es usted una persona del grupo B, se notará cansada, irritable y hambrienta. Es muy típico un ataque de agotamiento hipoglucémico a media tarde. Esto, naturalmente, le da más hambre, come usted más y el triste proceso continúa. Como ve, lo que usted consideraba compulsividad, un problema de comportamiento, es en realidad un mecanismo desencadenado por la glucosa, un problema metabólico. Así que no se sienta culpable.

Hay más cosas que decir acerca de la hipoglucemia y lo haré en el capítulo 11, cuando la describa como una de las ramas de una muy extendida epidemia moderna que yo denomino Trastorno Relacionado con la Dieta.

Mientras tanto, permítame señalar que sus elevados niveles de insulina producen otros tristes resultados.

- La insulina aumenta la retención de sal y de agua, una garantía de hipertensión y de continuado exceso de peso.
- La insulina agrava la hipertensión al incrementar la sensibilidad de las arterias a los efectos de la adrenalina.
- La insulina afecta al número de neurotransmisores del organismo y puede causar trastornos del sueño.
- La insulina hace que el hígado produzca más colesterol con LBD. Tal vez éste sea uno de los componentes más importantes de la relación colesterol/enfermedad cardiaca. Dado que la obesidad y el alto nivel de insulina van unidos, ésta es probablemente la razón por la que el exceso de peso constituye un importante factor de riesgo de un ataque cardiaco.

Este motivo le impide perder peso

Las últimas páginas narran una historia de terror que podría titularse: «Inocente poseedor de cuerpo humano atacado por sus propias hormonas.» Pero es obra nuestra, ya sabe. Recuerde que ninguna cultura en toda la historia del mundo ha consumido jamás ni tan siquiera una fracción del azúcar que actualmente consumimos los occidentales del siglo XX.

Quizá lleva usted mucho tiempo con exceso de peso. En el progreso de su enfermedad metabólica hubo una etapa en la que podía perder peso con bastante facilidad si reducía severamente la ingesta de calorías. Volvía a recuperar los kilos, pero al menos, a costa de pasar hambre, podía eliminarlos durante algún tiempo si realmente lo necesitaba.

Tal vez haya pasado ya de esa fase. En ese caso, la insulina ya ha cerrado la trampa. El páncreas, enfrentado a su abuso de hidratos de carbono simples y refinados, se ha vuelto tan eficiente para segregarla que un ligero incremento de azúcar en sangre liberará un verdadero torrente de insulina.

Afectado por altos niveles de insulina, su cuerpo se ha dedicado a conservar grasa. De esta forma, los incluidos en el grupo A reconocerán el papel que el exceso de insulina desempeña para impedir la pérdida de peso, ya sea de modo directo, disminuyendo sus necesidades calóricas aparentes, ya sea de modo indirecto, provocando una constante sensación de hambre que sólo se puede saciar comiendo constantemente.

Ahora que conoce usted la mecánica del exceso de peso metabólico, imagine a la persona obesa que entra en la consulta de su médico y éste le dice: «En fin, debería tener usted un poco más de fuerza de voluntad...» Penoso, ¿verdad?

Para perder peso necesitará la dieta baja en hidratos de carbono que se ofrece en este libro. Puede que necesite también las otras dos ramas de la tríada del programa Atkins: ejercicio y suplementos nutritivos.

Cómo se hace

Sé que he presentado un análisis realmente descorazonador de por qué la grasa se mantiene en el cuerpo. ¿Qué se puede hacer ahora?

Procurar sortear la insulina.

Se necesita glucosa como combustible, pero no es necesario obtenerla de la dieta. Ha llegado el momento de cerrar la espita de la insulina. ¿Perder peso? La solución está en dos palabras de oro: CETOSIS/LIPÓLISIS.

NOTAS

1. Bernstein, Richard K.: *Diabetes Type II* (Nueva York, Prentice Hall Press, 1990), págs. 32-33. También: Ferranini, E. y otros, «Essential hypertension: an insulin resistance state», *Journal of Cardiovascular Pharmacology*, 1990, 15 (suplemento 5), págs. S18-S25.

5

El gran derretimiento de la grasa: el secreto de una dieta cetogénica

Al cabo de algún tiempo de ser gordo se encuentra usted en una trampa metabólica, una especie de caja de altas paredes creada en parte por unos elevados niveles de insulina.

Quizá se ha dado cuenta ya de que está atrapado. En efecto, probar una dieta tras otra y fracasar con todas resulta deprimente. Sé por experiencia personal y por los comentarios de miles de mis pacientes lo pesada que parece la tapa de la obesidad metabólica. La cetosis —la Cetosis Dietética Benigna de que estoy hablando— levanta esa tapa.

El término cetosis, cuando se aplica al tipo benigno inducido por la dieta a que me refiero, es en realidad una abreviatura del término cetosis/lipólisis, que resulta lo bastante complicado como para que comprenda usted por qué se le suele llamar solamente «cetosis» y por qué la dieta responsable de este extraordinario (para los dietistas) logro recibe el nombre de «dieta cetogénica».

La definición de lipólisis les suena como un auténtico nirvana tanto a los dietistas como a los especialistas en dietética. Significa «el proceso de disolución de la grasa». Ahora bien, ¿no nos hemos reunido aquí precisamente para eso?

Cuando la grasa se consume metabólicamente se descompone en glicerol y ácidos grasos libres, los cuales, a su vez, se descomponen en pares de compuestos bicarbonados llamados «cuerpos cetónicos», dejando un nuevo ácido graso, de cadena más corta, junto al fragmento bicarbonado que entró en el recipiente metabólico para ser utilizado como combustible.

Aparentemente, éste es el único camino metabólico para la descomposición de la grasa (lipólisis).

Por consiguiente, no hay lipólisis sin cetosis, ni viceversa. Los dos términos se hallan biológicamente unidos y es adecuado, por tanto, que también se hallen unidos lingüísticamente.

¿Cómo funciona el proceso? ¿Existe algún inconveniente? Son numerosos los profanos e incluso los médicos que así lo creen. Eso de quemar las grasas suena un poco a cuento. Estas personas se encogen de hombros con escepticismo y dicen: «Estoy seguro de que la gente pierde peso con su dieta, doctor Atkins, ¿pero no vuelven a recuperarlo enseguida?»

Lo interesante es que, en general, no. La dieta Atkins de mantenimiento de peso, aunque más benigna, es muy similar a la dieta Atkins de pérdida de peso, y es muy poco frecuente que se recupere el peso perdido.

En cuanto a la parte destinada a la pérdida de peso resulta extraordinariamente eficaz. No veo razón para no decirlo así con toda claridad. La cetosis es uno de los regalos mágicos de la vida. Es tan deliciosa como el sexo y la luz del sol, y tiene menos inconvenientes que cualquiera de los dos. A lo largo de los años se han propuesto muchas dietas bajas en hidratos de carbono. Funcionan con un cierto grado de eficacia en algunas personas. Sin embargo, muchas de ellas no reducen los hidratos de carbono a un nivel —generalmente menos de cuarenta gramos diarios— que permita una CDB. Para las personas que son metabólicamente obesas y tienen grandes dificultades para perder peso, esto constituye un grave defecto.

La dieta cetogénica Atkins, por el contrario, es excelente para perder peso. Es la forma más segura, sana y agradable de iniciar en estado de delgadez la segunda mitad de su vida.

Adelante con ello

Me ha oído usted decir que puede quemar la grasa de su cuerpo. ¿Cómo actúa la cetosis/lipólisis?

Tener cetosis significa, simplemente, que uno está quemando sus reservas de grasa y utilizándolas como fuente de combustible, propósito con que se almacenaron.

Cuando el cuerpo está liberando cetonas —cosa que hará en el aliento y en la orina— ello constituye una prueba química de que se está consumiendo la propia grasa almacenada. Lo repetiré para que no quede ninguna duda: cuando una persona sometida a una dieta baja en hidratos de carbono como la mía está liberando cetonas, se encuentra en el estado de disolución de grasas conocido como CDB, o cetosis/lipólisis, que es simplemente el medio más eficaz jamás ideado para adelgazar.

Cuantas más cetonas se liberen, más grasa se ha disuelto.

La CDB es el método fisiológico de pérdida de peso exactamente lo contrario del proceso que le hizo engordar. Puede ser su balsa salvavidas, dándole no sólo delgadez, sino también salud y situándole a prudente distancia de los peligros de diabetes, enfermedades cardiacas e infartos que acechan a la persona obesa.

Sobre todo, naturalmente, es la consecución de su objetivo: consumir la grasa almacenada en su cuerpo.

El fenómeno de la formación de cetona como principal sistema de combustible alternativo se halla tan bien estudiado científicamente que nadie lo discute en los círculos académicos. Existe al respecto un acuerdo tan completo como puede haberlo cerca de cualquier hecho científico. De hecho, el doctor George Cahill, el profesor de Harvard considerado como la figura más destacada en el campo de la investigación del proceso metabólico, después de observar que el tejido cerebral utiliza cetonas más fácilmente que glucosa, anunció que los cuerpos cetónicos eran el «combustible preferido» del cerebro.[1]

¿Por qué, entonces, es probable que oiga usted

que la cetosis es desaconsejable o en alguna manera nociva para usted? Mi respuesta sólo puede ser que hay demasiados «expertos» que no investigan como debieran. Declarar que la Cetosis Dietética Benigna no es beneficiosa es como hacer de hombre anuncio con un cartel delante que dice: «Soy un experto» y otro detrás que confiesa: «No conozco mi disciplina.»

Es cierto que entre los profanos (y algunos médicos mal informados) existe confusión entre la CDB y la cetosis de la cetoacidosis diabética. Esta última es la consecuencia que se produce en individuos con deficiencia insulínica cuando se descontrolan sus niveles de azúcar en sangre. Las dos situaciones se encuentran en una oposición virtualmente polar la una con la otra, y siempre pueden distinguirse por el hecho de que el diabético ha estado consumiendo hidratos de carbono y presenta una elevada proporción de azúcar en sangre, en marcado contraste con la afortunada persona que realiza CDB.

Veamos por qué la CDB es la mejor amiga del dietista.

¿Por qué actúa la cetosis?

La cetosis es la inversión de los procesos biológicos implicados en la obesidad. Recordará usted que la insulina estaba allí para convertir en almacenes de grasa todo el exceso de hidratos de carbono introducidos en su cuerpo. A medida que usted iba ganando más peso, su páncreas liberaba más insulina para realizar este proceso.

La mayoría de las personas obesas adquiere tal pericia para segregar insulina que su sangre nunca está realmente libre de ella, incluso de noche, que es cuando más naturalmente se produce la pérdida de peso, siguen sin ser capaces de consumir sus depósitos de grasa. En un cuerpo que funciona normalmente, los ácidos grasos y las cetonas son prontamente liberados del tejido adiposo y convertidos en combustible durante esas horas. Pero el individuo que tiene exceso de peso lo tiene porque los altos niveles de insulina impiden que eso le suceda a él, o a ella o a usted.

Ahora bien, con muy pocos hidratos de carbono en su dieta sus niveles de insulina se normalizarán. Quizá por primera vez en años o décadas.

Ya en 1971, los doctores Neil Grey y David Kipnis demostraron convincentemente que los niveles de insulina descienden cuando disminuye la ingestión de hidratos de carbono. Cuando los hidratos de carbono descienden a niveles cetogénicos, no se puede detectar ya una anormalidad en la insulina. Numerosos estudios realizados en las dos últimas décadas han confirmado el descenso de los niveles de insulina cuando se siguen dietas cetogénicas.[2]

En la cetosis, usted quema la grasa almacenada por la insulina cuando comenzó el ciclo de la obesidad y esta grasa suministra energía al cerebro y otros órganos vitales.

La razón por la que la CDB puede realizarse

tan suavemente, si conoce uno el «secreto» para activar su poder latente, estriba en que el cuerpo elabora sustancias específicas para mantener y facilitar el proceso. En 1960, tres investigadores ingleses, el doctor T. M. Chalmers, el profesor Alan Kekwick y el doctor G. L. S. Pawan, de quienes hablaré en el próximo capítulo, aislaron la más importante de ellas, una Sustancia Movilizadora de Grasas (SMG), en la orina de animales y humanos que seguían dietas cetogénicas virtualmente carentes por completo de hidratos de carbono.[3] Cuando inyectaron esa fracción urinaria en animales y humanos no sometidos a dieta, los receptores perdieron peso sin seguir la dieta. Posteriormente, otros investigadores descubrieron otras sustancias que producen efectos similares y se identificó una clase de compuestos llamados movilizadores de lípidos.

Presumiblemente, lo que sucede es que, en ausencia de hidratos de carbono que sirvan de combustible al cuerpo, se envía una señal que libera toda una sinfonía de movilizadores de lípidos. La combustión de la grasa almacenada al producirse una ausencia dietética de hidratos de carbono es un mecanismo natural de nuestros cuerpos —lo que mantiene con vida a los animales en estado de hibernación— y nuestros cuerpos suministran sustancias mensajeras naturales para asegurar que el proceso de movilización de grasas, anunciado por la cetosis, se desarrolle suavemente y se mantenga. Para usted, esto es una especie de utopía biológica. Una vez alcanzado un estado en que la movilización de grasas se ve favorecida por sustancias transportadas en la sangre, el proceso de perder peso se convierte en algo tan desprovisto de penalidades y de hambre como lo era el «comer naturalmente» en los tiempos en que usted engordaba.

Sí, sin hambre

Ésta es una de las características más atrayentes de cualquier dieta baja en hidratos de carbono y productora de cetosis. Francamente, a mí me atrajo al principio porque allá en los años sesenta, cuando yo era un joven médico cuya incipiente barriga no dejaba de aumentar, yo quería ponerme a régimen, pero no quería pasar hambre. Sabía perfectamente que no podría soportar estar hambriento durante mucho tiempo. Tenía demasiado apetito y poca fuerza de voluntad, dos hechos que no han cambiado gran cosa.

Cuando tuve noticia de los trabajos de Kekwick y Pawan y comprendí que el cuerpo podía satisfacer el hambre quemando su propia grasa como combustible, creí ver una puerta de salida. La cetosis resultaba tener ciertas similitudes metabólicas con el ayuno. En ambos casos, después de las primeras cuarenta y ocho horas el cuerpo elimina el hambre y reduce el apetito.

Había otra ventaja más. Un ayuno prolongado puede ser peligroso y presenta una grave desventaja metabólica: cuando se ayuna, el cuerpo no sólo quema grasa para conseguir energía, sino que también quema proteínas. Esto significa que quema parte del tejido muscular del cuerpo, resultado claramente indeseable. La investigación ha demostrado que con una dieta cetogénica alta en proteínas apenas se produce ninguna pérdida de tejido muscular. Por este motivo puedo situar a individuos de gran obesidad en estado de cetosis/lipólisis durante un periodo que oscila entre seis meses y un año (y más), sabiendo que no sufrirán efectos perjudiciales de ninguna clase.

Estas personas avisadas pueden consumir su propia grasa para obtener energía y sentirse bien mientras lo hacen.

El mensaje de una pérdida de peso suave y agradable

La belleza de la CDB radica en que evita el sufrimiento de las dietas bajas en calorías, en que se desarrolla sin la ayuda de casi ningún movilizador de lípidos.

Personas que son gordas desde hace mucho tiempo o que han probado muchas dietas suelen encontrar casi imposible perder mucho peso a menos que se hallen en estado de cetosis. Yo he tratado a personas que con 700 u 800 calorías equilibradas al día no adelgazaban. Eso es menos de la mitad de la ingestión calórica normal de una mujer media. Y, sin embargo, perdieron peso cuando se sometieron a dietas cetogénicas de más calorías.

Cuando afirmo esto, que puede usted perder más peso con un mayor número de calorías, parezco estar violando la ley —una de las sagradas leyes de la termodinámica—. Muchas autoridades se sienten terriblemente irritadas cuando yo derogo sus leyes. Pero la teoría de las calorías es una ley falsa destinada a ser violada y la cetosis/lipólisis es el instrumento adecuado para hacerlo. En el capítulo siguiente comprenderá exactamente lo que quiero decir.

NOTAS

1. Cahill, G. y Aoki, T.T.: *Medical Times* 98 (1970).

2. Grey, N.J. y Kipnis, D.M.: «Effect of diet composition on the hyperinsulinism of obesity», *New England Journal of Medicine*, 1971, 285, pág. 827. También Pfeiffer, E.F. y Laube, H.: *Advances in Metabolic Disorders*, 1974, vol. 7. También Muller, W.A. y otros: «The influence of the antecedent diet upon glucagon and insulin secretion», *New England Journal of Medicine* 285 (26) 1971, págs. 1.450-1.454.

3. Chalmers, T.M., Kekwick, A. Pawan, G.L.S. y Smith, L.: «On the fatmobilising activity of human urine», *Lancet* 1 (1958), pág. 866. Véase también Pawan, G.L.S. y Kekwick, A.: «Fatmobilising and ketogenic activity of urine extracts: relation to corticotrophin and growth hormone», *Lancet* 2 (1960), pág. 6.

6

La ventaja metabólica, el sueño de todo dietista

Estoy deseando ponerle a usted ante el argumento realmente decisivo y convincente, la prueba de catorce días con la dieta de inducción. Esa experiencia valdrá por mil capítulos.

Pero antes de hacerlo, tengo algo destinado a elevar al máximo su entusiasmo. ¿Está preparado para ello?

Puede perder más peso y más grasa, caloría por caloría, con la dieta Atkins que con cualquier otra dieta que haya probado usted en su vida.

En otras palabras, esta dieta le proporcionará una situación favorable, lo que llamaríamos una «ventaja metabólica». Eso es lo que le permitirá a usted perder peso con la dieta Atkins ingiriendo el mismo número de calorías con que antes engordaba. Y si ingiere menos calorías con esta dieta, como probablemente hará, eso le permitirá perder peso con una rapidez considerablemente mayor. Como sin duda recordará, ya he demostrado que la teoría de las calorías, como explicación del aumento y la disminución de peso, tiene fallos suficientes para invalidarla. Nada podría ser más evidente para quien haya pasado largo tiempo trabajando en este campo.

Pero permítame decirle, aquí y ahora, que el elemento enormemente favorable que llamo ventaja metabólica es tema de polémica y ha continuado siéndolo pese a los innumerables estudios que afirman su realidad. Yo empecé a describir este sorprendente fenómeno mucho antes de haber oído siquiera la expresión «ventaja metabólica». En 1973, la Asociación Médica Americana me impuso el término. Incomodada por el extraordinario éxito que *La revolución dietética del doctor Atkins* estaba teniendo en la difusión de una dieta baja en hidratos de carbono, precisamente en los momentos en que ella optaba por respaldar a los defensores de dietas altas en hidratos de carbono y bajas en grasas, la AMA reunió en consejo a un grupo de nutricionistas cuidadosamente elegidos para atacar los sistemas dietéticos basados en reducir la tasa de hidratos de carbono y, en particular, mi libro, como ejemplo más destacado de esa tendencia.

Prácticamente todas sus críticas eran inaplicables o fácilmente refutables con sólo repasar los informes científicos ya publicados en aquella época, pero uno de los dardos que me lanzaron resulta fascinante, ya que desvió mi atención hacia uno de los más destacados efectos positivos producidos por la dieta baja en hidratos de carbono para perder peso. Su comentario fue: «No existe prueba científica alguna que indique que la dieta cetogénica baja en hidratos de carbono tenga una ventaja metabólica sobre dietas más frecuentes por lo que a la reducción de peso se refiere.»[1]

Dado que yo había explorado cincuenta años

de investigación científica sobre dietas cetogénicas y bajas en hidratos de carbono, y solamente había encontrado confirmaciones del fenómeno que me propongo exponerles con cierto detalle, debo confesar que me sentí más que sorprendido por su afirmación. ¿Estaban sugiriendo que ninguno de los estudios se había efectuado realmente, o que ninguno de los efectuados tenía validez? Como la AMA no se ha molestado nunca en retractarse de la afirmación palpablemente errónea que antes he citado, y como la ventaja metabólica sigue siendo uno de los factores positivos más espectaculares que tiene a su favor la persona obesa que siga una dieta baja en hidratos de carbono, he decidido presentarle las pruebas científicas que refuerzan la ventaja que usted experimentará con la dieta.

Sé que muchos de ustedes no tienen inclinaciones científicas y que se sienten desconcertados cuando los médicos les hablan en su jerga técnica. Pero le aseguro que, si presta atención a lo que sigue, recibirá información sobre algunos de los más emocionantes estudios científicos que jamás pueda llegar a conocer una persona interesada en perder peso. Y, antes de terminar el capítulo, le daré una pequeña recompensa al mostrarle, mediante uno de mis pacientes, cómo funciona el concepto en el caso de una persona de carne y hueso.

Empezaré presentándole los logros académicos de dos brillantes y concienzudos investigadores británicos, el profesor Alan Kekwick y Gaston L. S. Pawan, cuyos cruciales experimentos sobre ratones y sobre humanos obesos proporcionaron el descubrimiento, el mecanismo y fundamento racional y la irrefutable prueba experimental de que una dieta baja en hidratos de carbono —sí, incluso alta en grasas— presenta una importante ventaja metabólica sobre las habituales dietas equilibradas o bajas en grasas. Permítame señalar que mis aliados en csta seudocontroversia no eran unos científicos chiflados que escribiesen en el boletín médico de un remoto pueblucho atrasado y provinciano, sino que representaban el escalón más alto de la investigación británica sobre la obesidad, y ambos presidían numerosas conferencias internacionales. El profesor Kekwick era director del Instituto de Investigación Clínica y Medicina Experimental del prestigioso Middlesex Hospital de Londres y el doctor Pawan era el bioquímico investigador jefe de la unidad médica de ese hospital. Era imposible que el grupo de expertos de la AMA ignorase su investigación o su trascendental importancia.*

La saga de Kekwick y Pawan comenzó a principios de los años cincuenta, cuando les llamó la atención el hecho de que muchos estudios sugerían que dietas de composiciones diferentes ocasionaban tasas diferentes de pérdida de peso. Habían leído los interesantes estudios clínicos del doctor Alfred W. Pennington sobre los empleados de la Dupont Corporation, así como trabajos alemanes y escandinavos que mostraban el éxito alcanzado por dietistas que restringían la ingesta de

* Reconocieron haber leído uno de los estudios de Kekwick y Pawan.

hidratos de carbono. Así pues, realizaron un estudio sobre sujetos obesos y hallaron que los sometidos a una dieta de un 90 % de proteínas, y especialmente de un 90 % de grasas, perdían peso, pero cuando seguían una dieta del mismo número de calorías, el 90 % de las cuales procedía de hidratos de carbono, los sujetos no perdían nada de peso.[2]

Kekwick y Pawan quedaron tan impresionados por la potencial importancia de su inesperado descubrimiento que dedicaron casi dos décadas de su colaboración a averiguar cómo y por qué la teoría de que todas las calorías son iguales parecía tan patentemente errónea. Repitieron entonces en seres humanos un estudio que habían realizado en animales y encontraron el mismo fenómeno: una dieta de 1.000 calorías baja en hidratos de carbono resultaba eficaz para perder peso, y una dieta de 1.000 calorías alta en hidratos de carbono eliminaba muy poco peso.[3] Mostraron luego que sus sujetos no perdían absolutamente nada de peso con una dieta equilibrada de 2.000 calorías, pero cuando su dieta era predominantemente grasa esos mismos sujetos obesos podían perder peso, incluso cuando ingerían hasta 2.600 calorías. Un ejemplo típico era su sujeto JB, que perdió cuatro kilos en tres semanas con la dieta de 2.600 calorías baja en hidratos de carbono y ni un solo gramo durante los ocho días en que siguió la dieta equilibrada de 2.000 calorías.

Los escépticos aferrados a la idea de que una caloría es una caloría quedaron conmocionados, y se dispusieron a refutar esta bomba intelectual que Kekwick y Pawan habían dejado caer sobre ellos.

Siguió un aluvión de estudios. Uno, de T. R. E. Pilkington y sus compañeros, se publicó en *Lancet* en 1960.[4] Pero el estudio se centraba en el nivel de 1.000 calorías, un nivel en el que casi todo el mundo pierde peso, y sólo a tres de los sujetos del estudio se les bajó la cantidad de hidratos de carbono a 32 gramos, el límite superior de ingestión para establecer una dieta cetogénica. Pero si observa usted sus datos, verá la misma sorprendente pérdida acelerada de reducción de hidratos de carbono que habían mostrado Kekwick y Pawan, salvo que los pilkingtonianos eliminaron alegremente de sus matemáticas los 12 primeros días de la dieta baja en hidratos de carbono, que, casualmente, era la única forma en que podían conseguir que su conclusión —que todas las dietas bajas en calorías dan el mismo resultado— concordara con sus datos. ¿Su razonamiento? Dijeron que la dieta baja en hidratos de carbono produce pérdida de agua. ¿Cómo lo sabían? A diferencia de Kekwick y Pawan, no realizaron ningún estudio sobre las cantidades de agua residuales para demostrar su tesis. Con la autosuficiencia de moradores de torre de marfil que los contemporáneos de Galileo demostraron al insistir en que era imposible que la Tierra girase alrededor del Sol, Pilkington y sus compañeros concluyeron que su dogma preconcebido tenía que ser verdad.

Me desconcierta el hecho de que los nutricionistas de la AMA, en su desesperada búsqueda de argumentos, llegaran incluso a citar ese estudio. Si uno hiciera cosas así con demasiada frecuencia podría ganarse la reputación de individuo incapaz de razonar adecuadamente.

Pero Kekwick y Pawan se mantuvieron firmes. Sus datos habían evidenciado que la pérdida de agua constituía sólo una pequeña parte de la pérdida total de peso. Durante los dos años siguientes se dedicaron a realizar un estudio con ratones en un cámara metabólica.

Midiendo la pérdida de carbono en las heces y la orina, demostraron que los ratones sometidos a una dieta alta en grasas excretaban una considerable cantidad de calorías no usadas bajo la forma de nuestros viejos conocidos, los compuestos cetónicos, así como ácido cítrico, láctico y pirúvico. Al término del periodo del estudio, analizaron el contenido de grasa en los cuerpos de los animales y encontraron una cantidad de grasa significativamente menor en los cadáveres de los ratones sometidos a dieta alta en grasas. Sin embargo, el equipo de especialistas de la AMA ni siquiera se molestó en examinar este estudio, aunque apareció en la prestigiosa revista norteamericana *Metabolism*.[5]

Hay más cosas en la historia de Kekwick y Pawan. Durante el tiempo en que demostraban la realidad de la ventaja metabólica de la dieta muy baja en hidratos de carbono, detectaron y extrajeron de la orina de los organismos sometidos a dieta baja en hidratos de carbono una sustancia que, al serles inyectada a los ratones, producía los mismos

105

efectos metabólicos que habían observado en los ratones con pocos hidratos de carbono, lo cual indicaba que la grasa estaba desapareciendo del cuerpo. La grasa disminuía drásticamente, aumentaban los niveles de cetona y ácidos grasos libres y, muy significativamente, la excreción por la orina y las heces de calorías no utilizadas ascendía de un normal 10 % hasta un 36 %. Esta sustancia recibió el nombre de Sustancia Movilizadora de Grasas (SMG). La SMG es el instrumento de su ventaja metabólica; le permite a usted eliminar de su cuerpo algunas de las calorías sobrantes que no desaparecerían tan fácilmente con una dieta baja en grasas.

Kekwick y Pawan atribuyeron propiedades hormonales a la SMG y por lo menos otros cuatro equipos de investigadores que abordaban el tema desde direcciones distintas consideraron que habían identificado a los movilizadores de grasas. Así pues, la idea de que existe un aliado metabólico para mantener la pérdida de peso había quedado demostrada por numerosos investigadores.[6]

La lucha continúa

Los expertos de la AMA examinaron dos estudios más sobre el tema de la ventaja metabólica. Uno era de Olesen y Quaade, y también ponía de manifiesto una pérdida de peso sumamente favorable con ocasión de una dieta baja en hidratos de carbono.[7] Al igual que en el estudio de Pilkington, este resultado favorable se atribuía a la pérdida de agua y tampoco en este caso se hizo ningún esfuerzo por documentar la dinámica de equilibrio del agua. El otro estudio, de Sidney Werner, era simplemente inaplicable, por tratarse de un estudio de una dieta de 52 gramos de hidratos de carbono, una cantidad excesiva para poder demostrar la presencia de cetosis y lipólisis.

Consideremos ahora los estudios que fueron deliberadamente excluidos del análisis de la AMA. Veamos primero el estudio realizado por Frederick Benoit y sus compañeros del Oakland Naval Hospital.[8] Impresionados por el éxito de Kekwick y Pawan, decidieron efectuar en siete hombres que pesaban entre 105 y 130 kilos una comparación entre los efectos derivados de la dieta alta en grasas, de 1.000 calorías y 10 gramos de hidratos de carbono, y los derivados del ayuno. En diez días de ayuno perdieron nueve kilos por término medio, pero la mayor parte era de tejido muscular; sólo tres kilos correspondían a grasa. Pero con la dieta cetogénica, seis de los seis kilos y medio perdidos eran de grasa. Imagine. Comiendo alimentos tales como tocino, crema batida, queso de nata y mayonesa, los sujetos perdían sus acumulaciones de grasa casi con el doble de rapidez que cuando no comían nada en absoluto. El otro fascinante descubrimiento de Benoit fue que, con la dieta cetogénica, los dietistas mantenían sus niveles de potasio, mientras que cuando ayunaban se producían importantes pérdidas de potasio. Tal vez recuerde usted que, aproximadamente una década después, muchos dietistas perderían la vida al seguir dietas muy bajas en calorías que se asemejaban mucho al ayuno, por causa, presumiblemente, de las pérdidas de potasio que originaban arritmias cardiacas. Si el estamento médico hubiera aceptado el estudio de Benoit como lo que era —la necesaria confirmación de la investigación de Kekwick y Pawan que debería haber convertido la dieta cetogénica en el tratamiento de elección para las personas obesas—, estas vidas se podrían haber salvado.

Benoit presentó sus descubrimientos en la sesión conmemorativa del 50.º aniversario del American College of Physicians y su trabajo se publicó en los *Annals of Internal Medicine*, todo ello en 1965. El estudio difícilmente podía pasar inadvertido. ¿Por qué no se incluyó en el análisis de la AMA? Confieso que no es fácil tratar de explicarlo sin utilizar las palabras «falta de honradez intelectual».

En realidad, el estudio de Benoit provocó la ira de portavoces del estamento médico tales como Francisco Grande, que sabía que los datos de Benoit tenían que ser erróneos porque contradecían la teoría de las calorías[9]. Grande calculó que si se multiplican 640 gramos diarios (la cantidad de grasa que los dietistas cetogénicos perdían realmente) por 9 calorías el gramo se obtiene un déficit de 5.760 calorías, y nadie podría perder tanto peso. Lo que en realidad estaba diciendo era: «No me molesten con datos, yo ya he calculado los resultados.»

Pero esta confirmación de la ventaja metabólica continuó repitiéndose, a veces desde las fuentes más inverosímiles, como en el caso del doctor Willard Krehl, decidido adversario de las dietas bajas en hidratos de carbono.

Krehl procedió a estudiar durante diez semanas a dos mujeres obesas de un peso promedio de 130 kilos sometidas a una dieta de 12 gramos de hidratos de carbono y 1.200 calorías y registró pérdidas de peso de 225 gramos diarios por término medio.[10] Él describió luego esto como «adecuado a la restricción calórica y al ejercicio» (tres horas diarias). Pero ¿lo es? Para perder 225 gramos al día, una mujer tendría que quemar 1.750 calorías diarias, mucho más que las 1.200 calorías que estaba ingiriendo con la dieta de Krehl. Esto significa que Krehl daba por supuesto que estas mujeres, una de las cuales tenía un metabolismo basal inferior en un 18 % a la media, quemaría normalmente 2.950 calorías al día. La teoría aceptada, sin embargo, es que la mujer obesa media no pierde peso ingiriendo 2.000 calorías al día. Por consiguiente, en mi opinión, las cifras de Krehl ocultan una ventaja metabólica de 950 calorías diarias o más.

¿No se ha convencido aún? Pruebe con esto. El cuadro de expertos en nutrición de la AMA, la mayoría de los cuales leen, sin lugar a dudas, el *American Journal of Nutrition*, no tuvo en cuenta un importante estudio de Charlotte Young, profesora de Nutrición Clínica en la Universidad de Cornell, publicado en dicha revista sólo dos años antes.[11] Esta vez, los sujetos eran hombres jóvenes con exceso de peso y las tres dietas comparadas eran de

1.800 calorías, todas ellas con algún grado de restricción de hidratos de carbono. Las dietas contenían 30, 60 y 104 gramos de hidratos de carbono y fueron seguidas durante nueve semanas. Young y sus colegas calculaban la cantidad de grasa mediante una técnica generalmente aceptada que se basa en la inmersión en el agua. Los sometidos a la dieta de 104 gramos perdieron poco más de 900 gramos de grasa a la semana, de una pérdida total de peso de 1,237 kilos, lo cual no está mal para 1.800 calorías.

Los sometidos a la dieta de los 60 gramos perdieron casi 1,100 kilos de grasa a la semana, de 1,360 kilos de pérdida real, lo que aún estaba mejor. Los sometidos a la dieta de 30 gramos, la única que producía cetosis y, presumiblemente, SMG, perdieron 1,690 kilos de grasa a la semana, más o menos el 100% del peso que estaban perdiendo semanalmente.

Debemos perdonar a la doctora Young por concluir editorialmente que prefería la dieta de 104 gramos con la que llevaba trabajando desde hacía veinte años. Después de todo, ella había publicado el cuarto estudio médico, revisado por sus colegas, que demostraba la ventaja metabólica de la dieta cetogénica y la había cuantificado con bastante exactitud. Consideremos sus cifras. Estos jóvenes, eliminando 74 gramos de hidratos de carbono y sustituyéndolos por 300 calorías de alimentos a base de proteínas, perderán cada semana 770 gramos adicionales de grasa. En otras palabras, si sustituyen sus cereales, plátano y leche descremada por una tortilla de jamón y queso todos los días durante treinta semanas, perderán 23 kilos más de grasa que si continúan con los cereales.*

Ésa es la situación favorable que el dietista frustrado y afanoso necesita. Eso es lo que proporciona la ventaja metabólica. Eso es lo que les ha permitido triunfar a la mayoría de mis pacientes. Ésta es la razón del éxito del Atkins Center y lo que hará que usted también lo consiga.

Antes de dejar a Charlotte Young, tengo buenas noticias para aquellos de ustedes que han estado intentando perder peso con los principales planes comerciales. La mayoría de éstos pretenden hacer adelgazar con dietas que contienen un 60 % o más de hidratos de carbono.

La dieta más alta de la doctora Young contenía sólo un 35 % de hidratos de carbono. Pero lo que yo, tratando a 20.000 pacientes con exceso de peso, y Charlotte Young con su meticulosa investigación y prácticamente todos los demás científicos que han estudiado las dietas bajas en hidratos de carbono, hemos descubierto es que a mayor cantidad de hidratos de carbono, menor cantidad de grasa perdida.

Ésta es la parte de la historia que más le afecta. ¿Qué cree usted que ocurre cuando la fascinante y potencialmente innovadora investigación médica entra en conflicto con el sistema que domina la actividad médica? ¿Triunfa siempre la verdad? ¿Pue-

---

* Siempre que el resto de la dieta contenga 1.500 calorías y 30 gramos de hidratos de carbono.

de triunfar el sistema aunque la verdad no sea su aliado? La respuesta se puede deducir de la historia reciente: vence el poder. Una vez que la AMA habló, ya no se investigó más en Estados Unidos acerca de la cuestión de la ventaja metabólica. Y ésa es una de las principales razones por las que usted se esfuerza en vano por reducir su peso. Nadie le está ofreciendo la solución correcta y fácil como una opción más.

Afortunadamente para el mundo, la ciencia alemana no se halla tan coartada como la investigación estadounidense por las declaraciones de la AMA y en el continente europeo se continuó explorando la ventaja metabólica.

Un ejemplo fue un estudio realizado en la Universidad de Wurzburg sobre 45 pacientes mantenidos en observación hospitalaria durante cinco semanas.[12] Una vez más, la dieta baja en hidratos de carbono demostró una importante ventaja metabólica, en esta ocasión se perdieron 4 kilos más con la versión baja en hidratos de carbono de la dieta de 1.000 calorías. Además, cuidadosos estudios de equilibrio de agua demostraron que la proporción de esos kilos adicionales que se podía atribuir a la pérdida de agua no era relevante. Otros cinco estudios alemanes concretan el resultado:[13]

Número de estudios que muestran ventaja metabólica: 10.

Número de estudios que no muestran ninguna ventaja con la dieta cetogénica: 0.

Quizá ya comprenda usted ahora cómo Harry Kronberg, el paciente que he mencionado en el capítulo 2, pudo perder 24 kilos en los tres primeros meses de seguir una dieta que contenía abundancia de alimentos ricos en calorías, aunque tras haber seguido una dieta equilibrada moderadamente baja en grasas durante tres años únicamente había logrado ganar 35. Esto no es contrario a la razón, sino que constituye un destacado ejemplo de ventaja metabólica.

Consideremos la matemática de la cuestión y entonces comprenderá usted que Harry no está perdiendo todo este peso porque restrinja su número de calorías.

La cosa funciona del siguiente modo. Para perder medio kilo a la semana, tiene uno que ingerir diariamente 500 calorías menos de las que quema en energía. Para ganar medio kilo, uno ingiere 500 calorías más al día. Harry había estado ganando un cuarto de kilo a la semana durante 35 meses, lo cual significa que estaba ingiriendo 250 calorías diarias de más. Hacía tres comidas completas, con pollo y pescado para cenar e ingería 1.729 calorías diarias.

Con la dieta Atkins, Harry estaba perdiendo ahora 1,750 kilos a la semana, lo cual significa que, conforme a la usual teoría de las calorías, tendría que estar ingiriendo diariamente 1.950 calorías menos de las que quemaba en energía.

Sabemos ya que con 1.729 calorías diarias estaba ingiriendo 250 calorías de más al día. Así pues, el punto de equilibrio de Harry es 1.479 calorías diarias. Para perder 1,750 kilos a la semana tendría que ingerir 1.479 calorías menos 1.950 calorías, o sea,

–471 calorías diarias, lo que a todas luces es imposible, porque no se puede comer menos que nada.

Ya ha visto el menú de Harry. De hecho, ese menú equivale a 1.525 calorías diarias. Harry está tomando 49 calorías diarias por encima del punto de equilibrio y, por consiguiente, según la teoría de las calorías, debería estar ganando 45 gramos a la semana y al cabo de 13 semanas con la dieta Atkins hubiera debido ganar 555 gramos, no haber perdido 24 kilos.*

Todas las calorías que Harry ingiere por encima de –471 son ventaja metabólica. Eso significa que tiene una ventaja metabólica de 1.999 calorías diarias. ¿Imposible? No según la investigación efectuada sobre dietas bajas en hidratos de carbono y no según los datos del caso de Harry Kronberg.

La ventaja metabólica está ahí. No se puede ocultar, rehuir, atribuir al peso del agua ni ignorar.

No me costaría nada consultar mis fichas y encontrar cientos de otros ejemplos semejantes.

Cuando escribí mi primer libro, describí a un paciente mío llamado Herb Wolowitz, que perdió dos kilos y cuarto a la semana durante 17 semanas, 38,5 kilos en total, mientras consumía carne suficiente como para que su ingestión alimenticia fuese de 3.000 calorías diarias (un kilo de carne roja más una tortilla de queso).

---

* Digamos de paso, para quienes no estén familiarizados con la forma en que se realiza la investigación dietética, que 13 semanas es un tiempo muy largo para poner a prueba una dieta; no se trata de resultados a corto plazo.

Al no tomar hidratos de carbono, Herb Wolowitz, como Harry Kronberg, había estimulado la liberación de SMG para mantener la disgregación de sus acumulaciones de grasas. Esta lipólisis (disolución de grasa) se convirtió en su más importante acontecimiento metabólico. Él también había creado una ventaja metabólica.

He seguido a 25.000 pacientes sometidos al programa que se dispone usted a aprender; más del 90 % de ellos mostró algún grado de ventaja metabólica. Ahora le toca a usted.

Por mi estudio de la literatura médica, en la que, como ve, existe un sorprendente acuerdo sobre este punto, y por la observación de mis propios pacientes, puedo asegurar que el beneficio adicional que se obtiene al cambiar de una dieta alta en hidratos de carbono a otra muy baja y del mismo contenido calórico oscila entre 225 gramos y 1,350 kilos a la semana. Puede que esto no parezca gran cosa, pero al cabo de un año equivale a una pérdida de grasa corporal adicional de entre 11 y 70 kilos.

En lo sucesivo, la AMA nunca podrá decir que la ventaja metabólica no existe. Lo más que podrá decir en el futuro será: «Bueno, sí, existe una ventaja comprobada, pero ¿por qué iba a quererla nadie?» Tener la ventaja, la superioridad, la preferencia y las probabilidades de su parte. ¿Querría usted eso? Apuesto a que sí.

Que la Ventaja sea con usted.

Tabla 6.1
Menú de antes y después de Harry Kronberg

UN DÍA TÍPICO PRE-ATKINS

Desayuno	*Calorías*
Queso danés	308
Café (descafeinado con leche semidesnatada)	2

Almuerzo	
Patatas fritas (100 g)	220
Cecina	294
Rosquillas saladas (85 g)	33

Merienda	
Chocolatina Nestlé	138
Naranja	71

Cena	
Arenque (una unidad)	217
Verduras (1 taza de col picada)	24
Ensalada (lechuga y tomate con aliño)	80
Galletas de centeno (4 unidades)	52
Soda dietética	0
Helado de vainilla (1 taza)	290
Total:	1.729

UN DÍA TÍPICO POST-ATKINS

Desayuno	*Calorías*
Ensalada de atún (1 taza)	240
Medio pomelo	41
Café descafeinado (solo)	0

Almuerzo	
Pollo asado (de 100 a 170 g)	280
Ensalada de verduras y tomate con aliño	50
Soda dietética	0

Cena	
Chuleta (170 g)	490
Calabaza	19
Ensalada de verduras y tomate con aliño	50
Agua mineral	0
Entre horas	
Almendras (25 g)	176
Ensalada de col	174
Medio pepino	8
Total:	1.528

NOTAS

1. Council on Foods and Nutrition, «A critique of lowcarbohydratc ketogenic weight reduction regimens», *Journal of the American Medical Association* 224:10 (4 de junio de 1973), págs. 1.415-1.419.

2. Kekwick, A. y Pawan, G.L.S.: «Calorie intake in relation to body weight changes in the obese», *Lancet* 2:155 (1956).

3. Kekwick, A. y Pawan, G.L.S.: «Metabolic study in human obesity with isocaloric diets high in fat, protein or carbohydrate», *Metabolism* 6 (1957), págs. 447-460.

4. Pilkington, T.R.E. y otros: «Diet and weight reduction in the obese», *Lancet* 1 (1960), págs. 856-858.

5. Kekwick, A. y Pawan, G.L.S.: «The effect of high fat and high carbohydrate diets on rates of weight loss in mice»: *Metabolism* 13: 1 (1964), págs, 87-97.

6. Stevenson, J.A.F. y otros: «A fat mobilising and

anorectic substance in the urine of fasting rats», *Proceedings of the Society for Experimental Biological Medicine* 115 (1964), pág. 424. Véase también Braun, T. y otros: «Factor in human urine inhibiting lipid metabolism», *Experientia* 19 (1963), pág. 319. También Friesen, H. y otros: «Metabolic effects of two peptides from the anterior pituitary gland», *Endocrinology* 70 (1962), pág. 579. También Li, C.H.: «Lipotropin, a new active peptide from pituitary glands», *Nature 201* (1964), pág. 924.

7. Olesen, E.S. y Quaade, F.: «Fatty foods and obesity», *Lancet* 1 (1960), págs. 1.048-1.051. También Werner, S.C.: «Comparison between weight reduction on a high calorie, high fat diet and on an isocaloric regimen high in carbohydrate», *New England Journal of Medicine* 252 (1955), págs. 661-665.

8. Benoit, F. y otros: «Changes in body composition during weigh reduction in obesity», *Archives of Internal Medicine* 63: 4 (1965), págs. 467-480.

9. Grande, F.: «Energy balance and body composition changes: a critical study of three recent publications», *Annals of Internal Medicine* 68 (1968), págs. 467-480.

10. Krehl, W.A. y otros: «Some metabolic changes induced by low carbohydrate diets», *The American Journal of Clinical Nutrition* 24 (1971), págs. 290-296.

12. Rabast, U. y otros: «Comparative studies in obese subjects fed carbohydrate-restricted and high carbohydrate 1,000 calorie formula diets», *Nutritional Metabolism* 22 (1978), págs. 269-277.

13. Kasper, H. y otros: «Response of body weight to a low carbohydrate, high fat diet in normal and obese subjects», *The American Journal of Clinical Nutrition* 26 (1973), págs. 197-204. También Rabast, U. y otros: «Therapy of adiposity using reduced-carbohydrate and high-carbohydrate isocaloric formula diets (comparati-

ve studies)», *Verhandlungen Der Deutschen Gesellschaft fur Innere Medizin* 81 (1975), págs. 1.400-1.402. También Rabast, U. y otros: «Dietetic treatment of obesity with low and high carbohydrate diets», *International Journal of Obesity* 3 (3) 1979, págs. 201-211. También Reigler, E.: «Weight reduction by a high protein, low carbohydrate diet», *Medizinische Klinik* 71 (24) 1976, págs. 1.051-1.056. También Rabast, U y otros: «Loss of weight, sodium, and water in obese persons consuming a high or low carbohydrate diet», *Annals of Nutrition and Metabolism* 26 (6) 1981, págs. 341-349.

SEGUNDA PARTE

CÓMO PONER EN PRÁCTICA SUS DOS SEMANAS DE DIETA. CATORCE DÍAS PARA EL ÉXITO

Se encuentra usted ante lo que sin duda será una experiencia extraordinaria. Catorce días sin pasar hambre y comiendo alimentos apetitosos y saludables empezarán rápidamente a eliminar sus kilos sobrantes y a mostrarle los primeros contornos de un nuevo yo. Será un «yo» más delgado, más vigoroso, menos esclavizado por los deseos y, muy posiblemente, liberado de innumerables pequeños síntomas de un estilo de vida nutricionalmente desaconsejable. Será un yo que empezará a experimentar en su propio cuerpo lo que ahora sólo puedo describir con palabras. La carne enseña más deprisa que la pluma. Si es usted obeso, si se ha sentido hasta ahora irresistiblemente atraído por los hidratos de carbono, le tengo reservadas grandes sorpresas. ¡Bienvenido a todo un nuevo mundo!

7

Al principio: empiece su dieta de catorce días con buen pie

Sé que desea usted iniciar la dieta de inducción de catorce días, así que haré bastante breve este capítulo. Le presento aquí dos pasos previos a la dieta bien calculados para asegurarle el éxito. No obstante su impaciencia por comenzar la dieta, yo creo que debe usted considerarlos.

Supongo que su peso y su bienestar físico son sumamente importantes para usted. Consecuencia de ello es que va a realizar un sincero intento de atender las no tan difíciles peticiones que le voy a plantear.

No me enfadaré con usted si no lo hace —al fin y al cabo no nos conocemos—, pero si no está dispuesto a intentarlo, realmente debería usted enfadarse consigo mismo.

Con mis propios pacientes, yo soy a veces muy franco. Un paciente mío llamado David French —un corredor de Bolsa de cincuenta y dos años— había probado seis mil dietas por su propia cuenta y había fracasado con todas ellas. Acudió a mí de bastante mala gana, empujado por su esposa y sus hijos, creo; expresó su escepticismo, gimió ante la idea de tomar un montón de vitaminas y me miró como alguien que nunca conseguiría un resultado feliz. Pesaba 93 kilos, con una estatura de 1,72, y sus únicos síntomas eran fatiga y una tendencia claramente observada a pasárselo fatal con cualquier ejercicio físico, por suave que fuese.

—Le haremos un análisis de sangre, señor French —dije— y así sabremos si tiene usted algo de qué preocuparse.

Los análisis de sangre resultaron muy ilustrativos. Tenía un tremendo nivel de colesterol de 284 y un nivel casi increíble de triglicéridos: 1.200. En nuestra siguiente entrevista, me incliné hacia él y, con tono más severo del que suelo utilizar, le espeté sin rodeos:

—Yo diría que, probablemente, morirá usted dentro de un par de años, señor French.

Eso atrajo su atención. Con toda probabilidad, recalqué, un ataque cardiaco o cerebral sería su perdición. También mostraba señales de ser un diabético límite. Su estado era completamente reversible, pero estaba claro que él no iba a hacer ningún esfuerzo por invertirlo.

Seis meses después, Dave French pesaba 73 kilos, su nivel de colesterol era 155 y el de triglicéridos, 90.

Había sido toda su vida un gran devorador de hidratos de carbono, una persona que se atiborraba de bollos y pastelillos, solía pararse a tomar un *calzone* cuando volvía a casa del trabajo y bebía gaseosa todos los días.

Se entregó a mi dieta, tranquilizado por el hecho de que no había límite a la cantidad total que podía comer.

—Si tiene hambre, coma —le dije—. Para eso le dio Dios boca, lengua y labios.

Entrar en CDB no supuso ninguna dificultad para Dave French. Yo le obligaba a hacer media hora de ejercicio cuatro veces a la semana. Encontró que dormía mejor y se sentía mucho menos cansado durante el día.

El ejercicio físico ya no le resultaba insoportable. Naturalmente, no tiene que serlo cuando sólo se tienen cincuenta y dos años.

El hecho es que acabó convirtiéndose en un hombre delgado y saludable. Pero dejemos que él diga la última palabra.

Tengo en la mesa de mi despacho una fotografía que me muestra tal como era en la época en que más gordo estaba; parezco embarazado. La tengo siempre a la vista para recordar lo que nunca volveré a ser. Hoy en día, ni siquiera parezco la misma persona.

Y tiene razón, no parece la misma persona.

Los pasos previos a la dieta

Veamos ahora esos pasos previos a la dieta. Ambos son importantes.

No debe usted seguir la dieta sin considerar detenidamente estas cuestiones.

1. Deje de tomar medicamentos innecesarios.

2. Sométase a un reconocimiento médico para poder determinar su estado general de salud y conocer sus niveles de colesterol, triglicéridos, glucosa, insulina y ácido úrico antes de comenzar la dieta. Éstos son los análisis de sangre que suelen cambiar al producirse un cambio dietético importante. Como estos niveles se hallan en el centro de la controversia acerca de lo que constituye una dieta saludable, no se arrepentirá de tener un nivel «antes» para comparar con el nivel «después».

Medicamentos

Son muchos los medicamentos que inhiben la pérdida de peso. Si está usted tomando uno o más de ellos, se sentirá decepcionado por los resultados de su dieta.

Para un examen más detallado de estos obstáculos farmacéuticos a la dieta, consúltese el capítulo 18.

Pero existen también algunos específicos que se combinan con esta dieta para producir una peligrosa sobredosis. Son los diuréticos (la dieta es por sí misma un potente diurético) y los medicamentos contra la diabetes, incluida la insulina. Las necesidades de insulina cambian siempre con esta dieta. Si encaja usted en cualquiera de estas dos categorías, obtendrá más beneficios que la mayoría de las personas. Podría verse en graves problemas si ignora cuánto y con qué rapidez se pueden disminuir estos medicamentos. Usted o su médico deben llamar o escribir al Atkins Center for Complementary Medicine en petición de instrucciones concretas.

Pruebas y análisis

ES EL MOMENTO DE HACERSE ESE CHEQUEO

Mi segunda recomendación es que se haga un chequeo médico.

Aunque no se halle usted tomando medicamentos, ésta es una oportunidad maravillosa para echar un vistazo a su estado físico general. Si tiene usted un médico de cabecera, él será quien mejor podrá interpretarle ese estado.

Evidentemente, si tiene usted menos de treinta y cinco años y no padece manifiestos problemas de salud, no necesita hacerse ese chequeo, pero, no obstante, le recomiendo que se lo haga. Hay otra cosa que también le recomiendo y es que se haga análisis de sangre.

¡Qué ventaja es —para mí y para usted— conocer estas cifras antes de empezar!

Si decide usted mantenerse al tanto de los cambios físicos ocultos que se miden en su sangre —y su médico es quien mejor puede interpretar las cifras— se encontrará con que, una vez iniciada la dieta, empezarán a mejorar ininterrumpidamente. Estoy hablando de niveles de ácido úrico, de niveles de colesterol y triglicéridos, de niveles de glucosa y de insulina.

Quizás esté usted asustado, porque hay toda una colección de literatura publicada que sugiere que debería usted rechazar cualquier dieta que le permite comer la cantidad que le apetezca de huevos, carne, pescado y aves. La pregunta que con más frecuencia oigo cuando le digo a un paciente lo que espero que coma es: «¿Pero no me subirá el colesterol?» No tengo la menor duda en responder: «No, le bajará.»

Una dieta baja en hidratos de carbono ofrece numerosas ventajas para la salud, que explicaré en la tercera parte de este libro.

Entretanto, si se ha hecho usted análisis de sangre, descubrirá que los «expertos» en dietas bajas en hidratos de carbono —esos médicos que en toda su vida jamás han estudiado una dieta baja en hidratos de carbono— habrán vuelto a equivocarse. Por lo visto eso de equivocarse al final les ha creado hábito.

He aquí lo que debe usted esperar: los niveles de ácido úrico serán normales, la función renal será excelente, los niveles de glucosa e insulina en sangre se habrán estabilizado, el nivel de triglicéridos habrá descendido acusadamente con toda seguridad y el nivel de colesterol estará empezando ya a bajar.

Le sugiero que se haga estos análisis de sangre y muy posiblemente la prueba de tolerancia a la glucosa, antes de empezar la dieta, con el fin de disponer de un punto de partida comparativo. Si es usted obeso, muchos de estos valores no serán normales antes de empezar la dieta y, si no ha estado sometido a reconocimientos médicos regulares, probablemente no tiene ni idea de lo que son. La mayoría de las afecciones que se revelan a través de los análisis de laboratorio son completamente insidiosas; presentará usted magnitudes altamente anormales y, sin embargo, no tendrá ningún síntoma relacionado con ellas.

No quiero que se haga los análisis a las pocas semanas de haber comenzado la dieta, porque puede pensar entonces que cualquier anormalidad residual es consecuencia de la dieta. Todos los meses trato a docenas de personas que tienen altos niveles de colesterol dos semanas después de haber comenzado la dieta, pero que tenían niveles de colesterol más altos aún antes de iniciarla.

Al revisar sus análisis, realiza usted una estimación de todo su estado de salud. Tómese la tensión. La tensión alta es insidiosa, y el exceso de peso y la hipertensión suelen ir juntos como, oh, las tortitas y el almíbar. ¿Qué pasa con la tensión cuando se sigue esta dieta? Simplemente esto: nada se aprecia de manera más segura y rápida en la dieta Atkins que la normalización de la tensión arterial.

Sin duda querrá usted informarse acerca de su función tiroidea. Un tiroides perezoso es, aparte del hiperinsulinismo, una de las causas de la obesidad metabólica. Si pertenece usted al 10 % de la población que necesita extractos tiroideos, su problema de peso se solventará en parte cuando empiece a tomarlos.

Una prueba muy especial

Hablemos ahora de las pruebas de laboratorio más esclarecedoras y específicas de todas, la prueba de tolerancia a la glucosa de cinco horas con niveles de insulina. Espero haberle convencido de que el defecto metabólico en la obesidad es el hiperinsulinismo y de que en la mayoría de las personas con importante exceso de peso se da alguna combinación de prediabetes, hipoglucemia reactiva y diabetes propiamente dicha. Ahora bien, ¿no le interesa saber si eso se aplica también a usted? O, si es francamente obeso, ¿no le interesa saber en qué medida se aplica a usted?

Como el hecho de que esté usted leyendo este libro es una evidencia *a priori* de inteligencia superior, daré por supuesto que su respuesta a las anteriores preguntas es «sí». Pero usted puede legítimamente preguntar: «¿Cuándo? ¿Debo hacerlo ahora o más tarde?»

Permítame decirle primero por qué conduzco el coche que siempre ocupa el primer puesto en la escala de satisfacción del consumidor. Mi mujer y yo entramos en el salón de exposición sin haber oído nunca hablar de esta marca de automóvil. El vendedor se limitó a decirnos lo siguiente: «Aquí tienen las llaves. ¿Por qué no se dan una vuelta en él para probarlo?» Después de recorrer ocho manzanas, dije: «¿Dónde tengo que firmar?» Puede usted tener la seguridad de que estoy deseando que haga su viaje de prueba con la dieta de inducción de 14 días. Sé que firmará inmediatamente.

Así pues, no quiero poner obstáculos ni demoras al comienzo del programa, porque eso retrasaría también el comienzo de la mejor parte del resto de su vida. Después de todo, la adecuada realización de una PTG implica hacerse análisis de sangre siete u ocho veces en una mañana, y debe usted concertarlo con un médico o un laboratorio clínico comercial. Por fortuna, se trata de un proceso que está cubierto por casi todas las pólizas de seguro médico, así que para la mayoría de ustedes el aspecto económico no será un problema.

Debo aclarar una cosa. Los resultados de la prueba no se consideran fiables a menos que lleve usted como mínimo cuatro días ingiriendo 200 gramos de hidratos de carbono diarios, así que no puede decidir en medio de esta dieta que finalmente está preparado para hacerse la prueba. Esto le deja sólo dos opciones inteligentes:

1. Hacer la prueba (con todos los demás parámetros de laboratorio) antes de comenzar la dieta de inducción de 14 días.
2. Empezar la dieta y prometerse a sí mismo que, antes de adoptar de por vida el programa Atkins, se someterá adecuadamente a esta y a las otras pruebas. Sé que parece su mejor alternativa, pero le advierto que, una vez que experimente la extraordinariamente agradable sensación de haberse liberado de su adicción a los hidratos de carbono, no querrá abandonar su nueva dieta y volver a caer en la adicción.

La otra opción —la de no hacerse nunca la prueba— no es en absoluto inteligente a menos que se den las siguientes condiciones: usted es joven, usted tiene menos de siete kilos que perder y usted no tiene una barriga prominente (se ha demostrado que la obesidad de la parte superior del cuerpo guarda estrecha relación con el hiperinsulinismo).

Cualquiera que sea su decisión con respecto a la PTG, ésta es la información que necesitará:

La prueba de tolerancia a la glucosa sigue la evolución de su nivel de azúcar (glucosa) en el transcurso de las cinco o seis horas siguientes a haber tomado una dosis de glucosa sin otro alimento ni bebida. Cualquier desviación de la respuesta normal debe ser contemplada con recelo. Si la lectura más alta rebasa los 160 mg, puede ser indicativa de prediabetes, un descenso del 25 % por debajo de la línea básica, o por debajo de 60 mg %, indica hipoglucemia reactiva, un delta (diferencia entre las lecturas máxima y mínima) superior a 90 puntos indica una anormalidad, lo mismo que cualquier hora en que el azúcar baje 60 puntos o más. Y existen muchos otros criterios para apreciar desviaciones de la normalidad, todos los cuales adquieren más importancia si los síntomas (las respuestas del grupo B) son característicos.

Pero para ser realmente informativo (y para que el trance por el que ha de pasar valga realmente la pena), es preciso tomar los niveles de insulina juntamente con los de glucosa al menos durante las tres primeras horas. Al fin y al cabo, el hiperinsulinismo es el correlativo de laboratorio de la obesidad. La insulina en estado de ayuno debe ser inferior a 30 unidades, pero el nivel medio después de la ingestión de glucosa es una lectura muy importante. En las culturas occidentales, esta cifra parece aumentar con la edad. Puede que no sea un cambio saludable, pero es habitual. Mi regla práctica es que resulta excesivamente elevada si equivale al resultado de multiplicar la edad por 1,5 hasta los 50 años.

Es evidente que una prueba de laboratorio no le proporcionará más salud, pero al presentarle una confirmación de su estado médico puede motivarle en una medida que usted nunca ha alcanzado al mirarse en el espejo y ver una cintura cada vez más ancha.

Y ahora (música, por favor), los 14 días que cambiarán su vida.

8

La reglas de la dieta de inducción.
La prueba de los catorce días

La dieta de inducción que aquí se presenta es el preludio de la dieta Atkins, no la dieta Atkins misma.

Esta dieta de inducción es una dieta correctora; su objetivo fundamental es corregir, lo más rápidamente posible, un metabolismo desequilibrado. No se puede corregir un desequilibrio añadiendo equilibrio; solamente se puede corregir compensándolo con una corrección desequilibrada.

Permita que en la página siguiente le muestre mi diagrama favorito.

La dieta que se expone más adelante se llama dieta de inducción, porque su objetivo es inducir una pérdida de peso mediante la creación de cetosis/lipólisis, estimulando así la producción de SMG y otros movilizadores de grasa por parte del propio cuerpo.

Éstos son los efectos de una dieta de inducción:

1) Cambiar eficazmente su cuerpo de un metabolismo quemador de hidratos de carbono a otro quemador de grasa (¡su grasa!).
2) Estabilizar el nivel de azúcar en sangre y po-

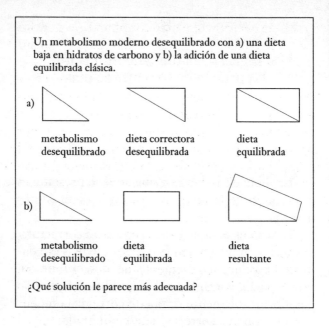

Un metabolismo moderno desequilibrado con a) una dieta baja en hidratos de carbono y b) la adición de una dieta equilibrada clásica.

a)

metabolismo desequilibrado   dieta correctora desequilibrada   dieta equilibrada

b)

metabolismo desequilibrado   dieta equilibrada   dieta resultante

¿Qué solución le parece más adecuada?

ner fin bruscamente a numerosos síntomas hipoglucémicos: fatiga, cambios de humor, espesor mental, accesos de debilidad, etc.

3) Suprimir su ansia de comida por medio de la abstinencia, más que de la moderación.

4) Romper los hábitos adictivos al chocolate, el azúcar, derivados del trigo o el maíz, alcohol, cafeína, gluten o a cualquier otro alimento hacia el que usted haya podido desarrollar alergia o adicción.

5) Hacerle experimentar de modo directo la ventaja metabólica.

6) Sorprenderle demostrándole cuánta grasa pue-

de quemar comiendo con abundancia, incluso espléndidamente, los más exquisitos manjares.

No obstante, aunque atractiva, la dieta de inducción no será el régimen que siga usted el resto de su vida. Ese régimen vendrá determinado por una serie de pasos que yo le enseñaré a dar, de tal modo que la dieta acabe creando el mejor equilibrio posible entre sus respuestas metabólicas, sus preferencias gastronómicas y estilo de vida, y su perfil general de salud.

En su régimen dietético permanente, una vez terminada la prueba de los catorce días que ahora se dispone usted a emprender —de hecho, en cuanto se haya asentado usted en su régimen alimenticio y esté disfrutando de la dieta de mantenimiento vitalicia Atkins, más sabrosa y espléndida aún—, la dieta de inducción continuará cumpliendo una finalidad. Será un mecanismo de arranque que le permitirá —cuando sea necesario— retomar el paso reanudando la dieta en el nivel en que originariamente le fue bien. Así, cuando haya roto su dieta permanente de mantenimiento por cualquier buena (o mala) razón, retornará a la dieta de inducción y ésta, como si del mecanismo de ignición de un automóvil se tratara, pondrá el motor en marcha y hará rodar de nuevo el vehículo por la carretera. Para cumplir este objetivo, en los hermosos días en que habrá alcanzado usted su peso ideal y se haya desviado de él sólo por breve tiempo, no será necesario que permanezca dos semanas en el nivel de inducción. Únicamente tendrá que hacerlo hasta que se produzca una cetosis/lipólisis máxima, manifestada en un grado pleno de supresión del apetito. En esta primera vez aprenderá usted de qué se trata.

Las reglas de la dieta de inducción

1. Su dieta no debe contener más de 20 gramos de hidratos de carbono al día. En la mayoría de las personas, con esta cantidad se puede lograr la inducción de la cetosis/lipólisis. Esto permite aproximadamente tres tazas de ensalada de verduras o dos tazas de ensalada más dos tercios de taza de verduras cocidas de las pertenecientes a la categoría de menos del 10 % de hidratos de carbono.

2. Usted no sigue ya una dieta cuantitativa. Por consiguiente, debe acomodar las cantidades a su apetito. Cuando tenga hambre, coma la cantidad que le haga sentirse satisfecho pero no lleno. Cuando no tenga hambre, no coma nada o sólo algún piscolabis de proteínas para acompañar sus vitaminas.

3. Usted sigue, sin embargo, una dieta cualitativa. Esto significa que si un alimento determinado no figura en su dieta no debe tomar absolutamente nada de él. La idea de que «por probar un poquitín no pasa nada» es el beso de la muerte de esta dieta. Los adictos

descubrirán que esta regla fortalece rápidamente el carácter.

4. Su dieta se compone de proteínas puras (no muchas de las cuales se hallan en la naturaleza, sin embargo), grasas puras (lo cual significa que están permitidos el aceite de oliva, la mantequilla y la mayonesa) y combinaciones de proteínas y grasas (esto constituye el eje de su dieta). Los alimentos que contienen proteínas e hidratos de carbono o grasas e hidratos de carbono no figuran en esta dieta, porque los hidratos de carbono no figuran en esta dieta.

5. Utilizando un contador de gramos de hidratos de carbono, se podrían encontrar otras combinaciones que totalizaran menos de 20 gramos de hidratos de carbono. Utilizaría uno alimentos tales como nueces, semillas, aceitunas, aguacates, quesos, nata y nata agria, zumos de limón y lima y alimentos dietéticos bajos en hidratos de carbono. No dé usted por supuesto que estos alimentos son siempre bajos en hidratos de carbono a menos que conozca la cantidad que contiene la porción que va a ingerir. En la Tabla de Gramos de Hidratos de Carbono incluiré el contenido en gramos de hidratos de carbono de los alimentos que puede usted incluir en esta dieta de inducción de catorce días, así como en otros niveles menos restrictivos de la dieta que adoptará como régimen dietético vitalicio.

ALIMENTOS PERMITIDOS

CARNE	PESCADO	AVES	MARISCOS	HUEVOS
Vaca	Atún	Pollo	Ostras	
Cerdo	Salmón	Pavo	Mejillones	
Cordero	Lenguado	Pato	Almejas	
Tocino	Trucha	Ganso	Gambas	
	Rodaballo		Langosta	

Excepciones: 1) Embutidos
2) Productos que no son exclusivamente carne, pescado o aves, como los sucedáneos de pescado.

Alimentos generalmente utilizados en la dieta de inducción:

QUESO

Se permiten los quesos frescos y los envejecidos, de vaca y de cabra. Sin embargo todos tienen algún contenido de hidratos de carbono y ello determina las cantidades. (Véase la Tabla de Gramos de Hidratos de Carbono.) Se prohíbe el queso dietético, los quesos para untar o los quesos de suero. Quienes padezcan infección enzimática, alergia a los productos lácteos o intolerancia al queso deben evitar este alimento. No se permiten los sucedáneos de queso.

HORTALIZAS PARA ENSALADA

Lechuga	Cebolleta	Aceitunas
Lombarda	Perejil	Hierbas de ensalada
Escarola	Pepino	eneldo
Berza	Rábanos	tomillo
Endibias	Hinojo	albahaca
Ajonjera	Pimientos	cilantro
Achicoria	Jicama	romero
Acedera	Tallos de alfalfa	orégano
Colleja	Setas	
Repollo	Colmenillas	

VERDURAS CON UN 10 % O MENOS DE HIDRATOS DE CARBONO

Todos los vegetales para ensalada antes citados y además:

Espárragos	Ruibarbo	Tallos de habas
Judías verdes	Chalote	Castañas de agua
Col	Puerros	Vainas de guisante

Hojas de remolacha	Espinacas	Salmuera de berza
Coliflor	Calabaza	Acelga
Alcachofas	Calabacines	Diente de león
Berenjena	Abelmosco	Cardo
Bretones	Quimbombó	Brécol
Colinabo	Nabos	Puerro
Tomate	Aguacate	Apio
Cebolla	Brotes de bambú	

ALIÑOS PARA ENSALADA

Tocino crujiente desmenuzado

Queso rallado

Yema de huevo duro picada

Nata agria

Setas salteadas y picadas

ESPECIAS

Todas las especias, según el gusto, pero cerciórese de que el aderezo no contiene azúcar.

APERITIVOS Y TENTEMPIÉS

Espliego	Huevos picantes	Salchichas
Galletitas de queso	Albóndigas	tipo cóctel
Queso duro	Paté	Gambas
Muslos de pollo	Salmón ahumado	Filete tártaro
Alas de pollo	Sardinas	

BEBIDAS

Agua

Agua mineral

Gaseosa con sabor/aroma (debe indicar «sin calorías»)

Café descafeinado o té

No está permitida la cafeína

Soda dietética

Té helado con edulcorante artificial

Los refrescos carbónicos naturales y artificiales pueden tener algunos hidratos de carbono y pueden ser una de sus opciones por unos pocos gramos

Agua de manantial

Agua de soda

Té de hierbas (sin cebada, dátiles, higos, azúcar)

No están permitidas las bebidas de cereales (es decir, sucedáneos de café).

Crystal Light u otros polvos carentes de hidratos de carbono para hacer bebidas con sabor a frutas

Crema (espesa o ligera); tenga en cuenta el contenido en hidratos de carbono

GRASAS Y ACEITES

Muchas grasas, sobre todo algunos aceites, son esenciales para una buena nutrición. Incluya una fuente de AGL (ácido gammalinoleico) y aceites omega-3 (AEP, aceite de salmón, aceite de linaza). Es muy valioso el aceite de oliva (monoinsaturado). Están permitidos todos los aceites vegetales. Los mejores son los aceites de nuez, soja, sésamo, girasol y alazor, especialmente si llevan la indicación de «prensados en frío». Está permitida la mantequilla, pero no la margarina. Se permite la mayonesa, salvo que se encuentre usted sujeto a restricciones de fermentos. Está permitida también la grasa que forme parte de la carne o aves que come. Para el aliño de las ensaladas, utilice el aceite deseado, más vinagre o zumo de limón y especias. Se puede añadir queso rallado, huevos duros picados, tocino o cortezas de cerdo fritas.

NOTA ESPECIAL SOBRE VÍSCERAS

El hígado y las mollejas tienen una cantidad moderada de hidratos de carbono. Se pueden comer con moderación.

ERRORES COMUNES QUE SE DEBEN EVITAR

1. Observe que la dieta de catorce días no contiene fruta, pan, cereales, verduras feculentas ni productos lácteos distintos del queso, la nata o la mantequilla.
2. Evite los productos dietéticos, a menos que indiquen específicamente «sin hidratos de carbono». La mayoría de los alimentos dietéticos son para dietas con restricción de grasas, pero no de hidratos de carbono.
3. La indicación «sin azúcar» no basta. El producto debe expresar el contenido de hidratos de carbono, usted sólo debe atenerse a este dato.
4. Muchos productos que normalmente no se consideran alimentos, tales como chicle y jarabe o gotas para la tos, están repletos de azúcar u otros edulcorantes calóricos y deben ser evitados.

Cómo elaborar una dieta a partir de la lista anterior

Una vez que sabe lo que puede tomar, comprenderá enseguida cuál tiene que ser su plan de comidas. Verá inmediatamente que para desayunar, una tortilla de jamón, queso y champiñones, o huevos revueltos con tocino, o una selección variada de pescado ahumado con queso de nata sería una forma perfecta de empezar el día.

Para almorzar, estará bien la típica ensalada de jamón, pollo, queso y huevo duro sobre hojas de lechuga, cubierto todo ello con un cremoso aderezo de ajo, así como una hamburguesa de queso y tocino sin el pan. O quizá medio pollo asado a la brasa con ensalada, o un cazo de ensalada de atún con otro de ensalada de pollo.

Las cenas deben incluir sus platos favoritos ricos en proteínas: chuleta de cordero, salmón hervido, pollo asado, solomillo, colas de langosta con mantequilla, parrillada de pescado o lo que más le apetezca, y una ensalada. Podría haber tomado también como aperitivo un cóctel de gambas con salsa de mostaza y mayonesa (la salsa roja tiene hidratos de carbono), o paté, o mejillones al vapor. Y, de postre, quesos variados o jalea dietética con nata batida.

Recuerde que la finalidad de estos catorce días es mejorar su salud, no vencer en un concurso de gastronomía. Desde luego, con esta dieta se pueden comer alimentos más apetitosos que con las dietas bajas en grasas que tanto se estilan. Pero, por el momento, sólo quiero sugerirle la idea de que podrá usted deleitarse con exquisiteces gastronómicas cuando ya domine todas las posibilidades de una dieta que permite la mantequilla y salsas de crema. Ésa es una hermosa perspectiva de futuras comidas. Aquí y ahora, su atención debe centrarse por completo en si siente usted que controla lo que come y en si se siente sano y vigoroso.

Ahora que tiene las reglas de la dieta, puede usted beneficiarse de algunas indicaciones. Después de todo, una cosa es conocer las reglas del ajedrez o el backgammon, pero se necesita instrucción para convertirse en un buen jugador. Dos de las principales cuestiones que le voy a explicar a continuación forman parte de las reglas de la dieta: suplementos nutricionales y tiras de prueba de la lipólisis.

Los primeros fortalecerán su salud al tiempo que va disminuyendo de peso y las segundas le permitirán obtener confirmación del hecho de que su grasa se está fundiendo, de que se encuentra usted en el estado de cetosis/lipólisis.

Suplementos dietéticos

Al iniciar a las personas en la dieta, he descubierto que sus reservas de vitaminas y minerales son con frecuencia tan escasas que suele precisarse de una o dos semanas de suplementación para situar esas reservas a un nivel normal. Ésta es una de muchas razones por las que es probable que al término de su periodo de prueba de catorce días experimente usted una explosión de energía.

Algunos críticos del régimen alimenticio bajo en hidratos de carbono han sugerido que la dieta Atkins es tan restrictiva en ciertas áreas que no me queda más remedio que aconsejar a todo el que la sigue que tome suplementos vitamínicos y minerales. Hay sólo una brizna de verdad en esto. Cuando descienda a un nivel muy bajo de consumo de vegetales durante los primeros catorce días —la parte más rigurosa de la dieta—, en efecto estará usted consumiendo cantidades insuficientes de determinados nutrientes.

Yo recomiendo suplementos a todo el mundo

Cuanto más aprendo acerca de suplementos nutritivos, más componentes nutricionales descubro que pueden ayudar a casi todo el mundo. Un ejemplo típico es el grupo antioxidante de nutrientes, que está demostrando efectos perfectamente bien documentados en la protección contra las enfermedades cardiacas, el cáncer y el envejecimiento. Ahora bien, ¿quién no se beneficiaría de eso? Multiplique ese estimulante beneficio por el número de descubrimientos en el campo de la nutrición que se han acumulado a lo largo de las dos últimas décadas y comprenderá fácilmente por qué mis pacientes consumen por término medio más de treinta pastillas de vitaminas al día. Y para hacer posible la obtención del máximo beneficio en esta cuestión, tuve que desarrollar un sistema de nutrición específica (NE), a fin de prescribir sólo lo que cada individuo necesitaba para sus problemas o condiciones metabólicas propias.

Pero en este capítulo sólo quiero proporcionar un apoyo nutricional adecuado para una dieta de catorce días, no el programa vitalicio que mis pacientes directos reciben después de una evaluación realizada a lo largo de dos horas. Cuando usted decida convertirse en dietista vitalicio Atkins (observe que no he dicho «si decide»), tendrá que familiarizarse con el capítulo 22.

Así que, por el momento, esto es lo que debe hacer:

1. Encuentre una vitamina múltiple muy amplia, para la que le ofrezco un modelo en el capítulo 22, «Vitaminas», donde presento el análisis de mi Fórmula del Dietista, Básica 3. Una fórmula tal debe contener una cantidad de factores del complejo vitamínico B y de vitamina C considerablemente superior a la cantidad diaria recomendada (CDR) por el Consejo Nacional de Alimentos y Nutrición, y debe contener como mínimo 40 nutrientes distintos. No espere tomar menos de cuatro píldoras al día. A ser posible, deben incluirse 200-600 μg de picolinato de cromo.

2. Si experimenta usted grandes ansias de tomar azúcar, debe incluir L-Glutamina 500-1.000 antes de cada comida.

3. Si desde el principio le preocupa un elevado nivel de colesterol, no olvide incluir dos cápsulas de aceite de borraja, dos cucharadas soperas de gránulos de lecitina al día y 300 mg de pantetina antes de cada comida.

Tiras de prueba de la lipólisis

Cómo utilizar las TPL

Las tiras de prueba de la lipólisis, a las que en lo sucesivo se denominará por el acrónimo TPL, que sirven para medir el grado de cetosis/lipólisis, encajan en otra categoría de suplementos nutricionales.* No es imprescindible que lo haga, pero puede constituir una ayuda en extremo conveniente para el desarrollo de la dieta. Y si no obtiene los resultados que espera las TPL le ayudarán, sin duda, a aclarar el misterio de por qué ocurre así.

Después de todo, la base fundamental para entrar en la estricta fase de inducción de la dieta, los primeros catorce días, es que se encuentre usted en estado de cetosis. Le voy a permitir una ensalada de tamaño medio al día para empezar. Cuando haya consumido su provisión de 48 horas de hidratos de carbono almacenados —se llama glucógeno— entrará usted, casi con toda seguridad, en estado de cetosis.

Las TPL le ayudarán a medir la intensidad de

---

* «Tiras de Prueba de la Lipólisis» es un término genérico para designar una diversidad de productos existentes para determinar, algunos cuantitativamente, la presencia de cuerpos cetónicos en la orina, que indica el consumo de las propias grasas. Se encuentran comercializados en Estados Unidos con los nombres de Lipostix, indicadas para quienes siguen una dieta baja en hidratos de carbono, o Ketostix, destinadas a advertir de la existencia de cetoacidosis en los diabéticos. Ambas marcas se pueden utilizar como tiras de prueba de la lipólisis.

ese estado. Después de las dos primeras semanas, a medida que vaya aumentando la ingesta de carbohidratos, las TPL le ayudarán a asegurarse de que el incremento no ha sido excesivo y abandona el eficaz estado de cetosis/lipólisis.

¿Qué son las tiras de prueba de la lipólisis?

Las tiras de prueba de la lipólisis son unos palillos que, al introducirse en la orina, cambian de color según lo que encuentran en ella. Si está usted excretando cetonas en la orina, la TPL se volverá púrpura. A más cetonas excretadas, más oscuro el color púrpura.

Las TPL son asequibles y puede encontrarlas en su farmacia, o puede pedir a su farmacéutico que las encargue, o usted mismo puede ponerse en contacto con el Atkins Center. Mis pacientes suelen decirme que las TPL proporcionan ayuda psicológica. Verlas pasar del ocre al púrpura es recibir en clave química el mensaje: «Estoy perdiendo peso.»

¿Y si no se vuelven púrpuras?

Bueno, en principio tienen que hacerlo, a no ser que no esté usted realizando correctamente la dieta o tenga una resistencia metabólica muy intensa. Primero, asegúrese de que ninguno de sus alimentos —a excepción de la ensalada— tiene hidratos de carbono. Nada de azúcares ocultos, rebozados o cosas semejantes. Después, siga la dieta durante cinco días, utilizando cada día las TPL. Si todavía no han cambiado ni tan siquiera al color del espliego por lo menos, entonces suprima esa única ensalada. Es la única fuente importante de hidratos de carbono que está usted consumiendo. En cuanto las TPL se vuelvan púrpuras, incluya de nuevo la ensalada en su dieta.

Haga la prueba con las TPL a la misma hora todos los días. Generalmente, es mejor al anochecer, porque entonces es cuando se obtiene la reacción más intensa. La mayoría de las personas no tendrá ninguna dificultad en hacer que las TPL adquieran una coloración púrpura en esta fase. Obtendrá usted variaciones más interesantes cuando ascienda posteriormente a lo largo de la escala de carbohidratos. En ese punto, en la fase de pérdida de peso progresiva, descubrirá usted dónde se sitúa su nivel crítico de hidratos de carbono.

¿Niveles críticos de hidratos de carbono?

Es éste un aspecto interesante de la dieta. El aspecto dietético del programa Atkins tiene cuatro fases. La primera es la dieta de inducción de catorce días para una rápida pérdida de peso. Vendrá después la fase de Pérdida de Peso Progresiva (PPP). A continuación, la dieta de premantenimiento, una fase de transición hacia la dieta vitalicia, que se desarrollará mientras pierde usted los últimos gramos. Finalmente, estará la dieta de mantenimiento vitalicia.

Para cada uno de estos niveles de la dieta hay un nivel crítico de carbohidratos adecuados a cada persona. Su metabolismo individual tiene una cierta cantidad de hidratos de carbono mas allá de la cual dejará de perder peso o —una vez que haya alcanzado usted su peso ideal— más allá de la cual empezará a recuperarlo de nuevo. Por consiguiente, en la cuarta parte le contaré todo lo referente a esos críticos niveles.

¿Qué significa todo esto desde un punto de vista metabólico?

Sobre todo, desde luego, las TPL púrpura y la capacidad para permanecer por debajo del nivel crítico de hidratos de carbono significarán que ha encontrado usted el facilísimo método de perder kilos y centímetros.

Las TPL constituyen la prueba de que se ha abierto usted un camino metabólico diferente. El primer combustible que su cuerpo quema para obtener energía procede de los hidratos de carbono que ingiere. Ahora que ha reducido el consumo de hidratos de carbono a un nivel que no puede financiar sus gastos de energía, debe usted quemar la grasa acumulada. Con facilidad, si es usted metabólicamente normal; con esfuerzo, si es usted metabólicamente resistente, su cuerpo recurre a esas reservas de grasa. Se ha iniciado felizmente un nuevo camino metabólico para suministrar energía. En ese momento, su cuerpo pasa de ser una máquina quemadora de hidratos de carbono a ser una máquina quemadora de grasas. Realmente, ya está usted haciendo la dieta. Me alegro por usted. Ésta debe ser la última dieta que jamás tenga que iniciar.

9

Observación del nivel de la dieta Atkins en casa y en el trabajo

El objetivo fundamental de la dieta de inducción de catorce días es perder peso y sentirse bien. Usted ya sabe cómo hacerlo, pero permítame añadir una advertencia necesaria antes de que comience: si tiene problemas de salud graves, es esencial que visite a su médico.

La dieta Atkins ejerce un poderoso efecto positivo sobre casi todas las afecciones, pero representa un importante cambio de estilo de vida y, si tiene usted un problema médico grave, debe controlar su cambiante metabolismo con la ayuda y el asesoramiento de un médico.

No es necesario añadir más. Pero, por favor, no lo olvide.

Debo incluir también una advertencia crucial: esta fase de la dieta no es apropiada para mujeres embarazadas y personas con enfermedad renal grave.

Y ahora, ¿qué hay de mis otros consejos?

¿Se ha aprovisionado de suplementos vitamínicos y tiras de prueba de la lipólisis, tal como se sugería en el capítulo 8?

¿Qué hay de esos análisis de sangre que tanto le he instado a realizar? ¿Se los ha hecho? Espero que sí, pero si es usted joven y sano y no ha conseguido arreglar las cosas para hacérselos, dejémoslo. Es una pena quedarse sin información, pero mucho más lamentable es seguir siendo gordo.

Pero no crea que no le voy a insistir. Le exhorto vivamente a que se los haga. Si el dinero supone un problema, sepa que el Gobierno federal lleva a cabo programas de detección de colesterol en los que usted puede participar y que le proporcionarán por lo menos los niveles de colesterol y triglicéridos.

La moral del dietista

Psicológicamente, ¿ha adoptado un firme compromiso? No comience algo tan importante como esto con la vaga idea de que «oh, bueno, probaré a ver». Por lo menos, tiene que haber decidido dedicar a esta dieta dos semanas de su vida, sin desviaciones ni componendas.

Si puede usted comprometerse a eso, entonces, con toda franqueza, espero grandes cosas para usted. Al término de sus catorce días, estará caminando con nueva energía, saltando de la cama por la mañana con nuevo entusiasmo y esperando con ilusión cada encuentro con la báscula del cuarto de baño.

¡Adelante! Ya ha empezado. Mastique

Naturalmente, empieza usted comiendo, cosa que siempre ha hecho con un cierto sentimiento de culpabilidad. Pero no vacile mientras da buena cuenta de las chuletas de cerdo o el pato asado. Si es usted un dietista experimentado, quizá tenga que reprimir un involuntario estremecimiento al comenzar a ingerir alimentos altos en calorías que usted siempre creyó que le engordarían.

Una vez más, tenga fe. En ausencia de hidratos de carbono, el cuerpo no tiene más remedio que quemar su propia grasa. Además, en esta fase de su dieta, comer los sabrosos y grasientos alimentos de los que su último especialista en dietética le prohibía no puede por menos que ser ventajoso.

Está usted empezando por el extremo de la dieta más bajo en hidratos de carbono y yo le estoy animando a que coma tanto como quiera.

Deseo que no sienta absolutamente ningún temor a la grasa durante estas dos semanas. La grasa es mucho más inductora de cetosis que las proteínas. Al fin y al cabo, el 58 % de las proteínas se transformarán en aminoácidos glucogénicos, es decir convertibles en glucosa, pero sólo el 10 % de la grasa se convertirá en su porción de glicerol, que es similarmente convertible. La facilidad para entrar en estado de cetosis/lipólisis profunda se basa en la proporción de grasa con respecto a los hidratos de carbono. Cuanto mayor sea ese número, más grande será la cetosis. Así pues, debe usted esforzarse por ingerir el máximo de grasa durante este periodo inicial y, al hacerlo, se encontrará, casi con toda seguridad, experimentando los aspectos supresores del apetito más vivos e intensos de la dieta.

Como persona con exceso de peso, es probable que sea usted resistente a la cetosis, ya que cetosis significa despedirse de su grasa y eso es, evidentemente, lo que su cuerpo se ha venido resistiendo a hacer. Durante la quincena de dieta de prueba, no correremos riesgos. Vamos a hacer que esas TPL se vuelvan de color púrpura.

Tenga los alimentos a mano

Llene la nevera y la despensa con los alimentos que va a comer. Vaya al supermercado y elija los manjares proteínicos que más le gusten. Naturalmente, evite las secciones en que se encuentran las tentaciones de hidratos de carbono. Yo tuve un paciente de diecinueve años llamado John Connors que, con 1,93 de estatura, bajó su peso de 131 kilos a 95 en seis meses. Solía contarme cómo entraba en el supermercado en busca de alguno de sus alimentos permitidos, se metía en la sección de dulces y acababa saliendo del establecimiento con una caja de chocolatinas. Durante el trayecto de regreso a casa recuperaba el autodominio, bajaba la ventanilla del coche y tiraba las chocolatinas a la calle.

¿Qué alimentos permitidos le gustaría tener ante usted al abrir la puerta del frigorífico? ¿Huevos picantes, pavo, pollo, ensalada de gambas, su queso favorito?

Si vive solo, no guarde las cosas que no va a comer. Invite a varios amigos a terminar el helado. Dé una fiesta final. Regale todos sus alimentos prohibidos a un vecino o a un pariente político (es posible que los parientes consanguíneos padezcan el mismo trastorno metabólico hereditario que usted). O, simplemente, tírelos. Modifique su cuadro mental; para usted, esos alimentos no existen.

Si no vive solo, entonces casi siempre es aconsejable preparar a los que comparten su vivienda para la «sorpresa» de su nueva dieta. A menos que pertenezca usted a una familia de vegetarianos, no debe resultar demasiado sorprendente. Usted se propone comer cosas que siempre ha comido.

Si es usted quien se encarga de la cocina, salvo que pueda convencer a los demás para que participen en la experiencia de la dieta Atkins, tendrá que cocinar para usted solo e incluir adiciones para ellos. Tal vez quieran pan, patatas y postres dulces. La posible tentación plantea aquí un pequeño problema, pero, si realmente desea usted adelgazar, creo que sabrá resistirse. Tiene este consuelo: los seres humanos son extraordinariamente adaptables y en sólo una semana sus gustos empezarán a cambiar. Pronto descubrirá que el azúcar y los hidratos de carbono refinados ya no le tientan tanto como antes. Además, la supresión de apetito de que tanto le he hablado será su constante aliado.

Si los primeros días encuentra un poco deprimente ver a otras personas comer cosas que a usted le encantan y no poder tocarlas, consuélese a su propia manera. Tome doble ración de lo que tiene permitido. Recuerde que su destino es ahora perder peso; estos momentos de tentación no son sino aflicciones momentáneas. No dude en explicar a los miembros de su familia que necesita claras muestras de apoyo y comprensión. Ciertamente, no quiere que le tienten con alimentos prohibidos y le digan cosas perversas e inadecuadas como: «No te preocupes, este trocito de pastel no te hará ningún mal.» ¡Se lo hará!

Diga de antemano a los demás que usted se toma la dieta en serio y que agradecería que ellos hiciesen lo mismo. La dieta Atkins es fácil de seguir, la dieta más espléndida y apetitosa que usted haya adoptado jamás (y la última), pero todos sabemos qué cuestión tan resbaladiza, emocional, familiar y apasionada es la que se refiere a todo lo relacionado con la comida.

Yo comprendo que quizá las demás personas de su casa no se sientan automáticamente entusiasmadas con su nueva dieta. De la forma más cortés posible, dígales que se trata de su dieta, no de la de ellos, y que no es necesario que se entusiasmen. Sólo tienen que mostrar un poco de respeto hacia la importante decisión que usted ha tomado. Una vez que haya seguido la dieta, ya no tendrá que pedir que la respeten; los resultados hablarán por sí mismos. Pero, sobre todo, recuerde: para que otras personas queden impresionadas por su resolución, usted mismo debe tomarse en serio su dieta. ¡Hágalo así! Abórdela como si fuese cuestión de vida o muerte. Para las personas con exceso de peso, al cabo de los años, se trata exactamente de eso.

¿Qué es lo primero que nota?

No tiene hambre.

Verdaderamente, ¿cómo podría tenerla? La cetosis, igual que un ayuno, siempre provoca la supresión del apetito cuando se ha quemado la provisión de glucógeno para dos días del cuerpo.

Han pasado dos días. El glucógeno ha desaparecido.

Se encuentra usted sólidamente instalado en situación de cetosis/lipólisis. En este punto está usted descubriendo que la supresión del apetito es lo más extraordinario que le ha sucedido jamás a su apetito en toda su vida.

De pronto, se encuentra usted tomando cantidades moderadas de comida y sin sentir punzadas de hambre. Usted sabe con seguridad que está en cetosis cuando se sorprende a sí mismo preguntando: «¿Quieres decir que ya es hora de comer?»

Tal vez sea usted una persona para quien una incesante y casi continua ansia de comer ha constituido una forma de vida. Estoy seguro de que recuerda a Gordon Lingard, el paciente que vino a verme con un peso de 139 kilos. Solía decir: «Siempre estaba planeando la próxima comilona. Me hallaba en una reunión de negocios muy importante, con un montón de dinero en juego, y una mitad de mi cerebro meditaba en qué comería, cuánto comería, cuándo y dónde comería. La comida dominaba mi cerebro.»

Eso es ser esclavo de la comida. Finalmente, sin embargo, Gordon triunfó y si él fue capaz de hacerlo casi cualquiera de ustedes puede hacerlo también.

En la dieta Atkins no se requiere fuerza de voluntad, basta con el sentido común de colocarse en una posición en la que no sea necesaria.

¿Qué es lo segundo que nota?

Salvo que tenga un nivel de energía extraordinariamente elevado, lo siguiente que le llamará la atención será la sensación de haber recuperado una energía perdida durante largo tiempo. Por norma general, esta sensación surge hacia el tercer o cuarto día. Algunas personas experimentan una ligera euforia. La mayoría se encuentra simplemente con que el tedio y la tristeza que solían asaltarles durante horas dos o tres veces al día han quedado reducidos a meros momentos ocasionales.

Por el contrario, hay personas que experimentan fatiga durante la primera semana de dieta. De ordinario, esto significa que la dieta está actuando con demasiada rapidez para su metabolismo particular, están perdiendo peso demasiado rápidamente, perdiendo agua y minerales demasiado rápidamente, y sus cuerpos no se acomodan con suficiente prontitud a estos fulminantes cambios.

Casi siempre, aconsejo a los pacientes que tienen estos problemas que aminoren el rigor. Sugiero que añadan una segunda ensalada o un plato de verduras a la cena. Aunque casi con toda seguridad sus organismos se acomodarían durante la segunda semana, no hay ninguna razón para sentirse cansado y débil durante cinco o seis días.

Me alegra poder decir que la mayoría de las personas experimenta un aumento de la energía. Eso les hace seguir jubilosamente la dieta, porque constituye una clara prueba de la satisfactoria influencia que el cambio dietético está ejerciendo sobre su metabolismo.

Ésta es su dieta dondequiera que esté

Es cierto que he empezado hablándole acerca de comer en casa, y ello por una razón. La persona en su propio hábitat, viviendo con el frigorífico, es el prototipo básico. Éste es el mundo en que la comida se encuentra siempre disponible, éste es el país de las tentaciones y, a menudo, de la glotonería. Se sienta a la mesa de la cocina y se pregunta: ¿qué como?

La respuesta es siempre la misma: coma los alimentos permitidos en la cantidad que quiera. Si se ha pasado usted toda la vida acosado por ansias de comida —generalmente, lo sé, ansias de hidratos de carbono—, entonces la agradable verdad es que el hambre no va a acaparar una parte tan importante de su tiempo y de sus pensamientos. Oh, sí, usted seguirá teniendo apetito y seguirá comiendo con deleite y satisfacción, pero los días de obsesión van camino de ser cosa del pasado. Qué alegría no estar siempre hambriento, siempre cansado y siempre buscando alguna solución física satisfactoria que nunca ha sido plenamente capaz de alcanzar. Ese es el estilo de vida del adicto a los hidratos de carbono, cosa que son tantos de ustedes, y es un estilo de vida profundamente agotador e irritante, del que se sentiría usted eternamente feliz de perder de vista.

Pero ¿y cuando no está usted sentado a la mesa de la cocina? Bueno, espero que quede claro lo fácil de seguir los fines de semana, en restaurantes, en su trabajo, cuando viaja mucho, a menos que alguien le encierre en una pastelería, no tiene de qué preocuparse. Por supuesto, la dieta no es completamente adaptable a cenas dadas por anfitrionas con ideas fijas acerca de lo que todo el mundo debe comer. Necesitará usted un poco de ingenio y diplomacia para sortear este peligro.

Desde luego, están también las líneas aéreas, la última frontera final de la comida elaborada y procesada industrialmente. En mi capítulo sobre las comidas en el mundo real formularé algunas observaciones más acerca de las líneas aéreas, pero, de momento, tengo que hacer una sugerencia aplicable a la quincena de la dieta de inducción. Yo creo que debería usted procurar elegir un periodo de dos semanas en el que no tenga que viajar, ni irse de vacaciones ni asistir a cenas organizadas por otras personas. Estas dos primeras semanas son importantes, así que mejor no hacerlas difíciles.

Comer fuera

Consideremos el caso de las comidas fuera de casa. Si almuerza usted cinco veces a la semana en el trabajo o en un restaurante, eso no constituye ningún problema. Y, desde luego, la dieta Atkins se acomoda maravillosamente a las necesidades de las personas a quienes les gusta comer en un restaurante siempre que pueden.

Si come usted muchas veces en restaurantes o en la cafetería de la oficina, entonces debe de conocer las posibilidades del menú y sabrá mantenerse atento a las trampas ocultas. Si el establecimiento es uno al que acude con frecuencia, hable con el camarero o el *maître* y exponga con claridad el hecho de que se halla siguiendo una dieta que no le permite tomar azúcar bajo ninguna forma, aspecto o presentación. Un problema sorprendente puede ser el azúcar en las ensaladas. A veces, se utilizan zumos de fruta como sustitutivo del azúcar. Para su dieta, esto no es en absoluto permisible.

Examine la carta y asegúrese de que el aperitivo, el plato principal y la ensalada que elija son compatibles con su dieta. Evite las salsas, las carnes empanadas, las migas de pan, la harina como espesante. Puede haber harina o cereal en las hamburguesas o migas de pan en los pasteles de cangrejo.

Cuando se come fuera hay que estar alerta. De lo contrario, una comida puede destruir su programa de pérdida de peso para ese día y rebajar el previsto para la semana. Los resultados de su primera semana no parecerán tan espectaculares si, en lugar de perder 350 gramos el miércoles, ganó 225 gramos ese día.

Si las opciones son realmente limitadas en la cafetería o cantina en que usted almuerza, entonces tal vez prefiera llevarse la comida de casa. Ponga alimentos para los que no necesite utilizar cubiertos: muslos de pollo, huevos duros, lonchas de jamón, queso y pastel de pollo.

En este punto de la dieta, usted simplemente procura tomar lo que es necesario para estabilizar su cantidad de azúcar en la sangre y evitar el hambre. Si se lleva su propia comida, asegúrese de llevar cantidad suficiente. No permita ni la más mínima posibilidad de llegar a tener tanta hambre como para recurrir a los hidratos de carbono.

En el capítulo 23 puede encontrar más información acerca de la forma de seguir la dieta con su familia y en el mundo exterior.

Situaciones especiales

Cuando la dieta empiece a convertirse en hábito, no tendrá usted que pensar en comer los alimentos adecuados, porque ya no se le ocurrirá comer de otra manera.

Cynthia Marlborough, que durante muchos años fue secretaria ejecutiva de uno de los más importantes presidentes de empresa de Nueva York, llevaba años luchando contra los cambios de humor y la fatiga cuando vino a verme por primera vez. Cynthia, que era adicta al chocolate, había dejado de fumar hacía poco.

Yo había sido gorda desde niña; recuerdo haber estado a régimen a los doce años, pero esto era diferente. Mi peso aumentaba constantemente. Y peor aún, me sentía nerviosa, tensa en el trabajo. Llegué a esa situación porque no sabía cómo enfrentarme simultáneamente a la presión y a mi mal estado físico. Esto empezó a deprimirme en un grado tal que no pasó inadvertido a la gente. Después de almorzar, podría haberme pasado horas durmiendo. En lugar de ello, tenía que continuar trabajando a pesar del cansancio. Mi trabajo, que es uno de los ejes de mi vida, se estaba convirtiendo en un calvario.

Sin embargo, Cynthia Marlborough perdió peso fácilmente, se curó de sus ansias de azúcar (fue mucho más fácil que dejar de fumar) y en menos de seis meses pasó de gastar la talla 50 a gastar la 38. Adquirió también una misteriosa sensibilidad a los alimentos que comía. Dos semanas después de haber empezado la dieta, fue a comer a casa de una amiga. Le sirvieron un solomillo, una ensalada verde y una ración de rábano picante.

En cuanto probé el rábano me di cuenta de que algo marchaba mal; me detuve y pregunté a mi amiga si aquel plato tenía azúcar. Dijo que sí y, naturalmente, no comí más de él. Para entonces, yo tenía mucha más energía y había perdido tres kilos, de forma que tenía mucho cuidado con respecto a lo que me metía en la boca.

Esta sensibilidad a lo dulce no es rara entre personas que se están curando de la adicción al azúcar. Es una buena y protectora sensibilidad que le ayudará a usted en alguna de las situaciones que he descrito. Los azúcares y los hidratos de carbono refinados le han colocado en una mala situación física, así que tenga cuidado con ellos.

Un nuevo yo

Esto nos lleva a una idea en la que quiero hacer hincapié aquí, al final de este capítulo relativo a la dieta de inducción. Cambiar de dieta es mucho más fácil de lo que usted se imagina.

Sé que muchos estarán vacilando si seguir la dieta Atkins porque piensan: «Ésta no es la forma en que estoy acostumbrado a comer. ¿Cómo voy a vivir sin mis alimentos favoritos?» La adicción psicológica es aquí más importante que la física. Nos hallamos atados a nosotros mismos, a nuestros hábitos, a las costumbres de nuestras vidas, a nuestras tradiciones culturales y culinarias. Los cambios bruscos son como el desgarrarse de viejas ligaduras, la ruptura de amistades.

Sólo le puedo decir que debe hacerlo. Después de cambiar sus clases de comida, se encontrará usted con que su yo esencial continúa intacto. Siendo así, usted debe atender a la salvación de su yo físico.

No puede permitirse ser gordo y enfermizo, es así de sencillo. Es éste un camino que le curará; para muchos, será el único camino. Quizás imagine usted que sus gustos no cambiarán, pero se equivoca. El organismo, enfrentado a la necesidad de comer, al paso de los días y a la inevitable renuncia a viejos hábitos, se adapta. La cosa es así de sencilla y casi humillantemente elemental. El cuerpo se adapta. El cuerpo aprende nuevos gustos y olvida los antiguos. Y, como gran parte del deseo de alimentos con hidratos de carbono es adicción metabólica, una vez recorrido el camino de la renuncia el deseo de los viejos manjares es realmente muy pequeño.

Considere el caso de Ernie Kingman, que acudió a mí por la más extraña de las razones. A sus cincuenta y cinco años, Ernie se sentía todavía bastante vigoroso, pero tenía un problema: con sus 1,83 metros de estatura, pesaba 131 kilos. En los años ochenta había probado una dieta de proteínas líquidas y había logrado una pérdida temporal de peso sin ninguna repercusión a largo plazo, salvo que, tras recuperar los kilos perdidos, se encontró con que le resultaba más difícil aún volver a perderlos.

Ernie no sabía qué hacer, porque había desarrollado un problema de estilo de vida relacionado con el peso. Sus hijos montaban a caballo y, tres años antes, él había empezado a interesarse por la equitación y había descubierto que le encantaba.

Consideraba que necesitaba estar ágil y flexible para montar a caballo, pues, como él decía: «Con mi peso, no es justo para el caballo y es peligroso para mí.»

Su mejor amigo, cuyo amable comentario había sido: «Lo único que puedes hacer es ponerte a ello y rezar», era paciente mío e instó a Ernie a que viniera a verme también. «Otro especialista en dietética —exclamó Ernie—. Oh, no sé.»

Poco después, Ernie estaba realizando un viaje de negocios a Florida y, mientras esperaba en el aeropuerto, lo llamaron al teléfono por el sistema de megafonía. Era su amigo, y lo que tenía que decirle era: «El próximo jueves, a las nueve, tienes cita con Atkins.»

Mis pacientes no suelen llegar a mí de forma tan coactiva, pero me alegró recibir a Ernie, que es una persona muy agradable y que en efecto necesitaba una pequeña mejora en su estilo de vida.

Examiné su dieta, que rebosaba de tartas, pasteles, helados y otro tipo de dulces y que, sorprendentemente, nadie había intentado cambiar hacia una limitación de hidratos de carbono; ni siquiera su anterior médico, quien le había dicho: «Está usted expuesto a un accidente en cualquier momento.»

No le sorprenderá a usted saber que Ernie alcanzó un resonante éxito. Consiguió bajar su peso a menos de 109 kilos en ocho meses y continúa perdiendo peso, lentamente ahora, pero sin cesar.

Cuando antes solía tomar café con pastas a media tarde, ahora se toma una loncha de pavo con queso suizo. Ernie había tenido tanto miedo a no poder soportar la vida sin su dieta de hidratos de carbono sobrecargada de azúcar que le hice prometer que me llamaría si sentía la tentación de abandonar.

Nunca llegó a ocurrir tal cosa. Ernie se acostumbró a su cambio, se adaptó y, además, observó que se sentía mejor cuando tenía proteínas, muchas proteínas, en la dieta. Se alegró de no sentir deseos de volver a comer como antes. Ernie era una persona con exceso de peso que padecía la típica intolerancia a la glucosa y una adicción a los mismos hidratos de carbono que empeoraban su estado. Un par de semanas con la dieta Atkins eliminaron el ansia de comer dulces y almidones que se hallaba en la raíz de su problema de peso. Ernie confiesa que, de vez en cuando, en un restaurante, le asalta el deseo de coger un panecillo o pedir un postre abundante, pero se trata de un deseo en absoluto irresistible.

Algunas personas van más lejos aún y encuentran que sus antiguas ansias han desaparecido. Marjorie Burke, excelente cocinera y mujer que se había desvivido toda su vida por las féculas, se encontró al cabo de un mes de seguir la dieta con que las féculas no ocupaban ya ningún lugar de su imaginación. Podía preparar tartas deliciosas para otras personas sin sentir el menor deseo de probarlas.

No es frecuente que se produzca una conversión tan completa y no recomiendo que se dedique a la repostería nadie que siga la dieta Atkins. Tampoco recomiendo volver a comer esos alimentos elaborados con harinas blancas o esos horribles azúcares en alguna época posterior, sobre todo si era usted adicto a estos alimentos. Pero si no había adicción, de vez en cuando se puede disfrutar de alguna excepción, como verá en el capítulo dedicado al mantenimiento.

10

Momento de pasar revista a los resultados de los catorce días

Ha seguido usted durante catorce días la dieta Atkins. Aproximadamente en el 90 % de los casos, ésta habrá sido una experiencia muy satisfactoria. Está usted notando una considerable reducción del perímetro de su cintura. ¿Cómo lo ha conseguido? ¡Comiendo espléndidamente y en abundancia! ¿Recuerda que le prometí una dieta digna de un príncipe? Eso es lo que usted ha estado comiendo.

Al mismo tiempo, habrá observado probablemente que, aunque no se ha impuesto limitaciones de cantidad, no ha estado comiendo tanto como había esperado. Su metabolismo experimentó un acusado cambio después de los primeros días. Su apetito se tornó controlable y en algunos casos eso habrá constituido una nueva experiencia.

Se encuentra usted en el final de su quincena de dieta y tiene varias opciones ante sí.

¿Sigo?

Éste es el momento lógico para que tome una decisión y espero que se unirá usted a la inmensa mayoría de dietistas que optan por seguir con la dieta Atkins. Lo hacen por varias razones. Primera: están perdiendo peso fácilmente. Segunda: en contraste directo con las experiencias que han tenido con muchas otras dietas, no sólo no están soportando ningún sufrimiento, sino que se sienten más vigorosos y llenos de energía que antes de comenzar. Tercera: un importante porcentaje de dietistas, en especial los que tienen más de cuarenta años, han descubierto que se han desvanecido por completo una serie de pequeñas y molestas afecciones físicas, desde jaquecas hasta dolores corporales.

Éstos son resultados generales impresionantes. Pero, como individuo, puede que desee usted más información para tomar una decisión. Le sugiero que se realice una segunda serie de análisis en el punto crítico de los catorce días. La química sanguínea puede cambiar mucho en sólo dos semanas.

Considero importante que advierta no sólo que se encuentra bien, sino que se están desencadenando procesos beneficiosos en su interior. Esto es especialmente importante porque a lo largo de la última década las dietas altas en hidratos de carbono han sido elevadas al rango de auténtica religión y no puede usted por menos que experimentar un cierto desasosiego al ir contra corriente... y contra los cereales y las patatas.

Su verdadera decisión no debe ser si ha de repetirse o no los análisis de sangre, sino si quiere continuar con la dieta mientras espera los resultados o suspender la dieta y ver primero cuáles son esos resultados. Si no se hizo usted los análisis de sangre iniciales, en particular los de glucosa/insulina, ciertamente debe suspender la dieta, pasarse cuatro días por lo menos con su régimen alimenticio anterior y, luego, hacerse esos análisis.

La mayoría de las personas pasa directamente al nivel siguiente de la dieta, voto de confianza que soy lo bastante vanidoso como para estimar, pero, con toda sinceridad, cada una de estas decisiones ofrece sus ventajas. Tiene usted toda una vida por delante para perder peso y mantenerse sin recuperarlo, de modo que un par de semanas de reflexión no le harán ningún mal.

Varias preguntas que formular

- ¿Ha pasado hambre?
- ¿Ha tenido problemas de estreñimiento?
- ¿Le ha gustado la comida?

Si pasaba hambre, es que no estaba siguiendo mi consejo de comer toda la cantidad que quisiera. Si ha estado estreñido, le irá mejor al pasar a una fase más cómoda de la dieta, mientras su cuerpo aprende a acomodarse y usted se acostumbra a tomar algunos de los agentes bajos en hidratos de carbono o preparados intestinales que examinaremos en el capítulo 22. Durante la primera semana es frecuente un cierto grado de estreñimiento, pero casi siempre se resuelve mucho más rápida y fácilmente que su problema de peso.

En cuanto a gustarle la comida, se trata de una dificultad clásica de todo cambio dietético importante. Por fortuna, a la mayoría de la gente le agradan los alimentos proteínicos. Si sus gustos son de tipo vegetariano, también puede seguir la dieta, aunque no sin grandes esfuerzos. La falta de elección en una dieta que sea baja en hidratos de carbono y, al mismo tiempo, excluya los alimentos animales, constituye un grave inconveniente por lo que a los sabores se refiere. Es teóricamente posible elaborar una dieta vegetariana saludable baja en hidratos de carbono, pero en ella no habrá mucha variedad de alimentos. Por regla general, según mi experiencia, la persona que no come absolutamente ningún alimento animal no permanece indefinidamente fiel a la dieta Atkins. El reducido abanico de opciones resulta demasiado aburrido.

El resto puede disfrutar una dieta en verdad deliciosa. Lo que más lamentará usted será la pérdida de algunos alimentos con hidratos de carbono. Durante las primeras semanas suelen echarse de menos la pasta y el pan, así como la fruta y los zumos.

Entonces, ¿por qué continúan con la dieta los aficionados a comer pan? Simplemente, porque las ventajas son mayores que los inconvenientes. La pérdida de peso, por supuesto, pero el sentirse físicamente mejor y con posibilidad de controlar lo que se come son también puntos importantes. Le he hablado ya tantas veces de estas mejoras que, según espero, usted ya estará empezando a comprender que no hablo por hablar. El sentirse bien es una parte fundamental de la dieta Atkins.

Llegados a este punto, me gustaría hacer inventario de sus catorce días de experiencia. Podría comenzar con el cuestionario que se inserta a continuación. Si se siente mejor en varias de estas áreas, ello le proporcionará un firme apoyo a la idea de continuar con la dieta.

Cuestionario sobre los catorce días

Problema	Peor	Igual	Mejor	Mucho mejor
Nivel de energía	___	___	___	___
Ansiedad	___	___	___	___
Depresión	___	___	___	___
Jaquecas	___	___	___	___
Síntomas premenstruales	___	___	___	___
Sueño	___	___	___	___
Apetito	___	___	___	___
Concentración	___	___	___	___
Fuerza de voluntad	___	___	___	___
Autodominio con respecto a la comida	___	___	___	___

Otros síntomas:

1. _____

2. _____

3. _____

PUNTUACIÓN

–1 si señala peor
–1 si señala un nuevo síntoma negativo
 0 si señala igual o inexistente (no se le manifestó el síntoma)
+1 si señala mejor
+2 si señala mucho mejor

Una puntuación de +4 debe inducirle a seguir la dieta
Una puntuación de +8 se lo exige

Indicadores médicos

Y ahora, dando por supuesto que ha seguido mi consejo, echemos un vistazo a los resultados de los análisis de sangre.

Consideremos primero la cifra de colesterol. Se han estudiado con detenimiento en este aspecto las dietas lipolíticas bajas en carbohidratos e incluso en la versión extrema alta en grasas de estas dietas el nivel total de colesterol desciende un poco para el grupo que las comienza con cifras superiores a 200.

Sin embargo, este proceso suele requerir entre cuatro y ocho semanas.

Durante la primera semana es posible que aumente el colesterol, fenómeno observado en todas las dietas que actúan rápidamente consumiendo las reservas de grasas. Incluso una cantidad cero de alimentos, es decir, el ayuno, produce este efecto.*

Ahora bien, como se realizará usted este análisis al cabo de sólo dos semanas, es posible que ob-

---

* La reacción bifásica del colesterol es tan conocida que debe prestarse atención al estudio de Rickman, el cual demuestra que una dieta baja en grasas y en carbohidratos como la propuesta por Stillman produce un aumento del nivel de colesterol, aunque el estudio de Rickman abarcaba menos de dos semanas de la dieta Stillman. Ese estudio, que se ha citado en numerosas ocasiones porque servía a los fines de quienes desean criticar las dietas bajas en hidratos de carbono, debe ser clasificado o como una investigación incompetente y mal desarrollada, o como un ataque malicioso y carente de honradez intelectual.

tenga resultados impredecibles. A menos que el colesterol haya subido considerablemente (más de 20 puntos), se puede presumir que bajará para cuando se practique otro análisis después de tres o cuatro semanas más. Si el colesterol no ha alcanzado un nivel saludable, pero usted se sentía satisfecho con las ventajas de la dieta, debe continuar observándola, tomar los suplementos nutricionales inductores de un descenso del colesterol que se presentan en las páginas 173-176 y repetir el análisis al cabo de un mes.

Por otra parte, si su nivel de triglicéridos era alto, o incluso normal alto (más de 140 % mg), descenderá espectacularmente. Son frecuentes descensos de 40-80 mg %.

Si no obtiene este resultado, asegúrese de que ha seguido correctamente la dieta; o, si no, repita el análisis teniendo cuidado de esperar catorce horas desde la última comida antes de la extracción sanguínea.*

Los demás parámetros de laboratorio deben mantenerse tan buenos como antes, salvo que puede darse un nivel elevado de ácido úrico. Si así sucediera, sepa que puede controlarlo pasando a un nivel más alto de la dieta y reduciendo la pérdida de peso a menos de 900 gramos por semana.

---

* Y debe usted tener en cuenta que muchos científicos consideran los niveles altos de triglicéridos como un indicio de riesgo de enfermedad cardiaca quizá más seguro que los niveles de colesterol.

Resolución de problemas prácticos

Si, no obstante, no parece simplemente que esté usted perdiendo mucho peso con la dieta, entonces necesita pasar en el acto al capítulo 18, que trata de la resistencia metabólica. A veces, algunos problemas muy sencillos pueden producir resultados adversos. Los problemas sencillos suelen tener soluciones sencillas. Cuando digo que sólo el 2 % de los dietistas no logran triunfar con la dieta Atkins, quiero decir exactamente eso: el 2 %, uno de cada cincuenta. En mi opinión, eso significa que hay muchas probabilidades de que el capítulo 18 corrija la dificultad que usted encuentra. Por otra parte —yo supongo que siempre hay otra parte— demasiado éxito puede a veces enmascararse de fracaso. Cuando la dieta funciona demasiado bien y la pérdida de peso es demasiado rápida, puede presentarse una sensación de fatiga y flojera u otros síntomas de debilidad, presumiblemente causados por modificaciones de las cantidades de sodio o potasio, que pueden corregirse con sólo triplicar o cuadruplicar la ingestión de verduras y reducir la rapidez de la pérdida de peso. Siempre que pierda usted más de 450 gramos al día, debe sospechar que tal vez experimente algunos síntomas. Otro problema que se presenta en ocasiones es el de calambres nocturnos en las piernas. Esto se debe a una rápida excreción de calcio y casi invariablemente indica que el dietista no ha seguido mis recomendaciones de tomar suplementos vitamínicos. Véase el capítulo 22.

Éxito y satisfacción a largo plazo

La dieta baja en hidratos de carbono de Atkins tiene muchos niveles y está pensada para muchas clases diferentes de personas. Su forma alta en grasas y con cetosis intensa que usted ha experimentado no es «la dieta», sino una variedad extrema de ella. Lo cierto es que la mayor parte del tiempo en que se practica la dieta Atkins no se pasa en este nivel. El primer nivel, el de inducción, se utiliza siempre que es preciso inducir el estado de cetosis/lipólisis, pero yo no aconsejo permanecer mucho tiempo en este nivel, a menos que sea el único que resulta eficaz.

En lugar de ello, yo quiero que encuentre usted a continuación el nivel de restricción de hidratos de carbono que mejor resultado le da mientras realiza su travesía por las agradables aguas de la pérdida de peso, ya se trate de una travesía de seis semanas para perder 9 kilos o de diez meses para perder 45 kilos. Más tarde dará usted un paso más y encontrará el nivel de restricción de hidratos de carbono que más eficaz le resulta para mantenerse en su peso ideal cuando lo ha alcanzado.

Los ingenuos y entusiastas tal vez piensen que el nivel ideal es simplemente el que elimina peso con mayor rapidez, esto es la dieta que ha seguido usted durante los primeros catorce días. Pero ¿por qué, en nombre del cielo, tiene que ser así? Perder peso rápidamente no es una consideración muy importante cuando se trata de resolver un problema de peso para toda la vida. La consideración esencial es sentirse cómodo, contento y sano. Yo quiero que se sienta usted a gusto con la dieta Atkins. Físicamente bien, saciado, satisfecho con su menú diario, seguro de su propio cuerpo. La inmensa mayoría descubrirá que el nivel de consumo de hidratos de carbono que logra ese óptimo resultado no es el primer nivel.

En la cuarta parte de este libro le mostraré cómo recorrer las cuatro dietas Atkins, pasando de la dieta de inducción a la dieta de pérdida de peso progresiva y, luego, a las dietas de premantenimiento y mantenimiento. En la última de estas dietas, aprenderá a descubrir cuál es el nivel de hidratos de carbono permanente que más adecuado le resulta.

Y ahora es el momento de considerar algunas de las ventajas que para la salud entraña la dieta que, tal como ya ha descubierto usted mismo, tiene la capacidad de eliminar peso más eficazmente que ninguna otra dieta que haya seguido jamás.

TERCERA PARTE

POR QUÉ LA DIETA
LE DA SALUD

11

Usted y los trastornos relacionados con la dieta

Ahora que muchos de ustedes han experimentado el notable aumento de bienestar que acompañó a sus catorce días de dieta, daré por supuesto que he captado su atención. Les prometí que perderían peso mientras seguían comiendo en abundancia y, como les preparé para ello, probablemente no les ha sorprendido. Pero apuesto a que muchos de ustedes sí se sorprendieron, y mucho, al ver que desaparecían también algunos síntomas que nunca habían relacionado con la pérdida de peso.

Hace veinticinco años, yo razonaba que si una dieta podía prediciblemente eliminar un conjunto de síntomas, entonces ese conjunto de síntomas debían de obedecer en parte a la dieta que mis pacientes habían seguido con anterioridad. Estaba convencido de que me hallaba en presencia de hipoglucemia, y así lo manifesté.

Pero a lo largo de las últimas décadas he visto miles de pacientes cuyos síntomas desaparecían rápidamente con la nueva dieta, pero que no eran hipoglucémicos. Clasifiqué a todos ellos —pacientes cuyos síntomas aparecían y desaparecían según si consumían o no hidratos de carbono— como personas con trastorno relacionado con la dieta. Con el tiempo, comprendí que se trataba de una categoría de trastorno por derecho propio. Además de una glucosa en sangre inestable, las otras dos principales afecciones derivadas de los hidratos de carbono que forman parte del síndrome de Trastorno Relacionado con la Dieta —TRD— son: a) intolerancias a alimentos concretos, y b) el síndrome zimótico, la afección causada cuando el organismo *Candida albicans* se multiplica descontroladamente en el tracto intestinal. Con menor frecuencia, encontramos deficiencias nutricionales o adicciones a ciertos alimentos como causas que conducen a la perturbación de la armonía corporal. Esta perturbación desaparece cuando se restringe severamente la cantidad de hidratos de carbono. Éstos son los elementos del trastorno relacionado con la dieta.

Una pregunta bastante inteligente, que probablemente se estará usted formulando, es: «¿Por qué se creyó obligado a inventar una enfermedad que llama trastorno relacionado con la dieta? ¿Por qué no podía limitarse a identificar quién tiene hipoglucemia, quién tiene excesiva fermentación intestinal y quién tiene intolerancias alimenticias específicas?»

La respuesta básica a esa pregunta es que entre los médicos con experiencia clínica en estas afecciones existe considerable confusión con respecto a qué síntomas deben ser atribuidos a qué afecciones. Por ejemplo, cuando el hipoglucémico se queja de hinchazón abdominal, ¿no se trata de un síndrome zimótico? Si un individuo químicamente sensible se vuelve loco por los dulces, ¿no se trata de una hipoglucemia? Cuando un paciente de trastornos zimóticos reacciona a los productos lácteos, ¿no se trata de una intolerancia alimenticia? Son cada vez más los médicos que advierten que deben tratar todos estos problemas como uno solo porque se presentan con frecuencia juntos en los individuos.

Resulta interesante el hecho de que la mayoría de las personas sometidas a dieta cetogénica/lipolítica se siente mejor incluso antes de que su pérdida de peso ascienda a más de unos pocos kilos. Ésa es una de las razones por las que esta sección será importante para usted. Va a ejercer un apreciable impacto positivo sobre su compromiso vitalicio con la dieta. Después de todo, si sabe usted que la dieta corrige una o varias afecciones que le aquejan, eso le motivará inevitablemente para continuar observándola. No todas las dietas son iguales y no todas corrigen el trastorno relacionado con la dieta.

Veamos en estos cinco capítulos siguientes cuánto puede usted aprender acerca de sí mismo.

12

Los problemas de la hipoglucemia
y los peligros de la diabetes

Recordará usted que en el capítulo 3 hablaba de la hipoglucemia como aspecto sintomático del hiperinsulinismo, que tan estrecha relación guarda con la presencia de obesidad. Ahora hablo de ella como la piedra angular del TRD.

No seré repetitivo, pero quiero que conozca la vasta extensión de los descubrimientos científicos que justifican el hecho de que usted considere la probabilidad real de que haya desarrollado ya o acabe desarrollando alteraciones de su metabolismo de la glucosa y la insulina. He aquí una breve y ordenada exposición:

1) Si usted tiene, o ha tenido, un importante exceso de peso, o si ha padecido trastornos de comportamiento en lo que a la comida se refiere, existe una probabilidad muy superior al 50 % de que tenga resistencia a la insulina e hiperinsulinismo.

2) La resistencia a la insulina y su exceso son las primeras anormalidades en el proceso de desarrollo de trastornos relacionados con la glucosa (glucopatía).

3) La hipoglucemia, la prediabetes y la diabetes del tipo II son fases de la misma enfermedad: la glucopatía. Todas empiezan con la resistencia a la insulina y su exceso.
4) Los trastornos de insulina y glucosa aceleran el desarrollo de la aterosclerosis, el mecanismo que conduce a los ataques cardiacos.
5) Por consiguiente, ponga fin a la cadena de acontecimientos basados en la insulina y podrá proteger su corazón y prolongar su vida.

Quisiera hacer hincapié primeramente en los síntomas que tal vez esté usted experimentando en estos momentos.

Consideremos primero la hipoglucemia.

¿Por qué la gente se siente enseguida mucho mejor con la dieta Atkins?

La respuesta correcta es (la mayoría de las veces) porque la dieta afecta a los niveles inestables de azúcar en sangre que denominamos, un tanto imprecisamente, hipoglucemia reactiva.

Esta inestabilidad produce varios síntomas tales como:

- Frecuentes accesos de fatiga —a veces abrumadora—, generalmente por la tarde.
- Dificultades para dormir, combinadas habitualmente con necesidad de dormir mucho.

Un ejemplo concreto es el despertarse de un sueño profundo.

- Inestabilidad emocional, cambios de humor, tristeza y llanto sin explicación ni causa para ello. Incapacidad para concentrarse, irritabilidad, ansiedad, aturdimiento y confusión. Propensión a obsesionarse fácilmente por pequeñas contrariedades.

Se podría ampliar esta lista de síntomas, algunos de los cuales participan, evidentemente, de la naturaleza de los trastornos mentales. Por lo general mis pacientes se resisten a hablar de ellos. Piensan que ellos tienen la culpa, como del hecho de ser gordos. Yo les oigo decir cosas como éstas:

«Quizá debiera ir a un psiquiatra.»
«Parece como si ya nada me importase. La vida puede hacer conmigo lo que quiera.»
«No tengo ningún control sobre mi vida.»
«Soy tan débil de voluntad que no sé por qué me esfuerzo siquiera.»
«A veces siento impulsos de suicidarme.»

Estas observaciones, viniendo de personas claramente afectadas de trastornos nutricionales, suscitaron mi sospecha de que un buen porcentaje de las «enfermedades mentales» que diagnostican los médicos desaparecerían simplemente con una dieta adecuada.

Estoy seguro de que a usted le gustaría evitar también esos síntomas, además de los físicos, pero siguiendo una dieta baja en grasas no va a conseguirlo necesariamente. Yo he visto a muchas personas observar ese tipo de dietas tan de moda y sentirse peor porque consumen más fruta, zumos de frutas, yogur frío y Gatorade®. La reacción automática en favor de dietas bajas en grasas no aborda muchos de los problemas físicos y mentales relacionados con la dieta que tienen un amplio porcentaje, quizás incluso una mayoría, de seres humanos.

Volver a vivir

Consideremos primero el aspecto físico. Sin duda, se acuerda usted de lo que era ser joven, rebosante de energía y seguro de su capacidad física para enfrentarse a cualquier desafío. Bien, ¿qué le parecería volver a recuperar parte de esa sensación?

Cuando se altera la dinámica de la glucosa en sangre, los cambios se producen rápidamente, y esos cambios son una de las razones por las que la gente continúa observando la dieta. No cabe duda de que quienes practican la dieta Atkins pueden experimentar beneficiosos cambios mucho antes de que se manifieste una apreciable pérdida de peso. A lo largo de los años, he visto a miles de personas entrar en mi consulta con expresiones de letárgica fatiga y derrumbarse en la silla de una manera que me hace pensar si hará falta una grúa para levantarlas de nuevo.

Cuando las vuelvo a ver, dos o tres semanas

después, el cambio suele ser sorprendente. Tienen energía y ha desaparecido el aire de desvalimiento que había observado en la primera visita. Tuve un paciente, cuya historia he contado con detalle en mi último libro, que llevaba veinte años sufriendo de fatiga, no había encontrado ninguna ayuda en media docena de médicos y, después de acudir a mí, se había librado de todos sus síntomas en menos de una semana de seguir la dieta baja en hidratos de carbono. Pocas semanas después, según relató en una visita, fue a cenar a un restaurante italiano con un cliente, comió pasta y pan en abundancia y después, mientras regresaba solo en coche a su casa, se detuvo ante un semáforo en rojo. Lo siguiente que supo fue que un policía le estaba despertando. La fatiga inducida por su comida le había hecho dormirse en plena calle.

¿Y si el problema parece más que físico?

Los resultados físicos directos son muy comunes, pero la complejidad de los seres humanos puede producir problemas más intrincados y graves que la fatiga. Por ejemplo, Phillip Rossi, un promotor de lucha libre de treinta y cinco años, vino a verme porque llevaba años siendo víctima de ataques de pánico agudo. Varios médicos lo habían atribuido a «nervios» y algunos de ellos le recetaron Valium, que Phil tomaba obedientemente, complementando en ocasiones sus efectos sedantes con autorrecetados cigarrillos de marihuana.

Como cabía esperar, las drogas, ya fuesen recetadas o voluntarias, no le curaron, aunque había veces en que suavizaban la situación. Sin embargo, Phil continuaba sufriendo ataques de pánico, tan terribles y turbadores que, como él dijo: «Me pasaba todo el día intentando conservar la calma.»

Muchos de nosotros, al vernos ante un hombre adulto que sufre ataques de temblor, sudores fríos, palpitaciones y un miedo absurdo y abrumador —y sufre estas horribles cosas inexplicable y repetidamente—, nos sentimos quizá tentados a descartar estos problemas simplemente porque nos parecen demasiado extraños e irracionales para comprenderlos. Sin embargo, son de todo punto reales y abrumadores. La ansiedad de Phil era tan profunda que «las cosas grandes me asustaban y me asustaban las cosas pequeñas. Me asustaba conducir y me asustaba la oscuridad».

En 1988, Phillip Rossi se había vuelto tan dependiente de sus drogas y tan disgustado consigo mismo que decidió prescindir por completo de toda medicación. Así lo hizo y el resultado fue un ataque de ansiedad tan fuerte que estuvo tres meses sin salir de casa. «Hasta el timbre del teléfono me aterrorizaba.»

Sé que está usted pensando: «¿De verdad pretende decirme que esto es sólo hipoglucemia, doctor Atkins?» Mi respuesta es que no, yo no diría necesariamente eso. ¡Pero lo traté como si lo fuera! ¡Y con éxito!

Aunque yo sospechaba cuál sería el diagnóstico fundamental, la revelación la dio, naturalmente, la

PTG. Su glucosa en ayunas era 122, subió a 166 al cabo de media hora y cayó hasta sólo 45 después de tres horas. La diferencia entre las cifras máxima y mínima se llama delta, y un delta de 121 constituye una clara indicación de anormalidad en el nivel de azúcar en la sangre.

Los resultados obtenidos al tratar los ataques de pánico de Phil con una dieta baja en carbohidratos fueron muy satisfactorios. Cierto que tuvo que renunciar a sus hábitos gastronómicos, pero, a cambio, al cabo de dos semanas su ansiedad disminuyó notablemente y sus ataques de pánico se espaciaron. Ahora asegura tener unos cuatro al año.

Y, como éste es un libro para adelgazar, puedo mencionar que, cuando vino a verme, Phillip Rossi pesaba 101 kilos y después de cuatro meses de dieta pesaba 81, que es la cifra alrededor de la cual se ha mantenido desde entonces.

¿El comentario de Phillip Rossi? «Mi vida ha cambiado completamente; ahora puedo llevar ropa de confección.»

Efectos enormes

Como ve usted, cuando hablamos de trastornos del nivel de azúcar en sangre, nos referimos a algo que puede afectar radicalmente al estado físico y mental de una persona. Las mujeres con síndrome premenstrual intenso, por ejemplo, se encuentran a menudo con que un cambio en su dieta corrige la hipoglucemia subyacente que puede exacerbar en alto grado esta alteración hormonal. Cuando llega su siguiente periodo menstrual, suelen comprobar que han mejorado espectacularmente.

Pero examinemos la hipoglucemia y la enfermedad que frecuentemente la sigue, la diabetes, en alguna especie de orden lógico para tratar de comprender su mecánica.

Primero hay bajo nivel de azúcar en sangre

Como he mencionado antes, la glucosa existente en la sangre suministra la energía para la mayor parte de la actividad corporal, además de proporcionar combustible al cerebro. Siempre que se sienta usted a gusto, puede dar por sentado que su cuerpo está eliminando cantidades óptimas de glucosa (o cuerpos cetónicos si se encuentra usted en estado de cetosis).

La hipoglucemia (bajo nivel de azúcar en sangre) no es una buena cosa, pero ¿qué es hipoglucemia? La palabra procede del griego, derivada de *hipo*, que significa «bajo»; *glukos*, que significa «dulce», y *emia*, que significa «en la sangre». Demasiado poco azúcar en la sangre. Eso parece claro, pero lo que demuestra es que la palabra «hipoglucemia» es en realidad un nombre inadecuado.

Si se atiene a esta traducción literal, dará por supuesto que es lo contrario de la diabetes que, como probablemente recuerda, entraña demasiada cantidad de azúcar en la sangre. Tal vez haya oído decir de un diabético que está «derramando azúcar en la orina». Éste es, en efecto, el producto que se encuentra presente en exceso y a pesar de ello lo cierto es que, lejos de ser contrarias, hipoglucemia y diabetes son en realidad fases sucesivas de la misma enfermedad.

El término más apropiado para describir el problema real del hipoglucémico es «azúcar en sangre inestable», pues es la sobrerreacción del mecanismo de la glucosa (subir demasiado y, luego, bajar demasiado y demasiado deprisa) lo que explica los problemas del hipoglucémico.

En la década de los sesenta se descubrió una de las pruebas más curiosas de la relación hipoglucemia —diabetes—.[1] Los investigadores estudiaron la descendencia de unos padres diabéticos, personas que eran, casi por definición, prediabéticas. Encontraron en estos pacientes una serie clásica de anormalidades. Apareció primero hipoglucemia, un fuerte descenso en la curva de tolerancia a la glucosa que he expuesto en el capítulo 4. Pasaron los años. Luego, estos sujetos, todavía hipoglucémicos, manifestaron elevaciones en las cifras de azúcar en sangre al cabo de una hora de habérseles administrado glucosa. Estas elevaciones duraban dos horas y luego tres horas. Finalmente, acabaron apareciendo las altas cifras de azúcar en sangre de un comienzo de diabetes a todo lo largo de la prueba y durante todo el día.

Lo sucedido era lo siguiente: en las primeras fases, estos individuos, genéticamente sensibles a cualquier anormalidad de la cantidad de glucosa en la sangre, reaccionaban a los altos niveles de glucosa producida por su dieta elaborando grandes cantidades de insulina y haciendo descender la glucosa. Esto conducía a la típica curva hipoglucémica, en la que el azúcar en sangre aumenta rápidamente después de comer y desciende luego en la tercera, cuarta o quinta hora hasta un nivel desagradablemente bajo. Este descenso excesivamente rápido y hasta un nivel demasiado bajo es lo que constituye la hipoglucemia, más que un bajo nivel de azúcar en sangre en sí.*

Esta primera fase es típica de personas con resistencia a la insulina, que son las mismas personas con tendencia a engordar. Las personas de sensibilidad normal a la insulina suelen permanecer delgadas, porque una pequeña cantidad de la «hormona productora de grasa» les basta para bajar la glucosa en sangre a un nivel normal y no es preciso liberar más insulina.

Si es usted resistente a la insulina —y probablemente lo es, ya que está leyendo este libro para perder peso—, entonces su cuerpo perdió en alguna temprana fase de su vida la capacidad para responder rápidamente a la insulina. «Resistía» a la insulina y, en consecuencia, el páncreas tenía que segregar más. Este esfuerzo anormal distorsiona la

* Señalo esto porque los críticos de la hipoglucemia han intentado oscurecer la cuestión sugiriendo que es realmente muy raro algo llamado bajo nivel de azúcar en sangre. Como estado de cosas permanente, lo es, desde luego. Es una respuesta a la glucosa, más que una deficiencia constante, como cuando son demasiado bajos los niveles de potasio o de hierro.

dinámica metabólica de la glucosa y la insulina y, generalmente, el cuerpo pierde la capacidad de acomodación en esta esencial cuestión.

Consiguientemente, se segrega demasiada insulina y el nivel de glucosa en sangre se ve empujado de manera transitoria a un nivel indeseablemente bajo. Los desagradables síntomas que he mencionado al principio de este capítulo obedecen, o bien al hecho de que el nivel de glucosa es demasiado bajo para proveer a las necesidades del cerebro, o bien por la actividad, semejante a la de la adrenalina, iniciada para contrarregular el vertiginoso descenso del nivel de azúcar.

Éste es un primer paso por un camino metabólico nocivo. Al final, el cuerpo puede perder por completo la capacidad para producir insulina en las cantidades necesarias o la capacidad para emplear la insulina que se está produciendo, lo cual ocasiona una subida en los niveles de azúcar en sangre y se alcanzan las primeras fases de la diabetes.

Los estudiosos de la diabetes han sugerido que en el 20 % de la población existe la potencialidad para desarrollar la enfermedad.[2] Tenga presente que la mayor parte de ese 20 % se encuentra entre las personas con exceso de peso, ya que, cuando se hace el cómputo final, resulta que el 80 % de todos los diabéticos son obesos. Algunos estudios han sugerido que cuando se tiene un importante exceso de peso las probabilidades de convertirse en diabético serán de una sobre dos.

Y después de la hipoglucemia, ¿diabetes?

De modo un tanto sorprendente, muchos especialistas se las han arreglado para proponer precisamente la dieta errónea para sus hipoglucémicos, prediabéticos y diabéticos. Yo he tratado a centenares de pacientes con diabetes de tipo II a quienes se sometía a dietas bajas en grasas y altas en hidratos de carbono y que, por consiguiente, deben tomar insulina —a veces hasta cien unidades al día— para enfrentarse a los innecesarios y evitablemente altos niveles de glucosa resultantes.

No quiero ser tan cínico como para sugerir que la dieta adecuada podría afectar adversamente a la muy rentable administración de insulina y drogas antidiabéticas orales, pero afirmo sin la menor duda que si desde los púlpitos científicos se denunciara el azúcar como si fuese un pecado, ello pondría en grave peligro a una lucrativa cultura industrial alimentaria y farmacéutica.

Es difícil evitar las perjudiciales implicaciones de una dieta alta en hidratos de carbono, sobre todo con respecto a la hipoglucemia y la diabetes. Ya en 1970, Muller, Faloona y Unger escribieron en *The New England Journal of Medicine* sobre la eficacia de una dieta baja en hidratos de carbono para impedir una excesiva producción de insulina.[3] Cuatro años después, dos médicos alemanes, E. F. Pfeiffer y H. Laube, presentaron en el Simposio Internacional sobre Metabolismo de Lípidos, Obesidad y Diabetes Mellitus el resultado de sus investigaciones, cuyos resultados indicaban que la diabetes podría no llegar a aparecer de no ser por los efectos de azúcares y almidones sobre los niveles de insulina. (Y para el brillante trabajo de T. L. Cleave sobre la relación entre carbohidratos refinados y diabetes, véase el capítulo 16 de este libro.)

En 1972, A. M. Cohen describió en un interesante estudio aparecido en la prestigiosa publicación norteamericana *Metabolism* cómo él y sus compañeros habían logrado crear toda una raza de ratas diabéticas suministrándoles azúcar y criando selectivamente las ratas más sensibles a esta sustancia.[4] ¿No es esto lo que, de hecho, le está sucediendo a un importante porcentaje de nuestra población humana del siglo XX? Ignoro si existen estudios indicativos de que las personas con exceso de peso tienden a casarse con otras personas también con exceso de peso, pero si así fuese estarían engendrando selectivamente una susceptibilidad a la diabetes provocada por nuestra cultura de hidratos de carbono refinados.

Otros estudios, en concreto varios realizados sobre ratas entre 1964 y 1982, han demostrado de manera casi incontrovertible que todo el proceso comienza con un deterioro de la tolerancia a la glucosa, compensado generalmente por el hiperinsulinismo, y continúa siniestramente hacia la diabetes.[5]

Pero no será éste el camino que usted seguirá

Es preciso neutralizar y detener este proceso, que tal vez haya empezado ya para usted. Seamos prácticos y veamos cómo se logra.

Supongamos que, por los síntomas, confirmados por el PTG, sabe usted que es un hipoglucémico reactivo. Supongamos que, por su experiencia médica, sabe usted que es diabético. Supongamos que está usted tomando medicación o insulina. ¿Qué debe hacer?

Seguramente, ha comprendido ya qué dieta le convendrá más.

En mi experiencia figuran 15.000 pacientes con anormalidades documentadas de la PTG (hipoglucémicos y diabéticos) y más del 99 % manifestó mejoras atribuidas a la dieta Atkins.

Hay muchas más cuestiones que debe usted saber, pero permítame que le hable antes acerca de un paciente que pasó de comer los alimentos incorrectos a comer los alimentos adecuados.

John Parlone, asesor inmobiliario de cincuenta y ocho años, constituye un buen ejemplo de lo que el programa puede hacer para un diabético del tipo II en las primeras fases. John había sido diagnosticado ya antes de venir a vernos (su cifra de azúcar en sangre era 315) y estaba a tratamiento con Gluconorm®, un medicamento antidiabético oral.

Tratar a John no fue difícil. Observe lo completa que fue su mejoría. Comenzó la dieta Atkins dos meses antes de acudir al Centro para un chequeo y para entonces su presión sanguínea, que llevaba casi una década siendo peligrosamente alta, había descendido ya a 140/80. Finalmente, conseguimos reducirla a 116/70. En los dos meses anteriores a su visita al Centro, John había reducido también su peso de 102 kilos a 92 utilizando la dieta baja en hidratos de carbono. (John mide 1,72.) En los seis meses siguientes lo hicimos bajar hasta 76 kilos. John tenía 296 de colesterol cuando vino al Centro; en cinco meses se lo hicimos descender a 251. Su cifra de triglicéridos era 187; bajó a 77.

En cuanto a la diabetes, resultó ser eminentemente controlable. Al tercer mes de dieta, la cifra de azúcar en sangre de John Parlone había bajado a 80 y pudimos retirarle la medicación.

John había sido un gran consumidor de dulces, con una auténtica pasión por los pasteles. Se acomodó muy bien a la nueva dieta y se acomodó mejor aún al hecho de que su talla de pantalón había pasado de la 48 a la 44. Se sentía mejor de lo que se había sentido en muchos años y tenía un aspecto magnífico. Lo que vemos en los resultados de John Parlone es un reflejo del hecho de que la diabetes es una enfermedad del metabolismo de los hidratos de carbono que se puede soslayar completamente por medio de una dieta baja en hidratos de carbono. Tal vez piense usted que he hablado de John por lo rápida y completamente que mejoró, pero en realidad el suyo es sólo un caso típico.

Empiece con la PTG

Veamos cómo se diagnostica uno los problemas de glucosa en sangre y la posibilidad de acabar desarrollando diabetes.

Ya he mencionado antes que debe usted pedir una prueba de cinco horas y que es imperativo observar los niveles de insulina si rebasa en un 15 % su peso ideal. Pero ¿cómo se interpreta la prueba?

Su médico le dirá si hay algo anormal, ¿no? Quizá sí, quizá no. El prejuicio contra el diagnóstico y control de la hipoglucemia reactiva que alberga la clase médica representa uno de sus más prolongados fracasos en el intento de practicar una medicina eficaz y de respuestas adecuadas. Durante los últimos cuarenta años o más, casi la mayoría de los médicos han adoptado la actitud de que la hipoglucemia no existe y para ellos carecerá de todo valor el hecho de que presente usted resultados abultadamente anormales en las pruebas realizadas en un laboratorio médico adecuado. Es posible que sólo reciba usted airadas negativas, sazonadas a veces con variadas interjecciones.

Quiénes son estos médicos

En conjunto, estos médicos representan la megaortodoxia dentro de la profesión, médicos que adoran a la medicina con fervor religioso, pero no al proceso de la medicina, sino más bien a las conclusiones de su Santo Sínodo, el amorfo pero omnipotente consejo médico.*

Es la medicina del consenso que negaba la existencia de la hipoglucemia reactiva, aunque la PTG

* He tratado largamente la cuestión en mi segundo libro, *Dr. Atkins Superenergy Diet*, y para quienes tengan dificultades con la cerrazón mental de los médicos les será de ayuda.

haya revelado siempre desviaciones de la imagen normal, o ideal, en la mayoría de los sujetos obesos.

El fundamento científico de su posición es una serie de estudios sobre pretendidos «normales sanos», muchos de los cuales mostraban anormalidades que satisfacían la mayoría de los criterios para el diagnóstico de la hipoglucemia reactiva. Su con-

---

* Recuerde que durante la prueba de tolerancia a la glucosa, cuando existe hiperinsulinismo, suele producirse una «caída libre» de la glucosa justo antes de llegar a su punto más bajo, momento en que sube muy rápidamente la descarga de adrenalina. Permanece en el mínimo sólo durante dos o tres minutos. Por consiguiente, la probabilidad de extraer sangre (sobre la base de una vez a la hora) que refleje el mínimo real viene a ser de 1 entre 20. En consecuencia, el ritmo de caída en cualquier intervalo dado constituye un criterio importante.

clusión: si se da en sujetos normales sanos, entonces la prueba de laboratorio carece de valor.

Pero estos sujetos normales sanos no fueron objeto de examen para averiguar historias familiares de diabetes, obesidad o enfermedades cardiacas, o síntomas como ansia de azúcar, adicción a determinados alimentos o bajo rendimiento académico. ¿Cómo de normales eran los que presentaban resultados anormales de laboratorio? ¿Y si alguien hubiera estudiado a los mismos sujetos con relación a su nivel de colesterol? ¿Habrían estado todos ellos por debajo de 200 mg%? Lo dudo. Sin embargo, si alguien hubiera concluido que esos sujetos normales sanos con elevaciones de colesterol debían ser tratados sin preocupación, habría sido expulsado a toque de corneta de la profesión.

El verdadero diagnóstico de la hipoglucemia reactiva se basa más en síntomas que en los resultados de la PTG.

La finalidad más importante del diagnóstico es la corrección de los síntomas mediante una dieta que sepa que estabiliza la hipoglucemia. Y para las personas sintomáticas con exceso de peso esa dieta es la que se indica en el recuadro de la página anterior.

¿Y el diagnóstico de la diabetes?

En esta cuestión puede usted recibir ayuda de su médico de cabecera. La profesión médica sí admite la diabetes. Para los casos pertenecientes a la zona intermedia, de límites imprecisos, se ha convenido en adoptar los criterios que se exponen en el recuadro.

El sistema de suma de tolerancia a la glucosa

Sume los cuatro primeros números de su PTG. Es decir, los números correspondientes a ayunas, 30 minutos, 1 hora y 2 horas.

Si el total (en mg%) es inferior a 500, se considera normal.
Si el total (en mg%) es superior a 800, se considera diabético.

La zona intermedia, entre 500 y 800 se denomina tolerancia reducida a la glucosa, y casi la mitad de los significativamente obesos encaja en esa zona. Así pues, existen muchas probabilidades de que esto pueda aplicarse a usted. Cuanto más se aproxime su total a 800, más probable es que acabe siendo clasificado como un verdadero diabético del tipo II. Pero también tengo buenas noticias para usted. Aunque esté bien adentrado en la zona diabética y sea obeso, la normalización de su peso mediante la reducción vitalicia de carbohidratos puede introducirle y mantenerle para siempre en la zona normal.

Nutrientes especiales para glucópatas

Si tiene usted uno de estos trastornos de glucosa/insulina, hay muchas cosas que se pueden hacer además de seguir la dieta. La primera y principal es el uso de suplemento de cromo.

El cromo constituye una parte esencial del Factor de Tolerancia a la Glucosa (FTG) y el FTG ejerce un efecto favorable tan intenso sobre el metabolismo del azúcar, que varios investigadores propusieron que se lo elevase al rango de vitamina, en el sentido de que es esencial para la salud. En efecto, yo creo que es un nutriente esencial para quienes muestran tendencia a engordar.[6]

El problema era encontrar una fuente que el cuerpo asimilase bien.

Durante años, la única fuente eficaz fue la levadura de cerveza, lo cual planteaba problemas a las numerosas personas afectadas del síndrome zimótico, sobre el que averiguará más detalles en el próximo capítulo. Pero con la reciente disponibilidad de picolinato de cromo, se ha hecho accesible una fuente biológicamente disponible. En los tres años que llevo recetando picolinato he presenciado un claro beneficio adicional en el metabolismo de la glucosa de pacientes tanto hipoglucémicos como diabéticos. Más notable aún es el beneficio de bajar el colesterol y elevar los niveles de lipoproteína de alta densidad, hecho que indica el valor de controlar el colesterol mediante el control del metabolismo de los hidratos de carbono.

La dosis eficaz de cromo (como picolinato) es de entre 200 y 700 µg al día.

Cinc

El segundo mineral más importante para los individuos diabéticos/hipoglucémicos es el cinc.[7] Yo he tenido casos en los que utilicé orotato de cinc (una de esas sales de cinc difíciles de encontrar) y observé mejoras de 20-30 mg% de glucosa en sangre en diabéticos.

Una dosis diaria eficaz de cinc es 100-150 mg. Tenga en cuenta también que otros dos minerales probablemente beneficiosos para los diabéticos son el magnesio y el manganeso.

Las vitaminas, sobre todo la vitamina C y el complejo B, facilitan la mayoría de los caminos metabólicos que los diabéticos utilizan y deben componer una buena parte de cualquier suplemento nutricional. Un estudio sobre uno de los componentes del complejo B, la biotina, en dosis cien veces mayores de las que se toman en una buena píldora polivitamínica, parecía muy prometedor.[8]

Otros nutrientes útiles para los diabéticos son la coenzima Q_{10}, la piridoxina alfa-cetoglutamato (PAC) y los ácidos grasos esenciales, AGL y AEP. (Puede conocer más acerca de éstos en *Dr. Atkins Health Revolution*.)

Tal vez el concepto nutricional más nuevo para el tratamiento de la diabetes sea la utilización de selenio más sulfato de vanadilo. Es demasiado pronto para decir si resulta seguro su uso en dosis eficaces. Se mostraron eficaces en los estudios sobre animales realizados por J. H. McNeill en la universidad de Vancouver, en Columbia Británica, pero las dosis eran mayores que las utilizadas en ensayos humanos.[9] Sin embargo, yo recomiendo 200-300 mg diarios de selenio para diabéticos adultos.

Y aunque no soy partidario de recetar productos farmacéuticos, en especial los que entrañan un riesgo conocido, no puedo por menos de sentirme fascinado por el mecanismo de la acción de los biguánidos, que controlan el azúcar en sangre, al tiempo que rebajan los niveles elevados de insulina. Esto es lo que el diabético y prediabético obeso quiere conseguir. Ni la fenformina ni la metaformina, los dos biguánidos más ampliamente utilizados (en todo el mundo), se pueden encontrar en Estados Unidos en los momentos en que escribo esto.

¿Y los síntomas hipoglucémicos?

Supongamos que los síntomas de hipoglucemia, los que usted se ha estado tratando toda la vida con un «lingotazo» de azúcar u otros hidratos de carbono, no responden a la abstinencia y, por el contrario, son peores que nunca. ¿Cómo se rectifica eso?

Afortunadamente, la abstinencia produce casi siempre resultados favorables, pero puede haber ocasiones en que los síntomas parecen convertirse en una barrera imposible de salvar.

Existe un nutriente casi diseñado para permitirle vencer síntomas tan intensos que parece que sólo una dosis directa de glucosa le hará la ida soportable. El nutriente es uno de nuestros aminoácidos naturales, L-glutamina, el único aminoácido que puede servir directamente de combustible para el cerebro. Pueden necesitarse dosis de 500 a 1.500 mg, cuatro o cinco veces al día, hasta que se calmen las ansias y demás síntomas conexos. El cromo y los otros nutrientes moduladores de la glucosa que he mencionado antes son también parte integrante de la solución.

Otro nutriente que cabe citar aquí es el glicerol, comercializado en Estados Unidos con el nombre de Glycerine.

Una cucharada sopera tomada juntamente con glutamina cuando más intensas sean las ansias resultará seguramente un recurso útil. Rara vez tengo que prescribir estos remedios durante más de unos pocos días cuando una persona se mantiene en estado de abstinencia de hidratos de carbono. La cetosis/lipólisis inducida por la SMG resolverá la situación al cabo de pocos días.

¿Cómo sé que su sistema funciona, doctor Atkins?

Ojalá pudiera invitarles a todos a estudiar los historiales que se conservan en el Atkins Center. Aquí podría ver usted quince mil ejemplos de personas con las combinaciones de trastornos de la glucosa y exceso de peso.

En muchos aspectos, es lo que mejor trata el Centro. Vería usted, por citar sólo un caso, que más del 50 % de los pacientes que toman insulina pueden prescindir por completo de ella y el 98 % de los sujetos a medicaciones antidiabéticas orales pueden abandonarlas con éxito.

Y ahora, una vez vistas las diversas manifestaciones de glucopatía, consideremos el TRD desde una nueva perspectiva.

NOTAS

1. Ricketts, H.T. y otros: «Biochemical studies of pre-diabetes», *Diabetes* 15 (12), 1966, págs. 880-888.

2. Ezrin, Calvin y Kowalski, Robert: *The Endocrine Control Diet* (Nueva York, Harper and Row, 1990).

3. Muller, W.A. y otros: «The influence of the antecedent diet upon glucagon and insulin secretion», *New England Journal of Medicine* 285 (1971), págs. 1450-1454.

4. Cohen, A.M.: Audiencias del Senado, 30 de abril de 1973.

5. Jarrett, R.J. y otros: «Glucose tolerance and blood pressure in two population samples: their relation to diabetes mellitus and hypertension», *International Journal of Epidemiology* 7 (1978), págs. 15-24. También Wright, D.W. y otros: «Sucrose-induced insuline resistance in the rat: modulation by exercise and diet», *The American Journal of Clinical Nutrition* 38 (1983), págs. 879-883. También Reaven, G.M. y otros: «Characterization of a model of dietary-induced hypertriglyceridemia in young, non-obese rats», *Journal of Lipid Research* 20 (1970), págs. 371-378. También Zavaroni, I y otros: «Effect of fructose feeding on insulin secretion and insulin action in the rat», *Metabolism* 29 (1980), págs. 970 a 973. También Hwang, I.S. y otros: «Fructose-induced insulin and hypertension in rats», *Hypertension* 10 (1987), págs. 512-516. También Reaven, G.M.: «Insulin independent diabetes mellitus metabolic characteristics», *Metabolism* 29 (1980), págs. 445-454.

6. Freund, H. y otros: «Chromium deficiency during total parenteral nutrition», *Journal of American Medical Association* 241 (5), 1979, págs. 496-498. También Liu, V.J. y Abernathy, R.P.: «Chromium and insu-

lin in young subjects with normal glucose tolerance», *American Journal of Clinical Nutrition* 25 (4), 1982, págs. 661-667.

7. Solomon, S.J. y King, J.C.: «Effect of low zinc intake on carbohydrate and fat metabolism in men», *Federal Proc.* 42 (1983), pág. 391. También Tarui, S.: «Studies of zinc metabolism: III. Effect of the diabetic state on zinc metabolism: A clinical aspect». *Endocrinol. Japan* 10 (1963), págs. 9-15.

8. Coggeshall, J.C. y otros: «Biotin status and plasma glucose in diabetics», *Annals of New York Academy of Science* 447 (1985), págs. 389 a 392.

9. McNeill, J.H.: «Insulinlike effects of sodium selenate in streptozocin-induced diabetic rats», *Diabetes* 48 (12) 1991, págs. 1.675-1.678. También McNeill, J.H. y otros: «Enhanced in vivo sensitivity of vanadyl-treated diabetic rats to insulin», *Canadian Journal of Phisiology and Pharmacology* 68 (4) 1990, págs. 486-491.

13

El mundo de las infecciones por fermentación

¿Qué podría producir un peligroso retraso metabólico en su programa de reducción de peso, exacerbar síntomas hipoglucémicos, si los tiene, y acabar obligándole a prescindir del queso, las setas, el vinagre y otros condimentos fermentados de la dieta Atkins? La respuesta es la fermentación.

—¿Fermentación? Ahora veo, doctor Atkins, que le gusta mostrarse perverso. Primero, recomienda una dieta desautorizada por la AMA, luego critica la dieta que todos los médicos coinciden en aconsejar a todo el mundo, procura después que todo el mundo tome vitaminas, que los médicos saben que no sirven para nada, y a continuación incita a abandonar las medicaciones que cada uno tiene recetadas. Prosigue diciendo a la gente que su problema es la insulina, cuando la profesión nos asegura que es el colesterol; trata luego de decirnos que tenemos hipoglucemia, que la AMA ha declarado inexistente, y ahora pretende decirnos que tenemos otra afección inexistente: el síndrome de fermentación.

A este airado y no demasiado hipotético crítico

sólo puedo responderle: «Cuando se tiene razón, se tiene razón.» Y si ha seguido la dieta de inducción Atkins de catorce días, usted ya sabe quién tiene razón.

Lo que se dispone usted a aprender es que el consenso oficial del estamento médico, esos mismos individuos que en 1992 se gastaron 817.000 millones de dólares en el servicio de sanidad nacional, puede estar así de equivocado. En Estados Unidos hay miles de médicos que tratan infecciones por fermentación, pero subsiste todavía un atrincherado núcleo de médicos conservadores que niegan su existencia, salvo en la limitada forma de infecciones vaginales.

¿Por qué el fermento en un libro de dietética?

Quizá sea éste el primer libro de dietética que se ocupa del fermento, y puede que se esté usted preguntando por qué es necesario que lo haga. Una razón es que la fermentación excesiva constituye parte integrante del TRD, produce muchos de los síntomas atribuidos a la hipoglucemia y contribuye en gran medida a la intolerancia alimentaria de que se habla en el capítulo siguiente.

Otra razón es que una infección por fermentación afecta al metabolismo de numerosas maneras, con frecuencia impredecibles, pero en conjunto esas maneras tienden al aumento de peso, más que a su reducción. La razón de que se produzca este efecto no se conoce aún con certeza; el hecho de su existencia, en cambio, es perfectamente conocido por cualquier médico que trate el trastorno.

Entonces, ¿por qué se niega una epidemia de fermentación?

Así como el 60 % de mis pacientes dan resultados anormales cuando se les practica la PTG, resultados tan alejados de los criterios de normalidad que cualquier observador imparcial se preguntaría si realmente había algo de verdad en las cifras. Por otra parte, el 30 % de mis pacientes presentan una proliferación de *Candida albicans*, diagnosticada por visualización microscópica directa o por ortodoxos análisis inmunológicos de sangre. Sin embargo, el prejuicio contra la admisión de esta enfermedad alcanza tal punto que en Nueva Jersey los médicos pierden su licencia por diagnosticarla y en todo el territorio de Estados Unidos las compañías de seguros retrasarán o negarán el pago a pacientes cuyo principal diagnóstico sea la candidiasis.

¿Por qué ese intenso odio a lo que parece ser un legítimo y extendido problema médico?

Eche un vistazo a las causas que contribuyen a la candidiasis y verá que se trata de una epidemia provocada por las acciones de profesionales de la medicina.

Candida prolifera en cantidad excesiva (el fermento *Candida albicans* es un habitante normal de nuestros cuerpos y constituye generalmente el 10 % de los microorganismos del tracto intestinal) cuando un sujeto queda expuesto a:

1. Una dieta alta en azúcar e hidratos de carbono refinados.
2. Antibióticos (más de 20 semanas en una vida harían probable la proliferación de *Candida*).
3. El mercurio de los empastes dentales.
4. Píldoras anticonceptivas, prednisona y otros esteroides.

Como todos los componentes de esta lista son yatrógenos —es decir que está causado por los cuidados médicos que recibimos— o es dieta relacionada y recomendada o tolerada por la medicina oficial, admitir que la fermentación es epidémica —y yo creo que lo es— supone admitir que la medicina y la odontología comparten la culpabilidad de su aparición.

Consideremos primero los antibióticos, que son capaces de destruir o inhibir el desarrollo de gérmenes tales como las bacterias neumococos, causantes de la neumonía. Por desgracia, matan también a los amistosos lactobacilos que viven en el intestino e impiden que *Candida* se extienda.[1]

No hay nada malo en los antibióticos cuando se usan para salvar la vida, pero, por desgracia, en nuestra sociedad devoradora de píldoras se toman por una gran cantidad de razones inadecuadas. Los médicos los prescriben para cortar un resfriado, para tratar el acné o para prevenir una casi inexistente complicación de prolapso de la válvula mitral.

Los antibióticos son, probablemente, la principal causa de la infección por fermentación, pero se ha demostrado también la responsabilidad de las píldoras anticonceptivas y, finalmente, está el veneno que casi todos llevamos en la boca las veinticuatro horas del día: el mercurio. El empaste de plata y mercurio que los dentistas ponen todavía en la boca de sus pacientes es mercurio aproximadamente en un 50 %, y el mercurio es el elemento libre más venenoso al que se hallan expuestos nuestros cuerpos. Los dentistas siempre han creído que en aleación era estable y no contaminaba a su anfitrión.

Esto, simplemente, no es verdad. Pruebas con vapor de mercurio realizadas en la boca de personas reales lo han dejado inequívocamente claro.[2]

El mercurio figura en este capítulo porque es una forma infalible de debilitar el sistema inmunológico de tal modo que florezcan las infecciones por fermentación. Consideremos ahora la dieta.

Lo que usted come

Yo no creo que la dieta alimenticia que usted sigue cause necesariamente candidiasis, pero mi experiencia clínica me ha demostrado que los alimentos inadecuados estimularán una infección por fermentación una vez que haya comenzado y harán casi imposible curarla.

El peor enemigo es el azúcar. De hecho, nada más frecuente que encontrarse con que la víctima de una infección por fermentación muestra gran afición a tomar azúcar. El azúcar es el factor fundamental de desarrollo de la fermentación. Se aconseja a los pacientes de *Candida* que se abstengan de helados, bombones, pasteles, jarabe de maíz, fructosa, jarabe de arce, mermeladas, etcétera. Tampoco es una coincidencia el hecho de que quienes pierden peso con la dieta Atkins no tomen ninguno de estos alimentos. Evitará usted igualmente la lactosa de la leche y todos esos hidratos de carbono refinados como los almidones, harina blanca y arroz blanco que se convierten fácilmente en azúcar en el organismo.

Todas estas cosas son peligrosas para quienes recurren a la dieta Atkins para adelgazar. Una infección por fermentación puede impedir que lo logren, aunque tengan todo lo demás a su favor.

Un buen ejemplo lo constituye Stella Rudman, una mujer de cincuenta y cinco años, a quien vi por primera vez a finales de los años ochenta. Stella pesaba nueve kilos de más, pero eso era sólo una pequeña parte de sus razones para venir a verme. Desde la menopausia lo había pasado muy mal con síntomas físicos y mentales que escapaban a su control. Su peso seguía aumentando, sentía una debilidad extrema de dulces, padecía numerosos problemas gastrointestinales que iban desde la presencia virtualmente permanente de gases e hinchazón abdominal hasta agudos picores rectales y, lo peor de todo, experimentaba frecuentes e intensas depresiones. Al principio, sus médicos le dieron estrógeno para ayudarle a superar la menopausia, pero la situación siguió empeorando. Luego recurrieron a las drogas psicotrópicas para combatir su depresión y cuando acudió a nosotros tomaba un terrible cóctel antidepresivo compuesto de sales de litio e imipramina.

Muchos de ustedes, que no están familiarizados con las infecciones por fermentación, y, de hecho, muchos médicos que no las han tratado jamás, se sorprenderán al descubrir que nosotros resolvimos con bastante facilidad todos estos problemas tratando a Stella de su infección zimótica, que confirmamos mediante un análisis de sangre. Sometida a una dieta baja en hidratos de carbono, al cabo de una semana le habían desaparecido las fuertes ansias de comida. A las dos semanas, el prúrito rectal y la hinchazón habían disminuido hasta casi desvanecerse. A medida que su fermento se curaba, desaparecían también sus depresiones y empezamos a suprimirle paulatinamente la medicación. Sospechábamos que el estrógeno que se le había administrado varios años antes había sido uno de los principales causantes de sus problemas, ya que el estrógeno estimula el desarrollo de *Candida albicans*.

Además de la dieta, tratamos a Stella dándole formas de acidófilos para ayudarle a reequilibrar la flora bacteriana intestinal y, luego, administrándole ácido caprílico, un ácido graso de cadena corta que ayuda a destruir el fermento en el intestino.

Stella empezó a perder peso y, tras abandonar la medicación, se encontró por primera vez en varios años libre de efectos secundarios tan molestos como flojedad mental y vocalización confusa.

Típicamente, la pérdida de peso de Stella sólo pudo comenzar realmente un mes después de haber venido a vernos, porque primero tenía que controlar la infección del fermento. Una vez logrado esto, el camino quedaba despejado y dos meses después su peso había bajado a 56 kilos. Han transcurrido tres años y ése sigue siendo, con leves oscilaciones, su peso. Dos o tres veces a lo largo de los años ha cedido a la tentación y ha empezado a atiborrarse de hidratos de carbono. A los pocos días comenzaban a reaparecer los síntomas de su infección de fermento y ella comenzaba a engordar. En una ocasión tuvimos que volver a administrarle ácido caprílico. Pero Stella Rudman conoce ahora su problema y, con su colaboración, estas recaídas quedaron rápidamente solventadas.

Stella constituye un buen ejemplo de los efectos que una infección de fermento puede causar y de lo esencial que es solucionarla si se quiere atacar también un problema de peso. Lenta pero firmemente, el mundo médico empieza a conocer y aceptar lo que nosotros llamamos infecciones del fermento sistémico. Pero ha tardado en hacerlo. Ha tardado mucho.

Este trastorno es políticamente incorrecto

¿Se debe ello a que *Candida* es infrecuente? En absoluto. Estoy dispuesto a apostar a que usted mismo ha conocido en su vida numerosas personas que padecían infecciones por fermentación, amigos, simples conocidos, probablemente parientes. Uno de cada tres de mis pacientes tiene *Candida* diagnosticable mediante irrefutables análisis de laboratorio. Sin embargo, se le ha prestado relativamente poca atención. ¿Por qué? Yo creo que se debe a que no encaja en las soluciones que nuestra sociedad quiere dar a las personas enfermas.

Las infecciones por *Candida albicans*, aunque difíciles de tratar, pueden aliviarse. *Candida* es un fermento, un hongo unicelular, y lo tenemos en abundancia en nuestros cuerpos. De hecho, en el tracto intestinal humano habitan centenares de especies de formas biológicas indígenas y *Candida albicans* es sólo una de ellas. Es, por consiguiente, una parte normal de nosotros y, en sana competencia con el resto de nuestra flora intestinal, nos sirve bien, realizando misiones fermentadoras en nuestro interior.

La afección llamada candidiasis comienza cuando, por alguna perturbación en nuestro equilibrio corporal, se altera el equilibrio bacteriano y se produce una proliferación de organismos fermentadores. De ordinario, *Candida albicans* es el fermento que se extiende y prolifera, colonizando áreas que anteriormente le eran ajenas y eliminando bacterias menos agresivas. Una vez adquirida por conquista esta nueva posición en el cuerpo, *Candida* no suele mostrar ninguna inclinación a retornar a su anterior y humilde papel.

Como ha visto usted en el caso de Stella Rudman, la serie de problemas que *Candida* puede causar es tan amplia que linda en lo fantástico y, naturalmente, eso forma parte del problema. Una corta lista incluye sopor, fatiga, depresión, incapacidad para concentrarse, jaquecas, trastornos gastrointestinales —entre ellos, estreñimiento, dolor abdominal, diarrea, gases e hinchazón—, afecciones respiratorias, trastornos del tracto urinario y de los órganos sexuales. El síntoma más específico es la hinchazón, gases en el bajo vientre. Los pacientes de *Candida* suelen presentar un revelador abdomen prominente que parece siempre lleno de gases. Si esto le ocurre a usted, y se ha hallado expuesto a uno de los factores de riesgo, como es el caso de los antibióticos orales, hágase a sí mismo un favor y visite a un médico que asegure ser eficaz en el descubrimiento y tratamiento de *Candida*.

Hay una razón muy pragmática por la que se debe identificar un problema de fermento. Si usted lo sufre, es preciso adoptar determinadas restricciones dietéticas además de las que hacen referencia a los hidratos de carbono. De lo contrario, se preguntará usted por qué todos los demás mejoraron con la dieta Atkins y usted no.

Uno de cada tres de ustedes se encontrarán con que deben evitar alimentos fermentadores, algunos de los cuales podrían, en otro caso, comer dentro de una dieta Atkins. Entre esos alimentos figuran el queso, el vinagre y otros condimentos fermentados, setas, vitaminas que contengan fermento, vino y cerveza. El pan y los alimentos cocidos, que no se permiten en los niveles de premantenimiento, quedarían totalmente prohibidos. En general, la mayoría de las personas con candidiasis son alérgicas a los fermentos y desarrollan síntomas cuando consumen alimentos fermentados.

¿Curará esto la candidiasis?

A veces, sí. Sin embargo, es más probable que la eliminación de alimentos inadecuados resulte sólo parcialmente eficaz. Por consiguiente, cuando se identifique el fermento, seguramente necesitará usted adoptar unas medidas más agresivas.

El tratamiento más audaz se centra tradicionalmente en torno a la droga llamada nistatina, que es eficaz vía oral.

La nistatina se ha convertido en la principal terapia para la candidiasis. No es, sin embargo, mi primera elección de terapia específica.

A mí me interesa igualmente fortalecer el sistema inmunológico, limpiar el intestino, atacado generalmente por parásitos protozoarios que se encuentran asociados con *Candida*, y tratar la alergia al fermento y a los mohos que presentan la mayoría de estos pacientes.

Mi selección de terapias que atacan al fermento mismo comprende dos ácidos grasos de cadena corta: el ácido caprílico y el undecenílico. Utilizo también ozono, peróxido de hidrógeno o dióxido de cloro, que liberan oxígeno naciente. Todas las formas de oxígeno libre son fungicidas. El ajo es también un eficaz tratamiento oral. Como la nistatina, todas las sustancias antes mencionadas pueden matar grandes cantidades de fermento y deben administrarse con sumo cuidado, porque el fermento muerto puede producir una reacción final y hacer que el paciente se sienta durante unos días peor aún que antes.

Algunos tratamientos para mejorar el estado del afectado por el fermento se emplean simultáneamente con un ataque contra el propio fermento. El cuidado de los intestinos es muy importante y con frecuencia se prescriben psilium y bentonita. Las personas afectadas de candidiasis suelen padecer estreñimiento y estos agentes lo agravan, además de ayudar a eliminar las sustancias putrefactas y toxinas que se han acumulado en el intestino.

Como ve, la candidiasis es un problema complejo y a veces requiere la clase de intrincado ataque que acabo de exponer. Pero la buena noticia para muchos de ustedes será que la dieta Atkins es por sí misma tan eficaz contra *Candida* que se puede tener un caso de sobrepeso complicado con candidiasis y curarse sin haber llegado a saber siquiera que se tenía.

Pero no es ése necesariamente el fin de la historia, pues la experiencia me señala que las infecciones por fermentación coexisten con intolerancias alimentarias casi en el 75 % de los pacientes que las tienen.

Por consiguiente, en el próximo capítulo investigaremos ese problema.

NOTAS

1. Crook, W.G.: *The Yeast Connection* (Jackson, Tennessee: Professional Books, 1985).

2. Svare, C.W. y otros: «The effect of dental amalgams on mercury levels in expired air». *Journal of Dental Research* 60 (9) 1981, págs. 1.668-1.671.

14

Intolerancias alimentarias: por qué cada uno de nosotros necesita una dieta propia

La tercera parte del TRD es la intolerancia de algunas personas a determinados alimentos. Esto es algo que podría afectar a su dieta y hacer necesarias nuevas restricciones. Prácticamente todos los que tienen dificultades con la restricción a los hidratos de carbono en general tendrán que considerar la posibilidad de reacciones a determinados alimentos.

Esta advertencia general se basa en una verdad simple y evidente por sí misma: cada persona es diferente.

Cada persona debe ser tratada individualmente

Para el hasta el momento fracasado dietista, esto significa que si tropieza con dificultades o no consigue lograr los resultados que este libro le promete, entonces debe identificar sus intolerancias alimentarias individuales y eliminarlas. La dieta puede resultar más rigurosa, pero el éxito se halla casi garantizado.

Una buena dieta no puede estar confeccionada en serie; tiene que ser personalizada, pensada expresamente para un individuo. Comer una dieta sana baja en hidratos de carbono le hará mucho bien a su cuerpo. Averiguar qué alimentos no le benefician es lo que consigue que la dieta se adapte perfectamente a usted.

Por fortuna, las fuentes más comunes de intolerancia alimentaria suelen encontrarse en los alimentos que yo recomiendo evitar por completo o tratarlos con mucho cuidado. Los alimentos a los que la mayoría de las personas manifiesta intolerancia son los cereales (tales como maíz, trigo, centeno y avena), soja, leche, queso, fermentos y levaduras, y huevos. De ellos, los únicos que podría usted estar comiendo en una dieta Atkins de pérdida de peso son los huevos y el queso.

Pero estos alimentos no son el final de la historia. Hay otros muchos que producen alergia.

Estrictamente hablando, podría usted ser alérgico a cualquier alimento y un número muy pequeño de personas parecen ser reactores universales, lo cual significa, como quizás haya adivinado ya, que reaccionan a todos ellos.

Ay, los alimentos que le gustan

Quizás el primero y fundamental principio de la alergia alimentaria es el siguiente: los alimentos que a uno más le gustan suelen formar parte del problema. De hecho, se ha observado que muchos orientales son alérgicos al arroz y muchos mexicanos lo son al maíz.

En consecuencia, los adictos a los hidratos de carbono se encontrarán con que, siguiendo la dieta Atkins, se sienten más llenos de energía, además de perder peso. Pueden curarse también molestas afecciones físicas, desde jaquecas hasta diarreas, cuyas causas jamás habían conocido.

Lo malo de las intolerancias alimentarias es que nos convertimos en adictos a los mismos alimentos que no toleramos. El término que frecuentemente verá usted repetido en los artículos de los especialistas en medicina medioambiental es alergia/adicción. La cosa funciona del siguiente modo: los alimentos que nos perjudican hacen que nos sintamos mejor durante un corto espacio de tiempo después de haberlos tomado. Es la clásica pauta de la adicción, ¿no? El adicto al azúcar, el adicto a las drogas, el alcohólico, todos se sienten mejor cuando se toman la dosis. Pero todos se sienten peor después.

Para todas y cada una de las personas con un problema de adicción existe un difícil proceso de retirada. Si es usted alérgico a un alimento que se ha convertido en pieza fundamental de su dieta, sufrirá desagradables síntomas de abstinencia cuando se prive de él. Cuanto peores sean esos síntomas, más me alegro yo, como médico. Ello se debe a que cuanto mayor sea su adicción, mayor será también su mejoría física una vez que haya superado el proceso. Así que aguante el malestar durante unos días, porque cuando haya abandonado el alimento «sin el cual no puede vivir», se sentirá mejor, casi con toda seguridad. La regla general es que después de entre dos y cinco días cesan los síntomas de abstinencia.

Algunos de los otros alimentos alergénicos muy comunes son la familia de las solanáceas (patata, tomate, berenjena, pimentón, tabaco), sulfitos, café, chocolate, cítricos y —entre los alimentos permitidos en mi dieta— mariscos, vaca, pollo, cebollas, setas, pimienta y otras especias y edulcorantes artificiales.

Esto podría ocurrirle también a usted

Como puede imaginar, el seguir una dieta baja en hidratos de carbono eliminará un elevado porcentaje de intolerancia alimentaria.

Cuando tratamos la intolerancia alimentaria utilizando el análisis citotóxico de sangre, descubrimos que la mayoría de las personas revela la existencia de problemas con uno o más hidratos de carbono, y gran parte de ellas no muestran reacción a los alimentos bajos en hidratos de carbono y de origen animal. Está justificada la conclusión de que algunas de las pequeñas miserias físicas de su vida desaparecerán si suprime los alimentos hacia los que experimenta intolerancia.

Pero si lleva varios meses con la dieta Atkins y no se siente considerablemente mejor que cuando la comenzó, entonces su siguiente paso debe ser investigar posibles intolerancias alimentarias a alguno de los alimentos que ingiere.

¿Qué causa las intolerancias alimentarias?

Nadie lo sabe con certeza, pero yo creo que muchas intolerancias alimentarias están relacionadas con el debilitamiento del sistema de inmunidad subsiguiente a problemas tales como las infecciones de fermento.

Es raro encontrar una persona con infección de fermento que no evidencie alguna intolerancia alimentaria.

Las intolerancias alimentarias se hallan implicadas en decenas de trastornos de la salud. Uno de mis estudios médicos favoritos fue realizado en 1983 por cinco médicos del hospital Infantil de Londres.[1] Los investigadores tomaron 88 niños, todos los cuales habían estado sufriendo jaquecas por lo menos una vez a la semana durante los seis meses anteriores, y los sometieron a una dieta rotativa que excluía sistemáticamente numerosas variedades de alimentos durante varias semanas seguidas.

Para asombro de los médicos, tal como ellos mismos reconocieron, el 93 % de los niños se vieron libres de jaquecas una vez que se descubrieron sus intolerancias alimentarias y les fueron retirados de la dieta los alimentos problemáticos.

Un niño había reaccionado a 24 alimentos y sus síntomas desaparecieron cuando se le retiraron todos ellos. Leche de vaca, huevos, trigo, chocolate y naranjas fueron los alimentos a los que reaccionaron más de veinte niños. De igual importancia fue el hecho de que el cambio de dieta corrigió otros trastornos tales como dolores abdominales, desórdenes del comportamiento, ataques epilépticos, asma y eccema en varios de los niños.

¿Cómo descubro yo mis intolerancias alimentarias?

Hay una amplia variedad de técnicas. Observará usted que no he mencionado a los alergólogos convencionales, que buscan en el cuerpo una sustancia llamada inmunoglobulina E, o IgE, para abreviar. La mayoría de los alergólogos practicantes tienen la extraña presunción de que sólo «su» alergia —la especie causada por IgE— es una alergia verdadera. Por este motivo yo suelo utilizar el término de intolerancia alimentaria siempre que es posible, a fin de no entrar en discusiones por cuestiones de nomenclatura.

Probablemente, menos del 50 % de las intolerancias alimentarias están relacionadas con altos niveles de IgE producida en el cuerpo cuando se ingiere el antígeno, como se denomina a cualquier sustancia que produce alergia. Éstos se pueden detectar, por tanto, mediante las pruebas cutáneas que utilizan los alergólogos, aunque esa prueba no es en absoluto infalible. Para las intolerancias alimentarias no causadas por IgE existen diversas técnicas de descubrimiento. Yo prefiero los sistemas que se basan en la disolución de los gránulos de los glóbulos blancos de la sangre (granulocitos). Esto se llama análisis citotóxico. En el análisis citotóxico se va anotando el grado en que se han disuelto los gránulos observados por microscopio. Presumiblemente, esto guarda relación con el grado de intolerancia que el paciente tiene en el momento en que se comprueba cada uno de los alimentos. Aunque no totalmente exacto, es un análisis muy eficaz cuando lo realizan manos expertas, y el precio es muy razonable.

Pero aun sin análisis de laboratorio, hay un sistema excelente de evitar las intolerancias alimentarias, que la gente ha utilizado con gran éxito y que me gustaría presentarle aquí. El principio básico es seguir una dieta rotativa en la que se evita repetir el consumo de cualquier alimento.

En esta clase de dieta, los alimentos que se van a comer se dividen arbitrariamente, por regla general, en cuatro grupos diferentes pero de igual cantidad. Son asignados a los días 1, 2, 3 y 4. El día 1 se comen solamente alimentos del grupo 1 y deben pasar tres días antes de volver a comer alimentos de ese grupo (es decir, hasta el día 5). Similarmente, hay que abstenerse del menú del día 2 hasta el día 6. Y así sucesivamente. De este modo, se puede disfrutar de un «descanso» en la producción de síntomas por la mayoría de las intolerancias alimentarias, ya que se puede ingerir un alimento «no tolerado» si el tiempo que pasa antes de repetir la acción es, por lo menos, de cuatro días.

Con este sistema, puede que usted nunca llegue a averiguar cuál es su intolerancia alimentaria, pero al menos evitará los síntomas. El inconveniente estriba en que los alimentos que puede seleccionar en un día determinado constituyen sólo el 25 % de los que figurarían en su dieta, ya restringida. Esto endurece aún más la dieta, pero la persona que padece síntomas persistentes puede encontrar que el esfuerzo adicional vale la pena.

Cualquiera que sea la técnica utilizada para determinar las intolerancias alimentarias, yo empleo el siguiente sistema para introducir de nuevo los alimentos.

El primer proyecto es erradicar los síntomas, aunque ello signifique utilizar una dieta de austeridad total. La mejor forma de conseguirlo es utilizar cualquiera de los sistemas para evitar intolerancias (análisis citotóxico, evitación de intolerancias alimentarias conocidas o sospechadas, restricción de fermentos, eliminación de cafeína y, naturalmente, azúcares). A continuación, puede introducir de nuevo los alimentos que espera que resultarán aceptables. Los va reponiendo de uno en uno. Los que coincidan con un resurgimiento de los síntomas son los que deberá eliminar de manera definitiva, ya que la aparición de síntomas es la prueba de la intolerancia alimentaria. Los que tolere sin contratiempos pueden volver a formar parte de su dieta permanente.

NOTAS

1. Egger, J. y otros: «Is migraine food allergy? A double-blind controlled trial of oligoantigenic diet treatment», *Lancet* (29 de octubre de 1984), págs. 719-721.

15

Buena protección para su corazón

Una de las razones por las que escribo este libro es que he hablado con muchos de mis antiguos pacientes y, aunque la mayoría gozan de excelente salud, hay un cierto porcentaje de ellos que tienen en la actualidad exceso de peso, no se encuentran en su mejor forma y, aunque continúan conscientes de la necesidad de someterse a dieta, ya no utilizan la dieta baja en hidratos de carbono que tan bien les fue.

Como el de las recaídas no es problema frecuente cuando una persona ha establecido un compromiso vitalicio bajo en hidratos de carbono, procuré conocer más detalles para averiguar por qué no utilizaban las técnicas de ventaja metabólica que yo les había enseñado.

—¿Constituyó una mala experiencia la dieta Atkins? —preguntaba yo.

—En absoluto —respondían—, es la mejor dieta que jamás he seguido.

—¿Le gustaba la comida?

—No puedo recordar ninguna dieta en la que haya comido tan espléndidamente.

—Bueno, ¿y cómo se sentía cuando seguía la dieta?

—Pues, ahora que lo pregunta, nunca me he sentido mejor en toda mi vida adulta.

Procedía entonces a repasar los historiales médicos y observaba que sus valores de laboratorio habían mejorado considerablemente con el régimen, como suele ocurrir.

Así pues, preguntaba:

—Muy bien, entonces, ¿quiere explicarme por qué no come de esa manera ahora?

Y llegaba la inevitable respuesta:

—He oído (o leído) que la dieta es perjudicial.

¡Imagine! Un nutrido grupo de individuos ha vuelto completamente la espalda al sentido común, derrotándose a sí mismos al rechazar el preciso programa que, conforme a su propio recuerdo, mejor les fue, y todo por que habían sido engañados por la propaganda imperante. En lugar de optar por repetir su éxito anterior, se dejaban fascinar por los vestidos del rey desnudo.

Al principio, yo me enfadaba con mis antiguos pacientes, pero ahora que he presenciado ya muchas veces esta reacción me indigno con la sociedad que crea esta situación de fracaso seguro.

Lo que acabo de contarle es un caso de disonancia cognoscitiva: la incapacidad para creer lo que uno ha sido programado para no creer, por abrumadora que sea la evidencia. Imagino que muchos de ustedes la tienen también, así que debo abordarla antes de que les derrote.

Comencemos con el área principal de disonancia cognoscitiva. La gente cree que la dieta Atkins es perjudicial para el corazón. Lo cree con tal certidumbre que cualquier intento por demostrar que los hechos ponen de manifiesto lo contrario es recibido con una sonrisa de incredulidad.

Y, sin embargo, con una dieta baja en hidratos de carbono encontré el principio de una solución

Yo soy cardiólogo por formación académica y he pasado buena parte de mi vida tratando a pacientes cardiacos. Como es lógico, siempre me ha producido una profunda satisfacción el hecho de que la dieta Atkins sea tan sorprendentemente beneficiosa para el corazón. Casi desde el primer momento en que empecé a utilizarla, hace más de veinticinco años, descubrí los efectos beneficiosos que producía en mis pacientes.

Pacientes aquejados de angina de pecho vieron desaparecer su dolor, a menudo a los pocos días de iniciar la dieta. Pacientes con episodios de arritmias cardiacas mantenían un ritmo normal mientras observaban la dieta. Pacientes de hipertensión lograron un rápido descenso de su presión sanguínea.

Apuesto a que no es eso lo que usted ha oído. A usted le han repetido el mensaje contrario tantas veces y tan machaconamente que me temo que no va a creerme. Usted sabe con tanta certeza como que el Sol sale por el este y se pone por el oeste que una dieta que permite la crema, la mantequilla y las carnes rojas es causa de ataques al corazón y sin duda agravará sus síntomas cardiacos.

Así pues, hablemos de las ideas preconcebidas que tal vez albergue usted, ideas que podrían llevarle a rechazar una dieta que se adaptaría a usted tan bien como el zapato de cristal a Cenicienta.

Empezaré con una pregunta retórica: ¿cómo podría el Atkins Center haber ido creciendo sin cesar durante veinticinco años, hasta convertirse en el importante establecimiento clínico que es ahora, si yo hubiera tratado a mis pacientes con una dieta que pusiera de alguna manera en peligro su salud?

No, los hechos son exactamente todo lo contrario y, lo que quizá sorprenda a muchos de ustedes: los fundamentos y observaciones básicas se encuentran documentados en lo que constituye una auténtica biblia para el médico, las ampliamente difundidas revistas médicas que en la profesión denominamos «literatura médica revisada por los colegas». Mientras la examinamos juntos, podrá usted entender por qué he pasado gran parte de mi carrera desarrollando y utilizando una dieta que observadores superficiales insisten en criticar por sus hipotéticos efectos sobre el corazón y por qué trato a mis pacientes cardiacos con esta dieta con tanto éxito como el doctor Dean Ornish atribuye (estoy seguro de que verazmente) a los paciente que él trata con una dieta muy diferente: una dieta vegetariana extrema baja en grasas. No puedo por menos que aplaudir la postura de Ornish; él no es un teorizador académico encerrado en su torre de marfil, él ha mostrado los resultados obtenidos en sus pacientes. Pero eso también lo he hecho yo.

Palabras que inducen a error

La equivocada idea preconcebida de que una dieta baja en hidratos de carbono tiene que ser peligrosa para el corazón se basa en una reacción lingüística automática a las palabras «grasa» y «colesterol». Existe una fijación con la idea de que si se come grasa y colesterol los niveles de colesterol aumentarán, sin ningún lugar a dudas.

De hecho, criticando mi dieta, la AMA dijo que constituía «grave motivo de preocupación cualquier dieta que aconseje la ingestión ilimitada de grasas saturadas y alimentos ricos en colesterol».[1] Después examinó toda la literatura médica a su alcance y encontró un único caso descrito en 1929.*

Observemos su lenguaje: «Los individuos que respondan a una dieta con un aumento de la cantidad de grasas en la sangre correrán un mayor riesgo de sufrir enfermedad de la arteria coronaria.» Desde luego. Todo lo que puedo decir es: «Estoy de acuerdo, y los individuos que salten en paracaídas del bordillo de la acera y sean atacados por un

---

* Se trataba del estudio del explorador ártico Vilhjalmur Stefansson quien, impresionado por la salud de los esquimales nativos que observaba, se ofreció como voluntario, junto con un compañero, para ser observado durante un año, en el que se someterían a una dieta de alimentos exclusivamente animales. En este estudio, los niveles de colesterol de uno de los dos sujetos subieron, pero los del otro bajaron. La AMA informó inexactamente que los dos hombres experimentaron aumentos de colesterol.[2]

toro enfurecido correrán un mayor riesgo de resultar con la ropa desgarrada.» El grupo de expertos en nutrición de la AMA tuvieron que formularlo de esa manera porque sabían, naturalmente, que no podían encontrar ninguna prueba que les hubiera permitido presentar una acusación más directa.

En mi opinión, por el circunspecto lenguaje utilizado, está claro que la AMA conocía la diferencia entre los resultados producidos cuando se añaden grasa y colesterol a una dieta alta en hidratos de carbono y los resultados que se producen cuando se añaden a una dieta lipolítica baja en hidratos de carbono.

Habitualmente, cuando los hidratos de carbono constituyen una gran parte de la dieta, las indeseables cifras de lípidos pueden aumentar si incrementa también la ingestión de grasa; con la dieta Atkins es raro que se produzca semejante resultado. Los estudios existentes a disposición de la AMA apoyaban, ciertamente, mi afirmación.

En 1979 tuve ocasión de repasar toda la literatura publicada sobre el efecto de programas dietéticos bajos en hidratos de carbono en los niveles de colesterol y triglicéridos. Encontré diez que mostraban un descenso del nivel medio de colesterol y sólo uno que abarcaba, por término medio, una sola semana de dieta baja en hidratos de carbono, mostraba un resultado desfavorable.

Un repaso a la literatura

P. K. Reissell y sus colegas del hospital General de Harvard/Massachusetts publicaron en 1966 un estudio[3] referido a ocho pacientes que presentaban altos niveles de colesterol y triglicéridos. El estudio se centraba en su estado antes y después de seguir una dieta de 1.500 calorías y 26 g de hidratos de carbono. La disminución de lípidos fue en estos sujetos tan espectacular como la que yo veo hoy en día en mi consulta. El nivel medio de triglicéridos bajó de 1.628 a 232, mientras que el colesterol pasaba de 470 a 278, y en uno de los sujetos llegó a caer de 610 a 186.

Luego estaba el estudio realizado por el doctor Willard Krehl y sus colegas de la Universidad de Iowa, al que ya me he referido en el capítulo 6.[4] Krehl no era amigo de las dietas bajas en hidratos de carbono, pero cuando sometió a dos mujeres de edad avanzada a la dieta baja en hidratos de carbono (sólo 12 g diarios) y 1.200 calorías que estaba experimentando, no encontró ningún cambio en su cifra de colesterol al cabo de dos meses y medio y la de triglicéridos descendió significativamente. Además, las cinco adolescentes obesas que estudió experimentaron una disminución de 20 puntos en los niveles de colesterol.

En Alemania, donde se aceptan y estudian con mucho más entusiasmo las dietas bajas en hidratos de carbono, se publicaron muchas confirmaciones. La importancia de los estudios alemanes radica en que se realizaron sobre grupos amplios de pacientes. Muchos estudios del doctor U. Rabast incluían un grupo de 104 pacientes que siguieron una dieta de 40 g de hidratos de carbono durante tres o cuatro meses.[5] El promedio de colesterol del grupo bajó de 239 a 220 y el de triglicéridos de 159 a 118. Un subgrupo con cifras iniciales más altas logró mejores resultados, pues el colesterol descendió de 314 a 259.

El doctor Ewald Riegler confirmó el mismo fenómeno sobre un grupo de 125 pacientes.[6] Una vez más, las mejorías más espectaculares se produjeron cuando el nivel de colesterol era muy alto; en un grupo, el nivel de colesterol bajó de 465 a 216 al cabo de seis meses.

Este detenido repaso a la literatura médica nos deja con una paradoja que tal vez carezca de parangón en los anales de la medicina. Se ha demostrado, confirmado y vuelto a confirmar que niveles cetogénicos de restricción de carbohidratos harán descender ligeramente un nivel normal de colesterol, moderadamente un nivel elevado de colesterol, notablemente un nivel medio de triglicéridos y espectacularmente un nivel alto de triglicéridos. Y con la excepción de un breve estudio de una semana de duración, no existen datos publicados de ningún tipo que lo refuten.[7]

Conforme a los criterios usuales de prueba médica, el beneficio de las dietas sobre los niveles de lípidos séricos es un hecho médico establecido.

Pero la paradoja es ésta. Como la medicina norteamericana es más sensible a las declaraciones dogmáticas de los grupos de consenso que a la investigación científica, este hecho no se acepta. La ironía es mayor aún si se tiene en cuenta que las dietas recomendadas por estas gentes producen un inconsistente efecto de disminución del colesterol.

De hecho, podemos prescindir de medio siglo de investigaciones sobre el efecto de la dieta en los niveles de colesterol ahora que el doctor Stephen D. Phinney, prestigioso investigador de la Universidad de California en Davis, ha observado la evolución en el tiempo de los niveles de colesterol en un grupo de pacientes sometidos a una dieta sumamente baja en grasas.[8] Estos sujetos obesos comenzaron con una cifra media de colesterol de 211 y lograron bajarla a 139 después de uno o dos meses de dieta de austeridad. Excelente resultado. Pero el equipo continuó observando a sus pacientes durante otros seis meses, mientras seguían la dieta. ¡El colesterol del grupo había subido a 234! Hasta que adoptaron la dieta de mantenimiento no descendió el colesterol a 189. Dado que en otros tres estudios se informó también de la observación de esta respuesta bifásica del colesterol, no podemos por menos que llegar a la conclusión de que todos los estudios que no midan las respuestas del colesterol durante un periodo de tiempo tienen sólo un valor limitado y, de hecho, la inmensa mayoría de los estudios sobre el colesterol y su relación con la dieta son de esa naturaleza.

El único estudio publicado que localicé sobre la dieta baja en hidratos de carbono a lo largo de un periodo de tiempo fue el realizado por Riegler, quien demostró claramente que el nivel de colesterol de seis meses era tan bajo o más que el nivel de un mes con una dieta baja en hidratos de carbono. Esto guarda estrecha relación con mis propios datos clínicos, en los que los niveles de lípidos de mis pacientes permanecen bajos mientras siguen el programa.

Pero aún queda una buena noticia para los colesterófobos. El doctor Jonathan Wright, que practica la medicina nutricional y la enseña mediante seminarios a centenares de médicos, ha indicado que ha encontrado 28 nutrientes distintos con capacidad demostrada para disminuir el colesterol. Yo utilizo muchos de ellos y dentro de unas cuantas páginas le diré cómo lo hacemos.

Añada los suplementos nutricionales útiles para disminuir los lípidos a los ya potentes efectos de control de lípidos que tiene la dieta cetogénica/lipolítica y verá por qué hemos reunido tantos ejemplos de pacientes con espectaculares descensos de colesterol y triglicéridos. Estos descensos son del orden de magnitud hallada en pacientes que muestran reversión de enfermedad cardiaca.

¿Reversión de las enfermedades cardiacas?

Quizás algunos de ustedes ignoren que las enfermedades cardiacas, consideradas antes inexorablemente progresivas, son reversibles mediante cambios importantes de estilo de vida. Esto reviste una gran trascendencia para los pacientes a quienes se ha sugerido la práctica de un *bypass* coronario o una angioplastia.

Los cirujanos tienden a no informar que es posible mejorar la circulación cardiaca y eludir el quirófano si está uno dispuesto a cambiar de estilo de vida.

Como yo me niego a pedir a mis pacientes que se sometan al riesgo de una angiografía ni una sola vez, y mucho menos dos, no he podido demostrar la reversión de la enfermedad cardiaca (manifestada en una mejor desobstrucción de los vasos sanguíneos coronarios).

Sin embargo, hemos demostrado la reversión de los síntomas de la enfermedad en más del 85 % de pacientes con afecciones coronarias y obesidad del Atkins Center, que han seguido fielmente nuestro programa basado en la dieta lipolítica, suplementos nutricionales y terapia de quelación.

En el *Southern Medical Journal* de enero de 1988, el doctor H. L. Newbold informó sobre la combinación de una dieta alta en grasas y baja en hidratos de carbono con la adición de suplementos nutricionales.[9] Durante el periodo de entre 3 y 18 meses siguientes, sus siete pacientes experimentaron un descenso en los niveles medios de colesterol de 263 a 189.

En el Atkins Center tabulamos nuestros resultados cada pocos años. Los más recientes fueron publicados en mi último libro, *Dr. Atkins, Health Revolution*, e informamos de un descenso en la cifra de colesterol de 256,4 a 217,6 y de 166,5 a 97,2 en la de triglicéridos. Pero sólo la mitad de esos pacientes seguía la dieta de pérdida de peso, que ha venido mostrando siempre resultados más espectaculares.

Por tanto, si teme que la dieta Atkins sea una dieta favorecedora de los ataques al corazón,

a) ciertamente, no se da en ella ningún empeoramiento de los lípidos séricos;
b) ello contrastaría grandemente con el resultado habitual, en el que mis pacientes cardiacos manifiestan casi siempre una espectacular mejoría, plasmada en la posibilidad de interrumpir medicaciones que antes eran necesarias.

Sin duda, debe usted saber por qué la dieta cetogénica/lipolítica es tan beneficiosa para el corazón. La literatura científica de los últimos diez años contribuye mucho a explicarlo.

Gerald Reaven, Norman Kaplan y otros

Lo que está gradualmente saliendo a la luz es una asociación no tanto entre consumo de grasas y cardiopatía (recuerde a los franceses, con sus dietas altas en grasas y un 50 % menos de ataques cardiacos que nosotros), sino entre riesgo cardiovascular y cuatro consecuencias originadas por una sola causa metabólica.

Apodadas «el cuarteto mortal» por el doctor Norman Kaplan, del Southwestern Medical Center de la universidad de Tejas, estas cuatro consecuencias son: obesidad del tronco, intolerancia a la glucosa, altos niveles de triglicéridos e hipertensión.[10] Kaplan afirmaba que estos problemas se encontraban juntos porque había en todos ellos un elemento causativo común: nuestro viejo amigo el hiperinsulinismo, el mismo que según le mostré en el capítulo 4 era parte esencial de la obesidad metabólica. Lo que el artículo de Kaplan, publicado en los *Archives of Internal Medicine*, terminaba diciendo era que los altos niveles de insulina podrían ser uno de los principales factores determinantes de la cardiopatía. Como no tardará usted en ver, no se encuentra solo en esta conjetura. Las setenta y seis referencias bibliográficas contenidas en su artículo dan una idea del grado en que la investigación de muchos científicos ha contribuido a sus conclusiones.

Volveré sobre el razonamiento que subyace a esto, pero primero permítame exponer las pruebas estadísticas que existen del papel desempeñado por la insulina en la cardiopatía. Todo el mundo sabe que el famoso estudio de Framingham comenzado en Massachusetts en 1948 encontró una correlación positiva entre los niveles de colesterol sérico y los ataques cardiacos.* ¿Se ha encontrado algo semejante con relación a los niveles de insulina? Preste atención.

---

* Cuando se consideran los niveles de colesterol y la dieta, es importante tener presente que el estudio de Framingham no demostró que exista una relación entre el colesterol o la grasa existentes en las dietas de las personas y su tasa de cardiopatía. El estudio demostró solamente que existe una relación estadística directa entre el nivel de colesterol que circula en la sangre y el riesgo de cardiopatía.

Los tres estudios más importantes se realizaron en Gales, Francia y Finlandia, y fueron publicados y ampliamente comentados en las principales revistas médicas del mundo.

El estudio de cardiopatías de Caerphilly, en Gales, observó a 2.512 hombres de edades comprendidas entre 45 y 59 años, y demostró la existencia de una relación significativa entre los niveles de insulina en el plasma sanguíneo en estado de ayunas y la cardiopatía, con independencia de otros factores de riesgo confirmados. En el estudio finlandés —conocido como el estudio del policía de Helsinki—, 1.059 hombres de entre 30 y 59 años de edad fueron sometidos inicialmente a observación durante cinco años. Los datos revelaron que los ataques cardiacos mortales (y no mortales) eran más comunes en quienes tenían los niveles de insulina más elevados (en ayunas y como respuesta a la glucosa). Finalmente, el estudio prospectivo de París observó a 7.246 hombres durante un promedio de 63 meses. Se halló también que la cardiopatía coronaria guardaba proporción con los niveles de insulina y la relación era mayor cuando los sujetos eran obesos.[11]

Más recientemente, un estudio publicado en *Circulation* por el equipo de Helsinki demostró que quienes tenían altos niveles de triglicéridos junto con una desfavorable proporción de colesterol LBD/LAD podían disminuir en un 71 % su riesgo de ataque cardiaco cuando se corregían estos problemas.[12]

Estos extensos estudios han hecho reflexionar

a muchos de nuestros más destacados científicos médicos. Son cada vez más quienes empiezan a preguntarse si no cabe la posibilidad de que las dietas altas en hidratos de carbono recomendadas para pacientes cardiacos no sean tan adecuadas como se suponía.

El director de Framingham, doctor William Castelli, comentó: «Los resultados hacen oscilar el péndulo y demuestran que un alto nivel de triglicéridos puede constituir un importante factor de riesgo para algunos pacientes.»[13]

Después de todo, se ha demostrado fehacientemente que el nivel de triglicéridos corre paralelo al nivel de insulina, y que el control de los niveles de insulina se puede conseguir con máxima eficacia mediante una dieta baja en hidratos de carbono. Grey y Kipnis lo demostraron a principios de los años setenta. En 1979, el doctor Sheldon Reiser realizó un estudio con voluntarios humanos, con el que demostró que una dieta que proporcionase el 18 % de sus calorías a partir del azúcar —y esto es menos que el actual promedio nacional en Estados Unidos— producía concentraciones de lípidos e insulina significativamente mayores que una dieta con un 5 % de las calorías derivadas del azúcar.[14]

Entre los numerosos científicos que han comenzado a reaccionar a esta formidable acumulación de pruebas, quisiera mencionar al eminente profesor de Stanford, doctor Gerald Reaven, y su asociada, la experta en dietética Ann Coulston. Reaven ha estado investigando la estrecha relación existente entre el hiperinsulinismo, la hipertensión y los factores de riesgo cardiovasculares con celo infatigable desde hace ya casi veinte años.[15]

Él fue el pionero, pero desde 1985 más de una docena de importantes artículos de las más destacadas revistas médicas han seguido sus pasos.[16] Una pieza del rompecabezas que Reaven mostró fue que la hipertensión —que ningún teórico médico serio ha discutido jamás como factor de riesgo tanto de ataques cardiacos como de cardiopatías— se halla íntimamente relacionada con el hiperinsulinismo. En 1989, en un importante artículo publicado en *The American Journal of Medicine* titulado «La hipertensión como enfermedad del metabolismo de los hidratos de carbono y las lipoproteínas», escribió:

«Se ha demostrado que pacientes con hipertensión no tratada son resistentes a la absorción de glucosa estimulada por la insulina y, al mismo tiempo, hiperinsulinémicos e hipertrigliceridémicos...»[17]

En 1988, en su conferencia de homenaje a Banting en Stanford, puso de relieve un conjunto de factores de riesgo para la enfermedad de la arteria coronaria, todos los cuales se hallaban asociados con altos niveles de insulina e incrementada resistencia a la insulina.[18] Entre ellos figuraban hipertensión, altos niveles de triglicéridos y descenso del colesterol LAD, la clase de colesterol que, según se ha descubierto, protege al corazón.

Otros investigadores han observado que la insulina eleva los niveles de colesterol LBD, el tipo de colesterol que favorece la producción de cardiopatías. El mecanismo por el que se produce este efecto se hallaba ya claro. El científico de Belfast R. W. Stout había escrito en 1985: «La pared arterial es un tejido sensible a la insulina. La insulina estimula la proliferación de células musculares lisas arteriales, aumenta la síntesis de lípidos y la actividad de la lipoproteína de baja densidad (LBD). La insulina favorece también la aterosclerosis experimental en numerosas especies.»[19]

Ha empezado a cerrarse el círculo y debo reconocer, para mi satisfacción, que ya se vuelven claramente visibles las razones por las que una dieta baja en hidratos de carbono es tan beneficiosa para el corazón. No es casualidad que yo haya podido utilizar una dieta baja en hidratos de carbono para tratar con creciente éxito las enfermedades cardiovasculares. ¿Por qué habríamos de sorprendernos? Como recordará, ya he indicado antes que ésta era la dieta natural del omnívoro humano. Las personas están bien adaptadas para comer carne fresca, pescado, aves, bayas, nueces, semillas, verduras y, con moderación, frutas. Con la naturaleza no se juega, y ésta fue nuestra dieta durante millones de años, mucho antes de que se desataran sobre nosotros como una plaga los extraños hábitos alimentarios del siglo XX.

Los vegetarianos han sugerido que la dieta humana natural está basada en los cereales, ya que la mayoría de las civilizaciones se han estado alimentando de ellos, en forma de trigo, arroz o maíz, durante los últimos cinco mil años. Sí, pero ¿y los cientos de miles de años que los precedieron? ¿Qué hacen todos esos huesos en torno a los restos de fogatas del hombre primitivo, y para qué se utilizaban todos esos útiles de caza que hemos descubierto? ¿Para abrir cartas?

Volvamos al interesante artículo de Norman Kaplan sobre el «cuarteto mortal». Examinemos el diagrama siguiente.

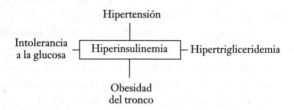

Kaplan ha tenido el sentido común necesario para advertir lo evidente. Todas estas afecciones se presentan característicamente en sujetos con altos niveles de insulina y, además, es muy probable que coexistan en la misma persona. Treinta y cinco millones de personas son obesas (un 20 % por encima del peso ideal) en Estados Unidos y cuarenta millones son hipertensas. Entre los obesos, la hipertensión es tres veces más frecuente que entre los no obesos. Los altos niveles de triglicéridos son el doble de frecuentes entre los obesos que entre los no obesos. La asociación es aún mayor si se computa a los pacientes con obesidad del tronco. La barriga tan característica del hombre de mediana edad se halla estrechamente relacionada con factores metabólicos que le sitúan en riesgo de sufrir un ataque al corazón.

Si aún se pregunta usted hasta qué punto son estrechas estas asociaciones, escuche la afirmación formulada por el doctor Albert Rocchini, científico médico de la Universidad de Minnesota. Escribe: «Se ha estimado que para la quinta década de su vida, el 85 % de los individuos diabéticos son obesos, el 80 % de los sujetos obesos presentan una tolerancia anormal a la glucosa y son hipertensos, y el 67 % de los sujetos hipertensos son a la vez diabéticos y obesos.»[20]

Se sabe ahora que en todas estas afecciones existe generalmente hiperinsulinismo. De hecho, cuando recibo por primera vez a un paciente con exceso de peso espero averiguar a través de los análisis de sangre que tiene un alto nivel de triglicéridos, intolerancia a la glucosa y altos niveles de insulina, y mis sospechas rara vez se ven defraudadas. Por supuesto, me siento más que complacido por el hecho de que estos factores de riesgo cardiovascular disminuyen a la vez cuando se establecen las adecuadas medidas dietéticas.

¿Y cuáles son esas medidas? Bien, por citar una vez más a Norman Kaplan: «La pérdida de peso, comoquiera que pueda lograrse, es la forma evidente de corregir la obesidad, junto con el hiperinsulinismo y la hipertensión concomitantes... Sin embargo, se ha descubierto que *el uso de una dieta baja en grasas y alta en hidratos de carbono, como habitualmente se recomienda para reducir peso* (la cursiva es mía) acentúa la hiperglucemia y la hiperinsulinemia...»

La alternativa es, por supuesto, una dieta baja

en hidratos de carbono. Y las ventajas para la salud del corazón de la alternativa que yo recomiendo son correlativamente inmensas.

Consejo especial para pacientes cardiacos

La mayoría de ustedes son candidatos a una cardiopatía; el simple hecho de tener problemas de peso les sitúa en esa categoría. Por consiguiente, todos se hallan comprensiblemente interesados en prevenir la cardiopatía y, desde luego, no sienten el menor deseo de hacer nada que incremente su riesgo. Espero que las consideraciones que he venido exponiendo les hayan convencido de que el riesgo de contraer una enfermedad cardiaca disminuirá considerablemente con nuestro programa.

Pero en el caso de muchos de ustedes la prevención llega un poco tarde, porque tal vez ya se les habrá diagnosticado algún problema cardiovascular. Algunos de ustedes quizá se encuentren ya tomando medicamentos prescritos por el médico.

Hay buenas noticias para el 90 % de los que se incluyen en este grupo, pues ése es el porcentaje de nuestros pacientes que han podido suspender o, al menos, reducir su medicación en el Atkins Center. La farmacología nutricional es parte de la razón del éxito de nuestros pacientes, como lo es la terapia de quelación. Ambas escapan a lo que constituye el objetivo de este libro, pero fueron ampliamente tratadas en mi última obra, *Dr. Atkins, Health Revolution*. Realmente, debe usted adquirirlo y estudiarlo como si su vida dependiese de ello. La predecible mejoría de mis pacientes cardiacos con exceso de peso con el régimen total es lo más parecido a la seguridad absoluta en toda mi práctica médica.

Pero quiero aconsejar algunos específicos para aquellos a quienes encanta ver bajar su nivel de colesterol a nuevos mínimos, búsqueda que se ha convertido en una especie de pasatiempo nacional.

Hablemos primero sobre la estrategia de la dieta. Tenga presente que una dieta baja en hidratos de carbono puede ser relativamente alta o baja en grasas, y que las grasas pueden presentarse en diversidad de formas. Habrá usted oído los términos saturado, monoinsaturado, polinsaturado; considere también que cada grasa ejerce su propio efecto, bueno o malo, sobre sus lípidos séricos. El componente de ácido esteárico de la carne roja, por poner un ejemplo, produce un efecto beneficioso. Para mejorar sus niveles de lípidos tiene usted que estar dispuesto a practicarse análisis de sangre frecuentes; en otro caso, es usted tan culpable como esos formadores de consenso que dan siempre por supuesto que todo el mundo tiene la misma respuesta metabólica. La estrategia es poner sistemáticamente a prueba varias hipótesis y, luego, observar los resultados de los análisis de sangre para comprobar si en su caso son eficaces.

Comprobación de la sensibilidad a las grasas

Admito que hay individuos sensibles a las grasas y que desarrollarán un nivel de colesterol menos favorable con una dieta alta en grasas que con otra baja en grasas. Un detenido estudio de los informes médicos indica que menos de una persona de cada tres encaja en esta categoría. Pero usted no sabe si se halla incluido en ese subgrupo, así que voy a mostrarle cómo puede averiguarlo.

Permanezca en la dieta de inducción y en los primeros niveles de la PPP todo el tiempo que quiera, tomando los suplementos que le indicaré. Luego, hágase un perfil completo de lípidos que comprenda colesterol, triglicéridos, LAD, LBD, etcétera, para compararlo con sus niveles básicos. Debe apreciarse una mejoría. Debe usted observar sobre todo la proporción entre LBD y LAD, cuya importancia demostró el estudio de Helsinki. Si usted (y su médico) está satisfecho de su progreso, no hay, naturalmente, ninguna necesidad de cambiar.

Si los resultados no son de su agrado, puede que sea usted una persona sensible a las grasas. Así pues, durante el intervalo siguiente tome solamente las proteínas ligeras —rollos de pavo, pechuga de pollo sin piel, pescado, queso fresco, lonchas finas de carne, etcétera—, pero no aumente más de 5 gramos la ingestión de hidratos de carbono. No obstante, si no se encuentra a gusto con la versión baja en grasas de la dieta, o bien nota hambre o no se siente a gusto con ella, no se moleste en seguirla;

vuelva a la dieta Atkins normal que más le convenza. Como puede derivarse tan gran beneficio de los suplementos nutricionales, quizá sea mejor darles una oportunidad para no tener que abandonar la dieta por culpa de la cifra de colesterol. Pero si se encuentra a gusto con la nueva versión, más baja en grasas, sígala y hágase otro perfil de lípidos. Si los resultados han mejorado, estupendo, pero aún le queda otra tarea. Vuelva al primitivo sistema de libre utilización de grasas durante el tiempo suficiente para hacerse otro perfil. Si éste ha empeorado con respecto al anterior, entonces usted es sensible a las grasas y debe seguir la variante restringida en grasas de la dieta. Nuestros estudios han puesto de manifiesto que con este régimen generalmente se produce una mejoría estable y, por lo tanto, es de esperar un descenso del colesterol. Una elevación del colesterol supone una inversión de la tendencia prevista y sería importante. No se haga nunca análisis de sangre si no se ha mantenido fiel a la dieta, porque las desviaciones de hidratos de carbono pueden aumentar el colesterol con más facilidad que la abundante ingestión de grasas.

Se puede realizar un experimento similar con respecto al tipo de grasas. Compruebe el efecto de cambiar de grasas saturadas (carne) a grasas monosaturadas, como las del aceite de oliva, los aguacates y las nueces de Australia. Las monoinsaturadas pueden ser su mejor aliado. Otra idea es la utilización de triglicéridos de cadena media, que contribuyen al metabolismo energético, la pérdida de peso y la reducción del colesterol. Una dosis apropiada de TCM es de 2 o 3 cucharadas soperas al día como sustitutivo de otro aceite dietético. Puede utilizarla en la sartén. Puede usarse mayor cantidad de TCM si se tiene cuidado de evitar la diarrea que puede originar en los individuos sensibles. Finalmente, si siente curiosidad acerca del efecto de las yemas de huevo (uno de los alimentos más perfectos de la naturaleza), verifique también esa hipótesis; no dé por supuesto que son malas sin comprobarlo por usted mismo.

Veamos ahora los nutrientes

Todas las consideraciones precedentes resultarían puramente académicas si encontrase usted los suplementos nutricionales eficaces en la cantidad adecuada para hacer bajar sus niveles de colesterol y triglicéridos. En mi práctica privada, yo encuentro que los pacientes que necesitan nuevas reducciones en sus niveles pueden obtener resultados bastante satisfactorios sin que yo tenga que prescribir medicaciones reductoras del colesterol.

He aquí su lista de comprobación de lípidos y nutrientes.

- Lecitina en gránulos (mucho mejor que las cápsulas), dos o tres cucharadas soperas diarias. Se puede y se debe espolvorear sobre la comida; va bien con la ensalada, las verduras o mezclada con huevos revueltos.[21]
- AGL en abundancia. Yo suelo utilizar aceite

de borraja, 2-3 cápsulas diarias. Si utiliza aceite de prímula, tiene que emplear más de una docena para igualar el contenido de AGL del aceite de borraja.[22]

- Aceites omega-3. Aceite de pescado que contiene AEP y ADH. Yo utilizo 1.500-2.000 mg de AEP en muchos pacientes. Es especialmente útil en quienes presentan elevaciones de triglicéridos. Algunos estudios han referido una elevación de colesterol en personas que tomaban AEP, pero yo no he comprobado esa reacción. Opino que es muy útil. Alternativamente, el aceite de lino (linaza) contiene un aceite omega-3 diferente y puede ser de gran valor para algunas personas.[23]
- Picolinato de cromo. El mejor amigo del dietista. Ayuda a controlar la diabetes y la hipoglucemia, y contribuye mucho al control del colesterol. Como dicen los críticos, imprescindible. Los adultos utilizan 200-600 mg.[24]
- Pantetina. Derivada del ácido pantoténico, precursor de la coenzima A, la pantetina desempeña un papel crucial en el metabolismo del colesterol. Sería la «droga de elección» en el control del colesterol si fuese una droga. Yo suelo administrar 900-1.800 mg cuando el cuadro lípido no es favorable.[25]
- Niacina. Éste es el nutriente que conocen la mayoría de los médicos. Utilizado como específico puede empeorar la diabetes y causar alteraciones hepáticas. Utilizado como nutriente (esto es, con el resto del complejo B y

en dosis menores), contribuye al control del colesterol y de la LBD. Yo suelo prescribir 1.000-2.000 mg en administración espaciada para evitar la un tanto desagradable sofocación que se produce con la absorción súbita.[26]

- Ajo. Produce un bien documentado efecto reductor del colesterol, por no hablar de sus otros beneficios cardiovasculares y de presión sanguínea. Excelente también para combatir infecciones agudas y controlar a *Candida*. Yo prefiero tomarlo con una chuleta de cordero o como aliño de una ración de gambas, pero si a usted le gustan las píldoras, calcule entre 6 y 12 diarias.[27]

- Carnitina. Nutriente esencial para el transporte de ácidos grasos, es beneficioso para pacientes cardiacos con angina, cardiomiopatía y trastornos del ritmo cardiaco. Yo la utilizo cuando quiero ayudar a reducir el nivel de triglicéridos o elevar el de colesterol LAD y empleo 500-1.500 mg diarios.[28]

- Fuentes fibrosas. Psilium, glucomanán, carragaheen, pectina, goma de guar. Todas tienen un documentado efecto reductor del colesterol, probablemente al retener el colesterol en el intestino y disminuir su absorción. Esto puede resultar menos deseable de lo que parece, porque el cuerpo necesita mucho colesterol. Yo creo que es mejor ofrecer al cuerpo todo el colesterol que necesita y, luego, eliminar las señales que se producen en el organismo exigiendo que el hígado elabore más colesterol mediante el refuerzo de todos los sistemas habilitadores.[29]

- Nutrientes antioxidantes. En armonía con lo expresado en el párrafo anterior, debe usted saber que muchos médicos interesados en la nutrición creen que el cuerpo elabora colesterol porque actúa como antioxidante (al igual que el ácido úrico) y, por consiguiente, será sintetizado en exceso cuando el cuerpo reciba el bombardeo de radicales libres.*

  El suministro de antioxidantes nutricionales parece ayudar a controlar el colesterol y, en efecto, es una buena idea para protegerse contra todas las enfermedades degenerativas, tales como el cáncer, la artritis e, incluso, el envejecimiento. Las vitaminas A, E y C, el glutatión, el selenio, la cisteína y los bioflavonoides son los principales antioxidantes nutricionales. Una dosis de entre 3 y 6 cápsulas de una buena fórmula antioxidante es algo que todos deben tener en cuenta.

- Vitamina C. Investigaciones recientes confirman el beneficio a largo plazo que se deriva del uso de este nutriente para los lípidos. Quizá suponga usted ya que estoy de acuerdo en que la vitamina C es la piedra angular de la medicina preventiva. Las dosis para mis pacientes empiezan en 500 mg y muchas

---

* Véase *La revolución de la salud*, Grijalbo, 1989, págs. 312 y siguientes.

personas experimentan apreciables mejorías con dosis treinta veces mayores.

- Muchos, pero no todos, de estos nutrientes forman parte de la fórmula para lípidos del Atkins Center.

La colesterofobia parece ser una epidemia norteamericana. He conocido ya doscientos pacientes terminales de cáncer que se hallaban más preocupados por los niveles de colesterol que por sus sistemas inmunológicos.

Yo no estimulo la colesterofobia; es tan irracional como cualquier otra fobia. Pero proporciona una ventaja oculta; probablemente, le impulsará a utilizar un generoso surtido de los agentes nutricionales antes mencionados.

Combinados con los espectaculares efectos reductores de lípidos de la dieta Atkins, estos nutrientes contribuyen a mejorar las cifras de colesterol. De hecho, si se toman en la dosis adecuada, las probabilidades de obtener un mal resultado son aproximadamente las mismas que yo tengo de ser elegido presidente de Estados Unidos.

Es justo señalar, sin embargo, que tengo más de treinta y cinco años, soy ciudadano norteamericano y aceptaría ser presentado candidato. Y me gustaría limpiar unas cuantas cosas en Washington, sobre todo la FDA.

Sólo otro paciente cardiaco

Tengo muchos pacientes cardiacos con buenos resultados, pero por desgracia sólo dispongo de espacio para hablarles de uno de ellos. Pero todos demuestran la misma cuestión fundamental: la dieta Atkins y sus terapias coadyuvantes son mano de santo cuando se trata de enfrentarse a la enfermedad cardiovascular.

Patrick McCarthy es un profesor de cincuenta y cinco años que sintió por primera vez los indicios de su enfermedad cardiaca cuando recorría las colinas de Irlanda durante unas vacaciones de verano, hace cuatro años. Una opresión en el pecho, un dolor en el brazo izquierdo. Empezaron a sonar los timbres de alarma. Regresó a Estados Unidos y acudió a la mutualidad de asistencia médica a la que pertenecía. Un ecocardiograma y una prueba de esfuerzo lo dejaron perfectamente claro: tenía una obstrucción en algunas de las arterias principales.

Se sentía reacio a considerar la posibilidad de que se le practicase una derivación arterial y su médico lo sometió a tratamiento de propranolol. El resultado fue un estado de agotamiento total. Subir un tramo de escalera se convirtió en un desafío y se encontró con que estaba demasiado débil hasta para hablar a sus alumnos. Más tarde se le administró verapamil y, como no experimentara mejoría, se le duplicó la dosis. Patrick no veía otra alternativa más que someterse a una peligrosa intervención quirúrgica o pasarse como un inválido el resto de su vida. En el otoño de 1989 acudió al Atkins Center.

Lo sometimos a la dieta Atkins, le dimos los nutrientes de que antes se ha hablado, le administramos terapia de quelación y al cabo de cuatro meses se le suprimió la medicación, porque ya no la necesitaba. Una reciente prueba de esfuerzo ha mostrado indicios de inversión de la isquemia en las arterias principales. No se ha repetido el dolor de pecho y han desaparecido todos sus factores de riesgo de cardiopatía.

Su nivel de colesterol había sido 199 y ahora es 174. Más significativamente, su nivel de colesterol «bueno» LAD ha subido de 35 a 56. Los triglicéridos —crecientemente reconocidos en la actualidad como importantes factores de riesgo de cardiopatía— han hecho lo que siempre hacen los triglicéridos cuando se siguen dietas bajas en hidratos de carbono: se han hundido como una lancha con vías de agua en medio de un huracán tropical. Un nivel de triglicéridos que antes de la dieta era de 341 ha bajado a 58.

Su peso (Patrick mide 1,75), que rondaba los 86 kilos cuando comenzó la dieta unas semanas antes de venir al centro, es ahora de 71 kilos y se ha mantenido más o menos estable durante casi dos años. Y, lo mejor de todo, el nivel de energía de Patrick McCarthy para el trabajo y la diversión se ha disparado por encima de lo normal. Se acabó el jadear al subir escaleras. Patrick recorre ahora cinco o seis kilómetros a paso vivo dos veces a la semana y acaba de empezar un curso de bailes de salón con su mujer.

¿Se halla este hombre sometido a una dieta

austera? Escuche. Patrick se toma cada mañana una tortilla de queso de dos huevos para desayunar, complementada a veces con varias lonchas de lomo. Almuerza pollo, carne de vaca o pescado, con una ensalada o verduras, y las raciones son generosas. Patrick siempre tuvo buen apetito. En nuestra última entrevista me dijo que ese día se había tomado nueve pedazos de pollo para almorzar.

En la cena, tomará un buen filete, o chuletas de cordero, o carne asada, o un estofado de carne con verduras en abundancia. Le gusta el brécol con queso y ensaladas aliñadas con queso azul. De postre, tomará gelatina dietética Jello® o alguna de las golosinas que encontrará en nuestra sección de recetas. Para picotear entre comidas, le encantan las nueces de Australia. ¡Vaya austeridad! ¡Menudo sufrimiento! Aunque, desde luego, ha tenido que renunciar a los pasteles y las rosquillas que solía tomar en los aciagos tiempos, antes de apuntarse a la dieta Atkins.

Supongo que este caso habla por sí solo. Desde luego, lo hace para mí, porque yo he visto a miles de personas como Patrick comer igual que él y lograr la reversión de su cardiopatía. Y por eso sé que las tortillas de queso y los filetes son saludables para el corazón en el contexto de una dieta baja en hidratos de carbono.

Los que han probado la dieta ya conocen las respuestas

La ironía radica en que cada jornada laboral conozco a otras dos o tres personas con historias similares a la de Patrick. No puede usted imaginar la incredulidad (y, en ocasiones, furiosa indignación) que estos felices dietistas expresan cuando vuelven a visitar a sus anteriores cardiólogos, que se habían esforzado por convencerlos de que el mejor tratamiento que podían recibir era el programa alto en hidratos de carbono y en productos farmacéuticos que ellos les habían prescrito, a veces seguido de intervención quirúrgica. Su irritación aumenta cuando oyen criticar la dieta que ha aliviado sus síntomas cardiacos, la alta presión sanguínea, los lípidos séricos, su exceso de peso y les permitió liberarse de su necesidad de medicamentos. Por lo general, estaban en manos de médicos competentes y entregados a su profesión que, simplemente, no conocían otra cosa.

No sé si habré convencido a la mayoría de ustedes de quién tiene razón en esta controversia sobre la salubridad para el corazón de las dietas bajas en hidratos de carbono. En mi opinión, no se trata de una auténtica controversia, ya que el apoyo científico a la restricción de los hidratos de carbono es inequívoco, sino más bien de un deliberado intento por parte de personas cuya ideología se superpone a su sentido común de forzar una parcial y engañosa interpretación de los hechos. Sí sé que casi todos los que ya han completado la dieta de catorce días se encuentran en el camino de la convicción. Una experiencia con éxito vale por mil palabras.

Para los demás, que aún dudan —los que no probarán la dieta hasta terminar el libro—, he escrito un capítulo sobre la grasa. Me refiero a la clase de grasa que usted se lleva a la boca y que los anunciantes de cereales nutricionalmente perniciosos y otros alimentos tratados industrialmente se jactan de excluir. La grasa ha estado siendo injustamente vilipendiada. Veamos qué podemos hacer al respecto.

NOTAS

1. Council on Foods and Nutrition, «A critique of low-carbohydrate ketogenic weight reduction regimens», *Journal of the American Medical Association* 224 (10) 1973, págs. 1.415-1.419.

2. Tostoi, E.: «The effect of an exclusive meat diet on the chemical constituents of the blood», *Journal of Biological Chemistry* 83 (1929), págs. 753-758.

3. Reisel, P.K. y otros: «Treatment of hypertriglyceridimia», *American Journal of Clinical Nutrition* 19 (1966), págs. 84-98.

4. Krehl, W.A. y otros: «Some metabolic changes induced by low carbohydrate diets», *The American Journal of Clinical Nutrition* 20 (2), 1967, págs. 139-148.

5. Rabast, U. y otros: «Outpatient treatment of

obesity using a low-carbohydrate diet», *Medizinische Klinik* 73 (2), 1978, págs. 55-59.

6. Riegler, E.: «Weight reduction by a high protein, low carbohydrate diet», *Medizinische Klinik* 71 (24), 1976, págs. 1.051-1.056.

7. Rickman, F. y otros: «Changes in serum cholesterol during the Stillman diet», *Journal of the American Medical Association* 228 (1974), pág. 54.

8. Phinney, S.D. y otros: «The transient hypercholesterolemia of major weight loss», *The American Journal of Clinical Nutrition* 53 (1991), págs. 1.404-1.410).

9. Newbold, H.L.: «Reducing the serum cholesterol level with a diet high in animal fats», *Southern Medical Journal* 81 (1988).

10. Kaplan, N.M.: «The deadly quartet: upperbody obesity, glucose intolerance, hypertriglyceridimia, and hypertension», *Archives of Internal Medicine* 149 (1989), págs. 1.514-1.520.

11. Lichtenstein, M.J. y otros: «Sex hormones, insulin, lipids, and prevalent ischemic heart disease», *American Journal of Epidemiology* 126 (1987), págs. 647-657. También Pyorala, K.: «Relationship of glucose tolerance and plasma insulin to incidence of coronary heart disease: results from two population studies in Finland», *Diabetes Care* 701 (1985), págs. 38-52. También Fontbonne, A. y otros: «Coronary heart disease mortality risk: plasma insulin level is a more sensitive marker than hypertension or abnormal glucose tolerance in overweight males: the Paris prospective study», *International Journal of Obesity* 12 (1988), págs. 557-565.

12. Manninen, V.: «Joint effects of serum triglycerides and LDL cholesterol and HDL cholesterol on coronary heart disease in the Helsinki Heart Study. Implications for treatment», *Circulation* 85 (1), 1992, págs. 365-367.

13. *Medical Tribune* 33 (2), 30 de enero de 1992.

14. Reiser, S. y otros: «Serum insulin and glucose in hyperinsulinemic subjects fed three different levels of sucrose». *The American Journal of Clinical Nutrition* 34 (1981), págs. 2.348-2.358.

15. Reaven, G.M. y otros: «Role of insulin in endogenous hypertriglyceridemia», *Journal of Clinical Investigation* 46 (1967), págs. 1.756-1.767. Véase también Coulston, A.M. y otros: «Deleterious metabolic effects of High-carbohydrate sucrose-containing diets in patients with non-insulin-dependent diabetes mellitus», *American Journal of Medicine* 82 (1987), págs. 213-220.

16. Véanse 37 referencias en Coulston, A.M. y otros: «Original articles: Persistence of hypertriglyceridemic affect of low-fat high-carbohydrate diets in NIDDM patients», *Diabetes Care* 12 (2), 1989, págs. 94-101.

17. Reaven, G.M. y otros: «Hypertension as a Disease of Carbohydrate and Lipoprotein Metabolism», *The American Journal of Medicine* 87 (suppl. 6A), 1989, págs. 6A.2S-6A.6S.

18. Reaven, G.M.: «The role of insulin resis disease», *Diabetes* 37 (1988), págs. 1.595-1.607.

19. Stout, R.W.: «Hyperinsulinaemia, a possible risk factor for cardiovascular disease in diabetes mellitus», *Hormone and Metabolic Research* 15 (1985), págs. 37-41.

20. Rocchini, A.P.: «Proceedings of the council for high blood pressure research, 1990: insulin resistance and regulation in obese and nonobese subjects: special lecture», *Hypertension*, Suplemento 1, 17 (6), 1991, págs. 837-842.

21. Childs, M.T. y otros: «The contrasting effects of a dietary soya-lecithin product and corn oil on lipoprotein lipids in normolipidemic and familial hypercholesteromic subjects», *Atherosclerosis* 38 (1981), págs. 217-228.

22. Horrobin, D.F.: «The importance of gamma-li-nolelic acid and prostaglandin E_1 in human nutrition and medicine», *Journal of Holistic Medicine* 3 (1981), págs. 118-139.

23. Saynor, R.: «Effects of omega-3 fatty acids on serum lipids», *Lancet* 2 (1984), págs. 696-697.

24. Railes, R. y Albrink, M.J.: «Effect of chromium chloride supplementation on glucose tolerance and serum lipids including high density lipoprotein of adult men», *American Journal of Clinical Nutrition* 34 (1981), págs. 2.670-2.678.

25. Cattin, L. y otros: «Treatment of hypercholes-terolemia with pantethine and fenofibrate: An open randomized study on 43 subjects», *Current Therapeutic Research* 38 (3) 1985, págs. 386-395. Véase también «Pantethine treatment of hyperlipidemia», *Clinical Therapy* 8 (1986), pág. 537.

26. Grundy, S.M. y otros: «Influence of nicotinic acid on metabolism of cholesterol and tryglicerides in man», *Journal of Lipid Research* 22 (1981), págs. 24-36.

27. Bordia, A.: «Effect of garlic on blood lipids in patients with coronary heart disease», *The American Journal of Clinical Nutrition* 34 (1981), págs. 100-103. También Ernst, E. y otros: «Garlic and blood lipids», *British Medical Journal* 291 (1985), pág. 139.

28. Ferrari, R. y otros: «The metabolical effects of L-carnitine in angina pectoris», *International Journal of Cardiology* 5 (1984), pág. 213.

29. Simons, L.A. y otros: «Long-term treatment of hypercholesterolaemia with a new palatable formula-tion of guar gum», *Atherosclerosis* 45 (1), 1982, págs. 101-108. También: Kay, R.M. y Truswell, A.S.: «Effect of citrus pectin on blood lipids and fecal steroid secre-tion», *The American Journal of Clinical Nutrition* 30 (2), 1977, págs. 171-175.

16

Grasa dietética: ¿verdadero criminal o inocente cabeza de turco?

La grasa está acabada, ¿no? El Gobierno de Estados Unidos y quizá media docena de sociedades médicas han hecho sonar oficialmente por ella el toque de difuntos. Sus grupos de consenso, formados por autoridades académicas médicas, han concluido unánimemente que todos y cada uno de nosotros debemos, como nación, reducir nuestra ingestión de grasa al 30 % de nuestras calorías totales. Ricos o pobres, gordos o delgados, sanos o enfermos, jóvenes o viejos, no puede haber excepciones a este edicto. Todos deben cumplir la sentencia oficial. Los verdaderos científicos han hablado y quienes consideran que debemos tener en cuenta la individualidad biológica y querrían acomodar las dietas al perfil metabólico de la persona están equivocados, porque los científicos que sostienen tales heréticas opiniones no son, en pocas palabras, dignos de formar parte de los grupos de consenso.

Estos grupos de consenso están actualmente de completo acuerdo: toda grasa, cualquier grasa, incluso los esenciales ácidos grasos, no deben superar el 30 % de nuestra ingestión total. Si nuestros más eminentes científicos parecen estar de acuerdo, entonces nosotros, las personas normales, debemos concluir que existen pruebas incontrovertibles de que comer la cantidad de grasa que, como nación, comemos es declaradamente perjudicial para nuestra salud. No podemos sino aceptar el dogma de que dieta «baja en grasas» y dieta «sana» son términos equivalentes. Pero ¿lo son? Las respuestas le sorprenderían.

Sabemos que dieta «baja en grasas» y dieta «satisfactoria» no son términos equivalentes. Consideremos la expresión: «Come como un rey.» ¿Suscita la imagen mental de un tipo reseco y de aire austero con una corona en la cabeza y mordisqueando una zanahoria? Lo dudo.

La grasa se ha ganado el encumbrado lugar que ocupa en las cocinas del mundo entero por su sabor espléndido y satisfactorio, su suculencia y su capacidad para saciar el apetito. La grasa es, por excelencia, el alimento de los banquetes. Si tuviesen una consistencia material, la mantequilla y la crema estarían, sin duda, consideradas como la columna vertebral de la cocina selecta. Pero ya entiende lo que quiero decir. Y también los franceses, cuyo corazón goza de excelente salud, que ponen una de esas grasientas delicias en todos los platos que las admiten.

Gracias a la grasa la carne es tierna y sabrosa. Los grandes restaurantes especializados en carnes, algo menoscabados en la actualidad a consecuencia de la obsesión por la reducción de grasas en las comidas, han prosperado ofreciendo a sus clientes tajadas «selectas» de carne de vaca que éstos no podrían encontrar en los supermercados. Lo que ese «selecto» significaba era que la carne tenía un elevado porcentaje de grasa. Cuando come usted un apetitoso solomillo, es la grasa lo que lo hace especialmente sabroso. (Eche un vistazo a la sección de recetas y verá lo que el excelente cocinero Graham Newbould, a quien hemos fichado para la elaboración de las recetas de este libro, ofrece para la preparación de platos deliciosos con utilización de abundantes cantidades de nata y mantequilla.)

Bien, pues es bastante triste tener que renunciar a todo eso, ¿no? Al parecer, si no lo hacemos la grasa será nuestro verdugo. La evidencia es abrumadora, ¿verdad?

Lo curioso, sin embargo, es que la evidencia dista bastante de ser abrumadora. La afirmación de que comer un importante porcentaje de grasas en la dieta le llevará a uno rápidamente a la cardiopatía y el cáncer es en extremo simplista. Hay en la literatura médica destacados estudios que despiertan serias dudas sobre la veracidad de tales afirmaciones. Antes de examinar las pruebas existentes, veamos qué más puede aportar la grasa a su dieta, además de exquisitez.

Primero, sin embargo, consideremos si no estoy empezando a parecer el inductor al consumo de grasa que se me ha acusado de ser. Tal vez piense usted que así es, en efecto y, sin embargo, yo siempre he sostenido, como demostró la obra de Yudkin y Stock, que, por regla general, la gente ingiere considerablemente menos grasa con una dieta cetogénica/lipolítica que con su dieta habitual.

Eso es resultado directo de una de las mayores virtudes de la grasa, a saber: que cuando se disminuye la cantidad de hidratos de carbono la grasa causa una profunda inducción de saciedad. Todos los investigadores que han comparado dietas del mismo número de calorías han comprobado que la más alta en grasa producía menos hambre y era mucho más fácil de seguir.

Y está luego la cuestión del aspecto físico. Se trata de algo un poco más sutil y nadie se ha puesto todavía a demostrarlo o refutarlo; para mí, sin embargo, es de una evidencia meridiana.

¿Ha observado usted alguna vez las facciones de una de las personas que logran el éxito con alguna de las dietas al uso bajas en grasas? Es cierto que sus cuerpos ofrecen un aspecto espléndido, sobre todo si han cultivado de firme el ejercicio y los aspectos de la salud que guardan relación con la buena forma física. Pero observe bien su rostro. ¿Ve la sequedad de la piel, el color pastoso y, más concretamente, ve los profundos surcos que se extienden desde las aletas de la nariz hasta las comisuras de la boca y más abajo, llamados pliegues nasolabiales? Aparentan más edad de la que tienen. Quizá no le llame a usted la atención tanto como a mí, ya que a mí me produce un auténtico impacto visual porque quienes siguen la dieta Atkins no presentan ese aspecto.

Ese aspecto, el que la mayoría de la gente considera propio de una persona sometida a dieta, es en realidad una característica de una deficiente ingestión de grasas y puede observarse también en quienes limitan la grasa pero no han perdido peso.

De modo que aquellos de ustedes que se encuentran siguiendo una dieta con el fin de aumentar su belleza física tal vez quieran comprobar esa ventaja de una dieta reductora del contenido de grasa observando su aspecto en el espejo después de probar ambos tipos de dieta.

Ahora bien, ¿por qué, al permitir grasas y aceites, me encuentro yo tan enfrentado a casi todos los miembros de los grupos de consenso, que parecen considerar ineludible la conclusión de que la restricción de grasas es el único medio aceptable para perder grasa? ¿En qué poderosos argumentos basan su conclusión de que están en lo cierto?

Sus argumentos han sido:

a) La grasa aporta demasiadas calorías, e ingeriremos menos calorías si ingerimos alimentos bajos en calorías.

b) Las dietas altas en grasas deben ser bajas en hidratos de carbono para resultar eficaces, y nunca estaremos dispuestos a vivir permanentemente sin algunos hidratos de carbono.

c) El hombre es, por naturaleza, fundamentalmente vegetariano.

d) Los alimentos animales están contaminados con peligrosas cantidades de hormonas del crecimiento y antibióticos, que todos debemos desear evitar.

e) Las dietas altas en grasas causan o contribuyen a las enfermedades del corazón.

f) Las dietas altas en grasas causan o contribuyen a ciertos tipos de cáncer.

Una serie de refutaciones

Descartemos rápidamente los tres primeros argumentos, todos los cuales me parecen a mí un tanto espurios.

Que ingerimos menos calorías cuando se elimina la grasa puede ser cierto cuando la ingestión de hidratos de carbono es elevada, pero no lo es, sin duda, con dietas bajas en hidratos de carbono. Dos recientes estudios llevados a cabo por Angelo Tremblay y sus colegas en la Universidad Laval, en Quebec, lo demuestran.[1] En estos estudios, se añadió grasa a una dieta alta en hidratos de carbono y se halló que los sujetos del estudio incrementaban su ingestión de calorías, pero cuando se añadía a una dieta baja en hidratos de carbono se producía un descenso de calorías porque los sujetos reducían notablemente su elección de alimentos con hidratos de carbono. La saciedad, después de todo, no es cuestión de engañar al estómago, es cuestión de factores humorales (elementos constitutivos de la sangre). Con una dieta baja en hidratos de carbono se come menos que con una dieta baja en grasas. Si no está convencido, pruebe ambas.

En respuesta a la idea de que no seremos felices sin hidratos de carbono, sólo puedo manifestar que hay más personas felices con la suculenta dieta Atkins, que contiene mantequilla y nata, que con alimentos menos espléndidos.

Que el hombre se desarrolló con una dieta baja en grasas o vegetariana simplemente no es verdad. Más significativo aún es el hecho de que hasta hace seis generaciones el consumo humano de hidratos de carbono refinados era casi nulo.

Con la cuarta objeción estoy de acuerdo. En efecto, hemos contaminado con hormonas y antibióticos nuestras provisiones de alimentos animales. Por desgracia, los críticos de las grasas que hablan de ello no siempre continúan diciendo que también hemos contaminado nuestras provisiones de alimentos vegetales con residuos de pesticidas y suelos tratados inorgánicamente. La situación ha llegado a una especie de punto muerto y no es un argumento que justifique preferir una clase de alimentos a otra. Desde que el científico alemán del siglo XIX barón Justus von Liebig inventó los fertilizantes químicos inorgánicos, hemos estado sometiendo a nuestro suelo y a los alimentos que crecen en él a procesos cuyas peligrosas consecuencias apenas si conocemos aún.

Mi recomendación es que, cuando ingiera alimentos animales, lo mismo que cuando coma alimentos vegetales, se tome la molestia de buscar, en la medida de lo posible, alimentos orgánicos no contaminados e, incluso, pague el sobreprecio que ello suponga. Frecuente las tiendas de alimentos dietéticos. Compre pollos y huevos de campo. Consiga carne de vaca de Coleman. Mel Coleman, un ranchero de Colorado, está causando conmoción en la industria ganadera al comercializar carne de vaca exenta de todo rastro de hormonas y antibióticos y, si me cree, también podrá saborear la diferencia. Es de esperar que cada vez vayan apareciendo más compañías como la de Coleman. Insista en su supermercado y hágales saber lo que le gustaría comprar. Le sorprenderá lo receptivos que son a los deseos de los clientes. Al fin y al cabo, son su medio de vida.

Veamos ahora en qué pruebas se basan las afirmaciones referentes a las causas productoras de cáncer y enfermedades cardiacas y, mientras lo hacemos, tenga presente que no existe ninguna buena prueba directa de que una dieta baja en hidratos de carbono conduzca a esos peligros para la salud. Por cada estudio de población demostrativo de que existe una relación entre cantidad de grasa y enfermedades cardiacas existen simultáneamente estudios demostrativos de que las dietas altas en hidratos de carbono van asociadas a la enfermedad cardiaca. Y otro tanto puede decirse del cáncer.

Los ataques cardiacos y nosotros

Se ha formulado la plausible afirmación de que la dieta moderna es responsable de la extraordinaria difusión de la enfermedad cardiaca en las sociedades industriales del siglo XX. Yo me siento inclinado a pensar que es verdad. Se ha afirmado también que nuestra sabrosa dieta alta en grasas es la culpable. Hace mucho, yo imaginaba que también esto era verdad, hasta que empecé a observar los datos históricos.

Tal vez se pregunte usted qué tiene que ver la historia con todo ello. Mucho, en realidad. El foco principal de atención intelectual con respecto al generalizado predominio de las enfermedades cardiacas se ha dirigido hacia lo que la medicina llama estudios epidemiológicos. Se trata de estudios sobre la incidencia estadística de las enfermedades en diversos grupos de población. Es una forma tosca y teórica de estudiar las enfermedades, pero ofrece también una perspectiva muy interesante.

Supongamos que a un investigador le llama la atención el hecho de que los beduinos nómadas del desierto no contraen enfermedades cardiacas, pero sí las contraen los cortadores de carne de Nueva York. Podría examinar las diferencias existentes entre ambos grupos, observar que los trabajadores de la alimentación comían considerablemente más cecina y, sobre la base de esta correlación, concluir que la grasa es la causa de sus enfermedades cardiacas. Naturalmente, si lo hiciese, habría pasado por alto el hecho de que la enfermedad cardiaca se correlacionaba también con el consumo de pan de centeno, con el consumo de mostaza y con el uso de fichas de abono al metro. O que la ausencia de enfermedades cardiacas se correlacionaba con el hábito de viajar en camello.

Hablando en serio, pues la epidemiología no tiene en realidad nada de risible, podría haber concluido que los cortadores de carne hacen menos ejercicio que los beduinos, o que fuman más cigarrillos, o que comen más azúcar, o que llevan vidas más tensas y ajetreadas. Si se hallara interesado en los factores medioambientales, podría dirigir su atención a las cantidades de plomo, ozono y otras sustancias químicas que los infortunados dependientes absorben a diario.

Pero la mayoría de las veces, si nuestro epidemiólogo es un epidemiólogo típico y quiere ser algún día jefe de epidemiología, hará lo que se espera de él y concluirá que la causa radica en la grasa tomada en los alimentos. (Como dice Claude Rains en *Casablanca*: «Echad el guante a los sospechosos de costumbre.») El que adopte esta conclusión forma parte del paradigma a que se ajusta un estadístico médico de una moderna facultad norteamericana de medicina, pero es fácil demostrar que no se trata de una conclusión que derive necesariamente de las pruebas.

En casi todas las sociedades en las que se ha sugerido que una elevada cantidad de grasa es causa de enfermedades cardiacas, la principal modificación alimentaria operada en este siglo ha sido un aumento en el consumo de azúcar, jarabe de maíz alto en fructosa, y harina blanca, todos ellos hidratos de carbono refinados. El capitán médico T. L. Cleave, que escribió el estudio clásico *The Saccharine Disease*, argumentó convincentemente que el origen del aumento de enfermedades de las arterias coronarias se podía hallar en el aumento de consumo de hidratos de carbono refinados.[2] Hizo notar que la diabetes, la hipertensión, las úlceras, la enfermedad de la vesícula biliar, venas varicosas, colitis y cardiopatías, por citar unas pocas, apenas se conocían en las culturas primitivas hasta la introducción de los hidratos de carbono refinados. Y no hubo excepciones. El proceso tardó veinte años en desarrollarse, por lo que Cleave enunció la «regla de los 20 años», que es el tiempo que, tras la introducción del azúcar u otros hidratos de carbono refinados en una cultura, tardan en comenzar a aparecer la diabetes y las cardiopatías en ese grupo de personas.

La verdad epidemiológica es que prácticamente todas las sociedades pobres y no industriales tienen tasas muy bajas de enfermedades cardiacas. La mayoría de ellas tienen también tasas muy bajas de consumo de azúcar, tasas muy bajas de consumo de grasas, tasas bastante bajas de urbanización y muchas otras diferencias con respecto a los modernos habitantes de Europa y América del Norte. ¿Cómo distinguimos cuál es el causante de la enfermedad cardiaca?

Hace una generación, el decano de los nutricionistas británicos, doctor John Yudkin, y el doctor Ancel Keys, mentor de gran número de nutricionistas norteamericanos, se enzarzaron en una inacabable batalla intelectual acerca de la epidemiología. Keys estudiaba naciones y culturas con distintos grados de enfermedad cardiaca y mostraba la estrecha relación existente entre la enfermedad cardiaca y la ingestión de grasa. Yudkin observaba las mismas estadísticas y encontraba una correlación casi idéntica con la ingestión de azúcar. El hecho es que en más del 90 % de las culturas existe una fuerte interrelación entre la ingestión de grasa y la ingestión de azúcar. Así pues, para elegir entre las dos teorías debemos volver la vista hacia las excepciones. Hagámoslo.[3]

Lo primero que podemos advertir es que en dos culturas primitivas, los esquimales de América del Norte y los masai del África oriental, una dieta alta en grasas no se correlaciona con enfermedad cardiaca, sino con la ausencia virtualmente completa de enfermedades cardiacas.[4]

Consideremos un par de países occidentales atípicos. En Islandia, las enfermedades cardiacas (y la diabetes) eran casi desconocidas hasta la década de 1930, aunque los islandeses seguían una dieta extraordinariamente alta en grasas. A principios de los años veinte, sin embargo, llegaron a la dieta islandesa los hidratos de carbono refinados y el azúcar y, conforme a la regla de los veinte años de Cleave, aparecieron puntualmente las modernas enfermedades degenerativas. En Yugoslavia y Polonia, por último, el desarrollo de elevadas tasas de enfermedades cardiacas a mediados de este siglo fue concomitante con una cuadruplicación de la ingestión de azúcar y se produjo pese a un fuerte descenso en la ingestión de grasas animales[5].

Estos estudios no demuestran nada. En general, los estudios epidemiológicos nunca lo hacen, pero, al igual que un examen histórico, arrojan serias dudas sobre la teoría de que las dietas altas en grasas son la causa principal de la epidemia de enfermedades cardiacas del siglo XX.

¿Qué nos dice la historia?

¿Por qué no tenían enfermedades cardiacas en siglos pasados? Porque no comían nuestra dieta, dice usted. Exactamente: no seguían la dieta alta en

286

azúcar y harina blanca que tomamos nosotros. Oh, ¿no se refería usted a eso? ¿Quiere decir que no comían una dieta alta en grasas? ¡Pero sí que lo hacían! Al menos un importante porcentaje de ellos. Todo el que gozaba de una posición desahogada —y a finales del siglo XIX eso incluía a un mínimo de varios millones de personas solamente en Estados Unidos— comía una dieta que contenía gran cantidad de carne, pescado, aves, huevos, mantequilla y manteca de cerdo. No había margarina, tenían suerte.

Estas personas comían, como siempre lo habían hecho las personas acomodadas, enormes cantidades de alimentos animales; sus comidas eran banquetes, con el pollo asado seguido de trucha fresca y precedido de asado de cerdo. Lean novelas del siglo XIX y captarán la idea. Sé que todos han visto *westerns*. Aquellas gigantescas conducciones de ganado que comenzaron en la década de 1860 tenían por objeto llevar las manadas hasta Chicago, desde donde se distribuía la carne roja de Estados Unidos.

¿Padecían enfermedades cardiacas como nosotros? La verdad es que no, en absoluto. Durante toda la segunda mitad del siglo XIX se realizaban investigaciones, se publicaban revistas médicas y, sin embargo, la enfermedad de las arterias coronarias era tan insignificante que el primer estudio sobre ella —en el que se examinaban cuatro casos— se efectuó en 1912.[6] Aquellos varios millones de acomodados norteamericanos que comían carne y consumían manteca de cerdo continuaron alimentándose principescamente de lo mejor que les daba la tierra y nunca pagaron el precio coronario, aparentemente porque no había ningún precio coronario que pagar. De hecho, los años finales del siglo XIX fueron la gran era de los patólogos y jamás se informó de una oclusión coronaria, perceptible incluso a simple vista.

Paul Dudley White, que más tarde sería cardiólogo personal de Eisenhower, recordaba que en todo un año (a comienzos de la década de 1920) de permanencia como médico residente en el hospital General de Massachusetts no vio un solo caso de infarto de miocardio (ataque al corazón).

La conclusión ineludible es que la enfermedad de las arterias coronarias era una dolencia rara en el siglo XIX. Pero ¿por qué estaba comenzando hacia 1912? Recordando la regla de los veinte años de Cleave, no puedo por menos de preguntarme si no dataría de la revolución de las bebidas de cola de principios de la década de 1890, que coincidió con la introducción de molinos harineros que producían una harina mucho más refinada.

Después de veinticinco años de tratar a pacientes cardiacos que experimentaban una sólida mejoría con la dieta que yo les prescribía, como le ocurrió a Patrick McCarthy —con carne, pescado y aves sin ningún tipo de limitación—, y en los que se habían manifestado toda clase de efectos nocivos mientras seguían dietas altas en hidratos de carbono, considero que existe una base firme para sostener que son precisamente las singulares características de la dieta del siglo XX lo que perjudica a la gente. Esas características singulares no son las grasas, sino los hidratos de carbono refinados, la peste de nuestro tiempo.

Dejemos ahí la cosa y echemos ahora un rápido vistazo al cáncer.

Cáncer

La misma defectuosa epidemiología que hemos visto con respecto a la enfermedad cardiaca se aplica al cáncer. Nadie sabe a ciencia cierta qué elemento de nuestro complejo entorno —incluido nuestro entorno nutricional— está contribuyendo muy directamente a nuestras explosivas tasas de cáncer. Pero hay sobradas pruebas de que no puede ser la grasa.

Para comprender esto, veamos primero los estudios de control de casos. En éstos, podríamos estudiar solamente a los cortadores de carne de Nueva York y observarlos a lo largo de un determinado periodo de años anotando quién caía víctima de qué afección. Si decidimos obtener de ellos información acerca de la dieta y el cáncer, recopilamos los nombres de todos los que desarrollaron la enfermedad y les interrogamos concienzudamente acerca de su dieta. Después, comparamos el perfil de comidas y bebidas de quienes contrajeron la enfermedad con el de los demás. Estudios como éste se hacen, en realidad, continuamente, pero unos son más importantes que otros. Y algunos son mejores porque recogen los datos alimentarios anteriores al desarrollo de la enfermedad.

Bien, pues el estudio sobre enfermeras llevado a cabo en Harvard fue uno de éstos, y siempre proporcionó material para titulares periodísticos. Después de todo, este enorme proyecto había estado observando a casi 90.000 enfermeras norteamericanas durante más de cuatro años y, como la mayoría de los estudios de control de casos tienen menos de mil sujetos, puede tener la seguridad de que los medios de comunicación estaban pendientes de cada palabra que pronunciaban el director del estudio, Walter Willett, y sus colegas.

Por este motivo, a finales de 1990, todos los periódicos publicaron en primera plana la noticia de que la grasa animal produce cáncer de colon. En las entrevistas, el doctor Willett indicaba que, si tuviéramos un mínimo de sentido común, todos restringiríamos nuestro consumo de grasas animales. Se podría apostar a que el estudio sobre enfermeras había encontrado pruebas poderosas y concluyentes de que la grasa animal es un asesino. Pero ¿quién ganaría esa apuesta?

Estudiemos su trabajo.[7] Dividieron cada factor examinado en quintiles, es decir, en cinco grupos de igual tamaño; así, el 20 % de enfermeras en que se daba la más alta ingestión de un cierto elemento nutricional, por ejemplo carne roja, se encuadraría en el quinto quintil, y el 20 % en que se daba la ingestión más baja en el primer quintil. Esto se hizo para todas las categorías nutricionales que los investigadores decidieron estudiar. De ese modo, podían observar cada variable dietética para ver si les era posible identificar elementos en los que la cantidad de cáncer existente en el quinto quintil fuese mucho mayor que en el primero.

En su estudio, publicado en *The New England Journal of Medicine*, encontraron 150 casos de cáncer de colon, lo cual significaba que cabía esperar 30 casos en cada quintil (150 dividido entre 5). ¿Y cuántos casos se presentaron en el quintil de más alta ingestión de grasa animal? Treinta y ocho casos. Estadísticamente significativo, sí, pero de magnitud tan pequeña que, decididamente, no vale la pena abandonar una dieta que controla la presión sanguínea y el peso, proporciona bienestar y mantiene bajos los niveles de lípidos en la sangre.

Recuerde que esta parte del estudio sobre enfermeras no hablaba de todas las clases de cáncer, sino sólo del cáncer de colon. Algunos de ustedes recordarán que el cáncer de mama es otro de los que se supone producidos por la grasa animal. Así lo afirman las agencias gubernamentales oficiales. ¿Qué dijo acerca de este tema el estudio sobre enfermeras?

En el estudio de Willett sobre el cáncer de mama,[8] era el quintil bajo en grasa el que se destacaba de todos los demás. Todas las mujeres cuya ingestión total de grasas era el 33 % o más desarrollaban cáncer de mama en una proporción de 114 casos por quintil (636 por 100.000), pero el único quintil cuya ingestión total de grasas era inferior al 33 % de la dieta, como los organismos gubernamentales sugieren que debe ser, presentaba nada menos que 145 casos, lo cual equivale a 813 casos por 100.000.

El equipo de Willett negó que este resultado fuese estadísticamente significativo, pero mi analista estadístico dice que, sin duda alguna, lo es. De hecho, la probabilidad de que estas cifras, que apuntan a la baja ingestión de grasas como factor coadyuvante del cáncer de mama, fueran fruto de la casualidad es sólo del 1 % y lo que realmente indican es la más significativa relación entre dieta y cáncer jamás descubierta epidemiológicamente.

Volviendo por un momento al estudio sobre las pruebas que los investigadores de Harvard acumularon, podrían haberse anunciado ya a partir de algunos de los anteriores estudios de control de casos más pequeños pero bien realizados. Estudios llevados a cabo en Marsella, París, Japón y Bélgica no consiguieron demostrar ninguna correlación entre la ingestión de grasas y el cáncer de colon.[9] El estudio belga de 1989 pudo señalar al que yo creo que es el verdadero criminal; los oligosacáridos, más conocidos como azúcares simples.

¿Y si el capitán médico Cleave y el profesor John Yudkin tuviesen razón? Yo creo que las pruebas son sorprendentemente sólidas. Después de todo, la gente toma más grasas porque ingiere más azúcar, ya que el azúcar conduce a una mayor ingestión de calorías y a la obesidad. Y el azúcar es el cancerígeno más frecuentemente consumido del mundo occidental.

Estoy seguro de que quiere usted saber por qué. El gran científico Otto Warburg, galardonado con el premio Nobel, podría habérselo dicho. Las células cancerosas se alimentan de azúcar, en lugar de oxígeno, como las células normales. La ingestión de azúcar eleva el nivel de glucosa y proporciona el combustible selectivamente utilizable por las células cancerosas.[10]

El científico ruso doctor Vladímir M. Dilman, de prestigio internacional, que escribió en los *Annals of the New York Academy of Science*, presenta pruebas más convincentes aún en apoyo de la teoría que atribuye a los hidratos de carbono la causa del cáncer.[11] Él pudo demostrar que las pacientes de cáncer de mama producían un 22 % más de insulina que las sanas; los pacientes de cáncer de colon tenían un 29 % más de triglicéridos en la sangre; y que las pacientes de cáncer de colon, de recto y de endometrio tenían el doble de probabilidades de dar a luz hijos con sobrepeso en el momento del parto. Esto, más unos niveles elevados de insulina y triglicéridos, constituyen señales de un alterado metabolismo del azúcar.

Queda claro, pues, que se ha demostrado epidemiológica y lógicamente que el azúcar es un firme candidato a ser la principal causa alimentaria del cáncer, mucho más firme quizá que la grasa.

Pero, dirá usted, estos científicos de Harvard debieron de sentirse indiferentes a lo que sus datos les mostraban sobre la correlación entre el cáncer y la ingestión de azúcar.

Discretamente, pedí a uno de mis colegas que les llamara y les preguntase: «Doctores, ¿qué han descubierto con respecto al cáncer de mama y de colon y la ingestión de azúcar?»

Respuesta: «No hemos prestado atención a

eso; no consideramos que pudiera tener ninguna relevancia.»

Noventa mil enfermeras estudiadas, cantidades astronómicas de dólares de los contribuyentes gastadas a través de los institutos nacionales de la salud, ¡y no prestaron atención al azúcar! No lo hicieron porque llevaban unas anteojeras en las que figuraba escrito con tinta indeleble: «Los buenos discípulos sólo se fijan en la grasa.» Es una buena forma de demostrar la conclusión a la que ya se ha llegado (aunque no les sirvió de gran cosa en el estudio del cáncer de mama), pero es una manera muy errónea de hacer ciencia. ¿De verdad se pueden pasar por alto con tanta facilidad los mecanismos endocrinos que enlazan el azúcar con el cáncer y que se describen en las publicaciones médicas?

Mi colega y yo estábamos preocupados. Sabiendo que el exceso de casos de cáncer de mama con dietas bajas en grasas superaba por cuatro a uno a los casos de cáncer de colon con dietas altas en grasas, y que el cáncer de endometrio relacionado con el azúcar no aparecía en ningún documento del estudio sobre enfermeras, nos preocupaba legítimamente el verdadero significado de este servicio: la incidencia general del cáncer.

Así que preguntamos:

—¿Qué datos tienen ustedes sobre la ingestión de grasas y los casos totales de cáncer?

Extrañamente, la respuesta fue:

—No tenemos esos datos; no constituyen una información útil.

¿Qué le parece? Yo no puedo por menos de

imaginarme a Peter Falk en el papel del detective Colombo, de pie en el umbral, con su arrugada gabardina, a punto de salir y volviéndose para hacer una última pregunta. Tocándose con los dedos la fruncida frente, dice:

—Sólo una cosa más, profesor. No entiendo gran cosa de ordenadores y sé que va a pensar que soy un pelma, pero tengo que hacerle esta pregunta. En un estudio de esta magnitud, con todos esos datos sobre 90.000 enfermeras, lo que comían, qué enfermedades tenían, quién vivía y quién moría, y todo lo demás, hay un detalle que me desconcierta. ¿Cómo programa usted su ordenador de modo que se quede sin conocer el total de casos de cáncer?

Nuestro modesto detective compartía conmigo la sospecha de que los datos sobre la incidencia general de cáncer no respaldaban la idea preconcebida de los enemigos de la grasa, por lo que, simplemente, no hablaban de ellos.

Si los datos hubiesen mostrado una correlación entre la grasa y todos los casos de cáncer, puede apostar cualquier cosa a que el hecho habría sido recogido y difundido por todas las agencias de noticias del mundo occidental.

Lo que a los paranoides existentes entre nosotros parece un ocultamiento deliberado no es, desde luego, nada más que exceso de celo, una cualidad muy extendida entre los científicos. Para ilustrar este punto, consideremos una reciente audiencia sobre la cuestión de la grasa alimenticia y el cáncer celebrada por la FDA y publicada en el Registro Federal.[12] La conclusión fue:

Todas las pruebas públicamente disponibles avalan la conclusión de que las dietas altas en grasa aumentan el riesgo de cáncer y, lo que es más importante, que las dietas bajas en grasa se hallan asociadas con un menor riesgo de cáncer.

Solamente hay un inconveniente. La literatura citada en esta importante publicación sanitaria federal contenía el estudio de Harvard sobre enfermeras acerca del cáncer de colon, pero no el estudio sobre el cáncer de mama del que acabo de hablarle, en el que se encontraron treinta y un casos más en el 20 % de enfermeras con el consumo más bajo de grasa animal. Naturalmente, lo comprobé hasta la saciedad. ¿Podía ser cierto? En efecto, lo era.

Los estudios citados en la sección sobre el cáncer contenían muchos informes, muy reducidos y necesariamente superficiales, sobre 200 o 300 sujetos, pero no el mayor estudio sobre el cáncer jamás realizado, un estudio sobre 90.000 sujetos realizado por los mismos investigadores del departamento de epidemiología de Harvard, utilizando las mismas enfermeras y publicado por el mismo *New England Journal of Medicine* que el estudio sobre el cáncer de colon tan ampliamente difundido. (Faltaban también otros estudios que mostraban la ausencia de relación entre el cáncer de mama y la dieta alimenticia.) Siento una gran curiosidad por estas omisiones. Espero que no se tarde en ofrecernos una explicación. Sé que los expertos de consenso estudian atentamente los datos que les facilitan los miembros del grupo de consenso. Es lamentable que la política de salud nacional pueda verse influida hasta tal punto por ayudantes investigadores tan sobrecargados de trabajo que pasan por alto pequeños detalles tales como el estudio sobre el cáncer de mama más importante jamás realizado.

Sin embargo, no he escrito este capítulo para centrar su atención sobre posibles discrepancias entre descubrimientos científicos y las creencias de determinados científicos, sino para asegurarle que la próxima vez que se vea usted ante una tortilla de tocino y queso que desea ardientemente, pero a la que teme acercarse, no sienta el menor miedo. Las pruebas de que vaya usted a contraer enfermedad cardiaca o cáncer a consecuencia de la grasa presente en su dieta no son sólidas, sino débiles; no son persuasivas, sino sumamente dudosas.

Se están haciendo pasar falsas acusaciones como si de un auténtico evangelio científico se tratara, simplemente porque aquellos en quienes nuestros dirigentes políticos confían en el plano científico se han vuelto hace tiempo fieles devotos de la causa de las dietas bajas en grasas y no sienten el menor escrúpulo en distorsionar las pruebas, aunque tal vez imaginen que, al hacerlo, están realizando un servicio público.

Espero que la precedente exposición le haya hecho ver que tampoco existe unanimidad científica sobre esos puntos.

Al igual que con muchas otras consideraciones

que afectan a la salud, la mejor forma de sobrevivir es hacerse lo bastante crítico como para tomar uno mismo sus propias decisiones.

NOTAS

1. Tremblay, A. y otros: «Nutritional determinants of the increase in energy intake associated with a high-fat diet», *The American Journal of Clinical Nutrition* 53, 1991, págs. 1.134-1.137.

2. Cleave, T.L.: *The Saccharine Disease* (New Canaan, Connecticut, Keats), 1978.

3. Mastroni, P.: Boletín de la Organización Mundial de la Salud 42, 1970.

4. McGill, Jr., H.C.: «The relationship of dietary cholesterol to serum cholesterol concentration and to atherosclerosis in man», *The American Journal of Clinical Nutrition* 32, 1979, págs. 2.664-2.702.

5. Mastroni, P.: *op. cit.*

6. Herrick, J.B.: «Clinical features of sudden obstruction of the coronary arteries», *Journal of the American Medical Association*, 1912, LIX, 2.105.

7. Willett, W.C. y otros: «Relation of meat, fat and fiber to the risk of colon cancer in a prospective study among women», *The New England Journal of Medicine* 323 (24), 1990, págs. 1.664-1.672.

8. Willett, W.C. y otros: «Original article: dietary fat and the risk of breast cancer», *The New England Journal of Medicine* 316 (1), 1987, págs. 22-28.

9. Macquart-Moulin, G. y otros: «Case-control

study on colorectal cancer and diet in Marseilles», *International Journal of Cancer* 38 (2), 1986, págs. 183-191. También Berta, J.L. y otros: «Diet and rectocolonic cancers. Results of a case-control study», *Gastroenterologic Clinique et Biologique* 9 (4), 1985, págs. 348-353. También Haenszel, W. y otros: «A case-control study of large bowel cancer in Japan», *Journal of National Cancer Institute* 64 (1), 1980, páginas 17-22. También Tuyns, A.J. y otros: «Colorectal cancer and the intake of nutrients: oligosaccharides are a risk factor, fats are not. A case-control study in Belgium», *Nutrition and Cancer* 10 (4), 1987, págs. 181-196.

10. Warburg, Otto: *The Metabolism of Tumors* (Londres, Constable and Co.), 1930.

11. Dilman, V.M.: «Pathogenic approach to prevention of age associated increase of cancer incidence», *Annals of the New York Academy of Science* 621, 1991, págs. 385-400.

12. *Federal Register*, Documento del Departamento de Agricultura, 56 (n.º 229), 27 de noviembre de 1991, págs. 60.764-60.824.

CUARTA PARTE

CÓMO CREAR LA DIETA VITALICIA

*Volvemos aquí de nuevo a la dieta. Algunos de
ustedes, naturalmente, no la habrán
abandonado desde el día en que comenzaron su
inicial esprint de catorce días. Los demás
habrán hecho una pausa reflexiva para
considerar el significado de sus primeros
resultados. Evidentemente, les han gustado.
Ahora se disponen a comenzar la parte más
importante del programa. Se disponen a
crearse una dieta para sí mismos, una dieta
que se acomode a sus estilos de vida, sus
preferencias gastronómicas, sus intolerancias
alimentarias, sus metabolismos, sus problemas
médicos e, incluso, a sus capacidades para
enfrentarse a la tentación. La búsqueda de la
salud y la delgadez está en marcha. Me atrevo
a decir que sus perspectivas de éxito nunca han
sido mejores.*

17

Pérdida de peso progresiva: la dieta de reducción básica

Si ha culminado usted la quincena del nivel de inducción de la dieta y está dispuesto a seguir, entonces se halla próximo a convertirse en un dietista serio en el mejor sentido posible. Continuamos con lo que yo llamo la dieta de Pérdida de Peso Progresiva (PPP) y ésta, aunque más indulgente que su inicial dieta de catorce días, le mostrará, sin duda, lo que puede hacer por usted una dieta movilizadora y disolvente de grasas, pero que contiene también grasas. Después de la PPP, pasará usted a la importante, aunque relativamente breve, fase de dieta de premantenimiento y, luego, a la dieta de mantenimiento vitalicia. Descubrirá que todas y cada una de esas fases resultan agradables y cómodas.

Yo no le voy a dejar nunca en la estacada, con sus kilos perdidos y sin otra cosa que hacer sino volverlos a recuperar. Y nunca le introduciré en una fase que resulte difícil o que le haga sentirse incómodo.

Usted ha empezado ya a saborear cambios positivos. Es un placer perder peso, pero yo creo que es más atrayente aún el placer de mejorar la calidad de vida al poder tomar, sin pasar hambre, comidas sanas y satisfactorias.

Y permítame decirle también que apetitosas. Quizá las chuletas de cerdo o los huevos con tocino figuraban entre los manjares que una dieta baja en grasas le había prohibido. Ahora está usted siguiendo una dieta que es tan sana como puede aspirar a serlo la dieta baja en grasas más rigurosa y, por consiguiente, estos manjares, y muchos otros, pueden volver de nuevo a su mesa.

¿Jugoso solomillo asado a la parrilla? ¿Costilla de vaca a la brasa? ¿Salmón hervido con salsa bearnesa? ¿Pato crujiente en un restaurante chino? ¿Pollo frito en sartén? Que aproveche.

Pero sé que usted no olvida (ni quiere olvidar) que el motivo inicial para abordar este libro fue, a buen seguro, su exceso de peso.

Centremos la atención en la pérdida de peso y, a medida que el capítulo vaya avanzando, verá que no tiene por qué volver a ser gordo jamás.

En primer lugar, considere que es realmente útil saber cuántos kilos desea perder. Le proporciona un polo de atención. Le mantiene disciplinado de forma psicológicamente agradable, ya que, semana tras semana, usted verá cómo van desvaneciéndose los kilos. Después de tantos años de ser un enemigo, la balanza de su cuarto de baño está a punto de convertirse en su mejor aliado.

Quisiera recordarle una vez más que hay personas que no pueden acostumbrarse a esta dieta porque no pueden superar la primitiva y generalizada idea de que la dieta es algo que se toma y que se deja, como si fuese un autobús. Pero una dieta no es una excursión, y esos dietistas —los que no adoptan un compromiso serio— suelen ser los mismos individuos que necesitan adelgazar dieciocho kilos, pero pierden interés cuando llegan a los doce. Vuelven a su antigua dieta y cuatro o cinco meses después están de nuevo donde empezaron.

Puede usted estar seguro de que este tipo de persona hará lo mismo también con la dieta Atkins. Cualquier dieta «fracasará» si se utiliza como simple instrumento para una rápida y fácil pérdida de peso y no la adapta uno a sus propios gustos como régimen alimenticio para toda la vida.

La mejor forma de lograr el objetivo —que para un gran porcentaje de ustedes será su destino— de alcanzar el peso deseado y permanecer siempre en él es considerar de manera realista qué niveles de ingestión de hidratos de carbono le son aplicables a cada uno.

Mientras está perdiendo peso, necesita usted hallar un nivel de restricción de hidratos de carbono que mantenga la cetosis/lipólisis. Así, disolverá usted su grasa; controlará su apetito lo suficiente como para dominar su impulso de comer lo que no le está permitido; e ingerirá alimentos sanos que le gustan. Tome el bienestar físico y emocional provocado por la cetosis/lipólisis y combínelo con el placer gustativo de una dieta espléndida y sabrosa. Resultado: un ser humano sano y feliz.

Yo creo que este resultado es mucho mejor que las tristes recaídas del viajero de autobús que he descrito antes.

En este capítulo aprenderá usted a realizar la PPP. Comencemos determinando sus objetivos físicos.

Haga una pausa para reflexionar

Es el momento de que se mire seriamente el cuerpo y decida qué quiere hacer con él y qué aspecto quiere que tenga. Sea realista. Considere con seriedad qué quiere ser físicamente. Con toda probabilidad, no espera ya ser un atleta olímpico o una modelo. Por el contrario, tal vez esté contemplando el otro extremo, con la vista dirigida hacia objetivos demasiado modestos, como ser menos gordo y relativamente sano. Sé que muchos de mis pacientes acuden a mí pensando que conseguir esos objetivos sería estupendo, incluso más de lo que aspiran.

Francamente, yo creo que debería usted apuntar a miras más altas. ¿Qué tal un peso ideal, salud excelente, un vigor sorprendente para su edad y algo más que usted siempre esperó volver a tener? Confíe en mí, eso no es demasiado ambicioso. Es realista. Y cuando se logra, le aseguro que es muy satisfactorio.

El cuerpo humano responde con bastante rapidez a determinados esfuerzos por mejorarlo. Los kilos se desvanecen, la presión sanguínea desciende y los niveles de colesterol y triglicéridos empiezan a retirarse de sus turbadoras alturas, los niveles de glucosa e insulina en sangre se estabilizan rápidamente con una dieta como ésta y la persona humana entera comienza a sentirse mejor. Esto sucede en respuesta a una dieta adecuada; sucede a personas que dejan de agredir sus organismos con cafeína, alcohol y drogas; sucede a personas que toman grandes dosis, inteligentemente elegidas, de vitaminas y minerales; sucede con un adecuado y gradual programa de ejercicio. Su cuerpo responderá lo mismo que responden los cuerpos de otras personas. No hay ningún misterio. Su cuerpo es un organismo extraordinariamente elástico y sorprendentemente vigoroso y aceptará todo lo bueno que se le haga y sacará el máximo partido de ello. Si la mayor parte de lo que usted le ha hecho a su cuerpo es pernicioso, entonces él ha permanecido agazapado en una postura defensiva, tratando de sobrevivir a la agresión. Si sigue usted todos los consejos que he enunciado antes, en el transcurso de pocas semanas advertirá notables mejoras en su estado. Aunque siga solamente un par de ellos, ya notará un cambio positivo.

Este libro trata fundamentalmente de la dieta y, con toda franqueza, mi experiencia me dice que la dieta importa más que ninguna otra cosa. Como sabe, en este libro siento también las bases de un programa completo de suplementación nutricional y en el capítulo 20 describo los aspectos básicos de un buen programa de ejercicios. Así que ahora centremos nuevamente la atención en nuestra primera cuestión.

¿Cuándo se ha sentido usted mejor y ha tenido mejor aspecto? ¿Cuánto pesaba entonces? ¿Puede volver a pesarlo cómodamente? No pase por alto la pregunta. Como siempre he dicho, usted es el mejor experto sobre su cuerpo.

Cualquiera que fuese su peso ideal, usted puede, casi con toda certeza, alcanzarlo de nuevo. ¿54 kilos? ¿64? ¿77? ¿Por qué no lo intenta?

Alcanzar el peso ideal

No debe sonar como si se tratara de escalar el Everest. Yo sé que, si es usted metabólicamente similar a los 25.000 pacientes con exceso de peso a los que he atendido durante el último cuarto de siglo, tiene grandes probabilidades de conseguirlo.

Una vez que logre su objetivo, puede mirarse en el espejo y sentirse triunfante.

¿Tiene usted una idea clara de su peso ideal —el peso perfecto para su complexión y su desarrollo muscular— cuando era un joven adulto? Muchas personas conocen bastante bien esa cifra. Tuvieron ese peso durante buena parte de su vida y se encontraron con que ganaban peso sólo después de ciertos acontecimientos concretos, como casarse, tener hijos, dejar de fumar, empezar o suspender una medicación.

Muchos otros han sido siempre «rechonchos» y, si usted encaja en esta segunda categoría, tal vez tenga que recurrir a las no muy exactas tablas de las compañías de seguros. Reproduzco una de ellas en el cuadro 17.1. Dista mucho de ser perfecta, pero al menos proporciona una cifra aproximada a la que apuntar.

Y volvamos ahora a la tarea de mantener esa pérdida de peso que tan felizmente ha comenzado usted.

Cuadro 17.1

PESOS DESEABLES PARA HOMBRES Y MUJERES DE 25 AÑOS Y MÁS*

en kilos, según su estatura y complexión, en ropa de casa y con zapatos

ESTATURA	COMPLEXIÓN DELGADA	COMPLEXIÓN MEDIANA	COMPLEXIÓN ROBUSTA
HOMBRES			
1,55	50-54	53-58	57-64
1,57	52-56	55-60	58-65
1,60	53-57	56-61	60-67
1,62	55-58	57-63	61-69
1,65	56-60	59-65	62-70
1,68	58-62	61-66	64-73
1,70	60-64	62-69	66-75
1,73	61-65	64-70	68-77
1,75	63-68	66-72	70-79
1,78	65-70	68-75	72-81
1,80	67-71	70-77	74-83
1,82	69-73	71-79	76-85
1,85	70-75	73-81	78-88
1,87	72-77	75-84	80-90
1,90	74-79	78-86	82-92
MUJERES			
1,45	41-44	43-48	47-54
1,48	42-46	44-50	48-55
1,50	43-47	46-51	49-56
1,52	45-48	47-52	51-58
1,55	46-50	48-54	52-59
1,57	47-51	50-55	53-60
1,60	49-52	51-57	55-62
1,63	50-54	52-59	56-64
1,65	51-56	54-61	58-66
1,68	53-57	56-63	60-68
1,70	55-59	58-65	62-70
1,73	57-61	60-66	64-71
1,75	59-63	62-68	65-74
1,78	60-65	63-70	67-76
1,80	62-67	65-72	69-78

* Adaptado de Metropolitan Life Insurance Co., Nueva York. Nuevas pautas de peso para hombres y mujeres, boletín estadístico 40.3, nov-dic, 1959.

Conozca sus niveles

Examinemos primero su pérdida de peso durante la primera quincena de la dieta y el grado de resistencia metabólica que ello indica. El cuadro 17.2 le dará una idea general del lugar que usted ocupa dentro del marco de la resistencia metabólica.

Cuadro 17.2

Pérdida de peso durante las dos primeras semanas de dieta cetogénica en tres niveles de obesidad

Grado de resistencia metabólica para hombres

Kilos perdidos en los primeros catorce días cuando la resistencia metabólica es:

Kilos por perder	Alta	Media	Baja
Menos de 10	2	3	4
De 20 a 25	3	5	7
Más de 25	4	7	10

Grado de resistencia metabólica para mujeres

Kilos perdidos en los primeros catorce días cuando la resistencia metabólica es:

Kilos por perder	Alta	Media	Baja
Menos de 10	1	2	3
De 20 a 25	1,5	3	5
Más de 25	2	4	7

Como sin duda habrá adivinado, el grado de resistencia a perder peso que su cuerpo manifiesta se corresponde con su grado de dificultad para entrar en estado de cetosis/lipólisis. Por definición, la resistencia a perder peso es resistencia a la cetosis.

Ahora bien, en la dieta de inducción que acaba usted de terminar, le pedí que siguiera el nivel más estricto de la dieta baja en hidratos de carbono. Estaba usted consumiendo de 15 a 20 gramos de hidratos de carbono. Una estrategia inteligente. Si su cuerpo era capaz de entrar en cetosis, lo haría. La dieta era extremadamente baja porque yo quería poner de manifiesto la lipólisis para todo el mundo, desde la persona que realmente puede perder peso con toda facilidad casi con cualquier dieta hasta el caso más difícil, la persona que, hasta el momento de adoptar la dieta Atkins, pensaba que perder peso era casi por completo imposible.

Y estoy seguro de que más del 95 % de ustedes se ha encontrado con que estaba perdiendo peso. El otro 5 % tendrá que consultar el capítulo siguiente y trabajar con la dieta especial que he elaborado para pacientes de resistencia metabólica extrema.

Pero si es usted un dietista normal, ahora entrará en una versión un poco más generosa de la dieta Atkins y en una etapa crucial para conocer los parámetros de su programa vitalicio. Averiguará usted cuál es el nivel más generoso de consumo de hidratos de carbono que corresponde a su propia capacidad metabólica individual para seguir perdiendo kilos de más. Éste es el nivel máximo de hidratos de carbono para la pérdida progresiva de peso, su Nivel Crítico de Hidratos de Carbono para Perder Peso (NPP).

Naturalmente, debe pasar a esta fase de la dieta con la máxima cautela. Hago hincapié en la importancia de atenerse en estos primeros días a las verduras bajas en hidratos de carbono, frutos secos y otros acompañamientos de comidas. No queremos que salga usted del estado de cetosis/lipólisis y concluya la elaboración, semejante a la de una hormona, de la SMG. Si tal cosa ocurriera, tendríamos que reanudar inmediatamente la dieta de inducción o, como me veo obligado a regañar a tantos de mis pacientes: «Vuelva al cuadro uno.»

Recuerde que algunos alimentos muy comunes tienen cantidades de hidratos de carbono considerables. Un pomelo tiene unos 20 gramos y una manzana sólo ligeramente menos. Compare eso con el hecho de que aproximadamente el 40 % de las mujeres con exceso de peso debido a causas metabólicas no puede adelgazar si no come menos de treinta gramos de hidratos de carbono al día.

Por consiguiente, son éstos los alimentos que tal vez deba usted comer siempre con gran moderación, por lo que debe reservarlos para más adelante. Habrá tiempo de sobra para probarlos en su dieta de mantenimiento.

Recuerde que la mayoría de las frutas son altas en azúcares naturales y que su tendencia a desarrollar trastornos relacionados con la glucosa y la insulina siempre hará que le resulte un poco arriesgado comer fruta.

Un número personal privado sólo para usted

Recuerde dos principios básicos:

1. Con esta dieta, su tasa de pérdida de peso es generalmente proporcional a su exclusión de hidratos de carbono.
2. El nivel de hidratos de carbono que está consumiendo se puede medir, y así, si lo desea, puede asignar magnitudes numéricas a los alimentos con hidratos de carbono que está comiendo y decidir cuánto consume de esto o de aquello. Vea la Tabla de Hidratos de Carbono del final del libro, así como el cuadro 17.2 de este capítulo.

Teniendo eso presente, quisiera referirme al nivel de consumo de hidratos de carbono por debajo del cual puede usted perder peso y que es su NPP. Por debajo de este número tendrá una pérdida de peso progresiva. Hay dos formas de determinar este NPP. Cuál elija usted dependerá de su personalidad. Si es una persona precisa y metódica, a la que gusta pesar, medir y contar, averiguará el número exacto. Lo hará aumentando la cantidad de hidratos de carbono que come además de la ensalada que tomaba en la dieta de inducción.

Y, mientras lo hace, calculará los gramos de hidratos de carbono que contiene cada uno de sus incrementos. Por lo general, yo considero que un incremento de cinco gramos diarios de hidratos de carbono representa un «nivel» de la dieta.

Acabará llegando a un número en el que deja de perder peso. Ése es su NPP. Por encima de él, no pierde más peso o empieza a ganarlo. Por debajo, se encuentra a dieta en el sentido más difundido de la expresión: es decir, está perdiendo peso.

Para las personas amantes de la precisión y de mentalidad matemáticas, el NPP será un número bastante exacto.

Podrá usted decirle a otro dietista Atkins: «Mi nivel crítico de hidratos de carbono para perder peso es 45 gramos», o 32, o quizá sólo 19.

Por el contrario, tal vez sea usted una persona que prescinde de cálculos minuciosos y precisos. No hay nada malo en ello. Si no le gusta ocuparse de números, entonces su modo de proceder será más sencillo aún. Irá aumentando el consumo de hidratos de carbono hasta que su pérdida de peso empiece a tornarse imperceptible y volverá entonces a descender a partir de ese nivel. Podrá calcular de forma aproximada cuánta ensalada y verduras está comiendo y, siempre que tenga buen ojo para cantidades constantes, todo irá bien.

Si rebasa el NPP, la balanza denunciará el error y usted introducirá los ajustes consiguientes. Quizá se pregunte qué papel desempeñan en esto las tiras de prueba de la lipólisis (TPL). Generalmente, se decoloran y no cambian al púrpura cuando se llega a un punto ligeramente inferior al NPP. Cuando eso sucede, su NPP está sólo unos pocos gramos de hidratos de carbono más arriba.

La única confusión es que todo el mundo alcanza mesetas (periodos en los que no se produce ninguna pérdida de peso). Los primeros periodos en los que no se pierde peso serán muy probablemente mesetas y casi nunca representan la consecución del NPP. Para identificar su NPP, debe usted cerciorarse de que lleva varias semanas sin perder kilos ni centímetros. Si se siente irritado por el tiempo transcurrido en esa situación, puede empezar a aprender su primera lección: no tenga prisa por terminar; éste es un programa de pérdida de peso que no tiene final.

En una etapa posterior de la dieta, cuando haya perdido casi todo el peso que ha estimado necesario, abandonará la dieta de pérdida de peso progresiva y atravesará (generalmente a lo largo de un par de semanas, aunque algunas personas podrían necesitar un par de meses) la importante fase de premantenimiento, para pasar luego a la dieta de mantenimiento. En ese punto habrá otro nivel delimitativo: su Nivel Crítico de Hidratos de Carbono para Mantenimiento (NM) será el número máximo de gramos de hidratos de carbono que puede consumir sin empezar a ganar peso de nuevo.

Para la mayoría de ustedes, ya delgados dietistas Atkins, ese número se hallará en algún punto de una amplia gama que va desde 25 a 90 gramos diarios. Vea el cuadro 17.3.

El grado de resistencia metabólica se calcula quizá mejor a partir de los NPP que de los datos extrapolados de la respuesta a una dieta de prueba de catorce días. Mientras continúa con la dieta, tendrá, mirando esta tabla, una idea más exacta de su grado de resistencia metabólica.

Cuadro 17.3

NIVELES DE HIDRATOS DE CARBONO
Y RESISTENCIA METABÓLICA

Resistencia metabólica	Nivel de pérdida de peso progresiva (NPP)	Nivel de mantenimiento (NM)
Alta	15 o menos	25-40
Media	15-40	40-60
Baja	40-60	60-90

Subir la escala de los hidratos de carbono

Si desea una forma bastante fácil y sistemática de incrementar la cantidad de hidratos de carbono saludables que puede consumir mientras sigue perdiendo peso, mi sugerencia es que lo haga por incrementos de 5 gramos. Por ejemplo, medio aguacate, una taza de coliflor, de 6 a 8 tallos de espárragos y 30 gramos de semillas de girasol constituyen todos ellos incrementos de 5 gramos de hidratos de carbono.

Trece fresas de tamaño medio son un incremento de cinco gramos, y también 150 gramos de queso curado. Consulte el cuadro 17.4, para elegir otras posibilidades o pase a la tabla de hidratos de carbono que figura al final del libro.

Ahora que ya ha superado usted la simplicidad de una sola ensalada de la fase de inducción de la dieta Atkins, ¿por qué no se agencia una pequeña libreta y lleva la cuenta de los alimentos que come diariamente? ¿No le dije que podía usted sustituir la fuerza de voluntad por el cerebro? Bien, pues ahora puede suministrar esta información a su cerebro. Cuanto más sepa acerca de las cantidades de hidratos de carbono contenidas en los alimentos que come, o quiere comer, mejor equipado estará para diseñar una eficaz estrategia de dieta.

Entretanto, mientras continúa elevando su nivel de ingestión de hidratos de carbono (y aunque no lo haga), observará una reducción del ritmo a que está perdiendo peso. Lo que tarde en notar esos cambios constituye otra indicación sobre el grado de su resistencia metabólica a perder peso.

Con los 15 gramos de la dieta de inducción puede que haya estado usted perdiendo dos kilos a la semana. Entre los primeros siete y diez días puede que esa pérdida haya sido de peso de agua, ya que la dieta produce un efecto fuertemente diurético. Quizá su nivel real de pérdida de peso en la etapa rigurosa de la dieta Atkins fue de un kilo semanal de grasa, o aproximadamente cuatro kilos al mes.

No se trata de una tasa poco habitual de pérdida de peso. Cuando vino a verme, Madge O'Hara pesaba 70 kilos con una estatura de 1,57 y se proponía bajar hasta los 52. En el primer mes perdió 9 kilos y supongo que dos o tres de ellos eran el peso del agua eliminada. El mes siguiente perdió 3 kilos. Para entonces estaba en un nivel considerablemente más elevado de la dieta y fue perdiendo pausadamente los 6 kilos que la separaban de su objetivo. Estos kilos tardaron diez semanas completas en desaparecer, mas para entonces sabía exactamente cómo iba a comer durante el resto de su vida.

Cuadro 17.4

INCREMENTOS DE HIDRATOS DE CARBONO

Alimento	Cantidad	Gramos de hidratos de carbono
Almendras	15	4
Anacardos	11-12	5
Nueces de Australia	12	4
Nueces de Brasil	10	4
Pistachos	50	5
Semillas de girasol	30 g	6
Apio	3 tallos de 12 cm	4
Coles de Bruselas	1/2 taza	5
Coliflor	1 taza	5
Colinabos	1 taza	5
Endibias	1 taza	2
Espárragos	6 tallos	5
Espinacas	1/2 taza	5
Glicina	1/2 taza	11
Rábanos	20 tamaño medio	5
Setas	10 pequeñas	4
Tomate frito	1/2 taza	5
Requesón	1 taza	6
Queso de granja	30 g	6
Zumo de limón	1/2 taza	8
Zumo de tomate	1/2 taza	5
Bayas	21 tamaño medio	5
Frambuesas	17 tamaño medio	5
Fresas	13 tamaño medio	5

Ahora que está usted suavizando la dieta, debe esperar que se produzca una disminución gradual del ritmo a que pierde peso. Un hecho adicional, observado en cualquier dieta, es que el ritmo de pérdida de peso se hará más lento a medida que el dietista se aproxima al peso ideal. Una regla muy importante es decidir tomarse dos meses o más para eliminar los últimos cuatro kilos. Esto le sitúa en el nivel de premantenimiento de la dieta, un nivel casi imperativo si se ha de lograr una pérdida de peso permanente. Nunca insistiré lo suficiente en lo ventajoso que es pasar con suavidad a la dieta de mantenimiento, en lugar de realizar una transición brusca. Éste es el punto en que las dietas usuales defraudan a sus seguidores.

Por otra parte, si al terminar la dieta de inducción aún le quedan a usted por perder catorce kilos o más, no le gustará experimentar una reducción importante en el ritmo de pérdida de peso. A usted yo le recomendaría que añadiera hidratos de carbono muy lentamente y que permaneciera varias semanas en cada nivel incremental de 5 gramos.

Pongamos que en la tercera semana de dieta añade usted esa media taza de ensalada de brécol que ya venía consumiendo. Sube a unos 20 gramos diarios. Quizá su pérdida de peso en esa semana descienda de dos kilos a uno. La diferencia puede ser el peso del agua eliminada. En la cuarta semana, añade otro incremento de 5 gramos.

Pierde 900 gramos. La quinta semana, añade 5 gramos diarios más de hidratos de carbono. Pierde 700 gramos. Y así sucesivamente.

Quizá descubra que puede subir a 35 o 40 gramos de hidratos de carbono al día y seguir perdiendo 400 gramos a la semana. Esto le situaría en un nivel medio de resistencia metabólica. Sus TPL deben continuar tornándose púrpuras, aunque sólo sea ligeramente, y esto, junto con su ininterrumpida pérdida de peso, indica que se mantiene usted en estado de cetosis/lipólisis.

Aunque el ritmo a que quiera perder peso sea alto, yo creo que puede sentirse satisfecho con este estado de cosas. Mientras los kilos vayan desapareciendo y avance resueltamente hacia su objetivo, ¿por qué preocuparse? Pero supongamos que llega a la conclusión de que los 10 gramos adicionales de hidratos de carbono no significan para usted tanto como los 400 gramos adicionales de pérdida de peso. Puede usted optar por permanecer en un nivel más bajo de hidratos de carbono o contentarse con saber que podría tomar más si quisiera. Y no olvide utilizar una fase de premantenimiento cuando se aproxime a su peso ideal.

¿Y si no estoy en el nivel medio de resistencia metabólica?

Si puede usted subir a 50 o 60 gramos de hidratos de carbono al día y seguir perdiendo un poco de peso y manifestando cetosis, entonces tiene un nivel de resistencia metabólica bastante bajo. Con toda probabilidad, no tenía usted tanto exceso de peso, y seguir siendo siempre delgado con la dieta de mantenimiento Atkins no le requerirá ningún esfuerzo. Es usted una persona que podrá comer dos ensaladas, dos platos de verduras y quizás una fruta a diario y, no obstante, mantenerse en un peso estable. Si tiene cuidado y ve que no entra en una espiral de aumento de peso, tal vez pueda tomarse de vez en cuando alguna que otra patata y un poco de arroz. Habida cuenta de que ya está comiendo una de las dietas proteínicas más suculentas del mundo, le adelanto que va a disfrutar mucho comiendo en lo sucesivo. Pero le pregunto una cosa: si sólo una parte tan pequeña de su problema es de carácter metabólico, ¿cómo acabó con un exceso de peso? Debería usted considerar la posibilidad de que estuviera practicando una pauta de comportamiento autodestructivo. Podría ocurrir que eso fuera un componente de su problema de peso.

Algunos de ustedes no son tan afortunados por lo que se refiere a la resistencia metabólica. Quienes tienen una resistencia metabólica muy alta son los que más necesitan este libro. Si deja usted de perder peso al llegar a los 20 o 25 gramos de hidratos de carbono diarios, tendrá que adaptarse a no tomar muchos más hidratos de carbono de los que componen la dieta de inducción. Y, desde luego, necesitará estudiar con mucho detenimiento el capítulo siguiente, aunque está escrito fundamentalmente para ese 5 % que no puede adelgazar en absoluto con la dieta Atkins.

Si se quiere permanecer delgado y sano, un aumento significativo en la cantidad de ejercicio físico —que recomiendo vivamente a todo el mundo— es del todo punto esencial para aquellos de ustedes que tienen una resistencia metabólica alta. De lo contrario, puede resultarles realmente difícil perder peso.

Además, con un elevado grado de resistencia a la insulina, se encuentra usted en grave riesgo de desarrollar diabetes y enfermedad cardiaca, a menos que controle implacablemente su consumo de hidratos de carbono. Debido a estas consecuencias médicas, la obesidad es su enemigo mortal y debe usted vencerla o controlarla.

Es muy probable que esté predicando a los conversos, porque aquellos de ustedes que muestran una alta resistencia metabólica a perder peso ya conocen de sobras lo grave que es su problema y yo he descubierto que, por regla general, las personas con graves problemas de obesidad pueden figurar entre los dietistas más resueltos cuando se les enseña una técnica para perder peso que es realmente eficaz y que no les obliga a sufrir la tortura, realmente horrible, de la semiinanición.

Aquí es donde la supresión del apetito que logra una dieta baja en hidratos de carbono obtiene sus más generosos dividendos. Mientras permanezca en un nivel cetogénico de la dieta, podrá usted disfrutar de ellos.

Y ahora quisiera considerar varias soluciones posibles para aquellos de ustedes cuya resistencia metabólica es absolutamente extrema.

18

Tratamiento de la resistencia metabólica extrema: el ayuno de grasas

Antes de llegar a la página 14 de este libro habrá advertido cómo hacía hincapié en que generalmente la obesidad es de naturaleza metabólica, más que consecuencia de ningún tipo de glotonería. Espero haber proporcionado algún consuelo emocional a quienes jamás se les había dicho esta verdad. Debe de ser muy turbador escuchar que la única razón por la que se sufre un exceso de peso es la propia afición y complacencia en la comida. No resulta agradable pensar que uno está gordo por ser glotón y ocurre que raras veces es cierto.

La obesidad es casi siempre un problema metabólico y, para ser exactos, la alteración metabólica es el hiperinsulinismo. Bien, pero ¿qué sucede cuando los obstáculos metabólicos son tan grandes que parece como si uno no pudiera perder peso?

La incapacidad para perder peso, aun con dietas eficaces, existe. Yo he visto decenas de pacientes con este problema y miles más con tendencia a padecerlo. Esta afección, muy real, carece de reconocimiento oficial, no figura en el índice de códigos diagnósticos ni en los libros de texto, y muchos médicos que tratan la obesidad han negado su existencia, aunque un creciente número de ellos ha empezado recientemente a aceptar el fenómeno.

De modo que eso hace que me corresponda a mí ponerle nombre. Lo llamaremos «resistencia metabólica a perder peso» o, abreviadamente, «resistencia metabólica».

Definámosla. Un tanto arbitrariamente, diré que es «la incapacidad para perder peso o continuar perdiéndolo hasta alcanzar un nivel razonable con una dieta que contenga 1.000 calorías o con una de 25 gramos de hidratos de carbono». Es muy raro encontrar alguien que no pueda perder peso con estos regímenes dietéticos, pero no es tan raro encontrar individuos que se «atascan» sin llegar a alcanzar su peso deseado, aparentemente realista. Yo calculo que tienen resistencia metabólica el 4 % de los sujetos obesos, y éstos pueden ser el 1 % de la población total. En Estados Unidos, ello equivale a dos millones y medio de personas; toda una multitud para una afección que podría beneficiarse de la intervención médica y que, sin embargo, ni siquiera recibe el reconocimiento oficial.

¿Cómo puede usted saber si es metabólicamente resistente?

Puede saberlo haciendo una prueba. Si parece estar perdiendo peso muy lentamente y ha tenido una prolongada «meseta» mientras seguía alguna dieta oficial, pida o búsquese una versión de 1.000 calorías de esa dieta y sígala durante el tiempo suficiente (dos o tres semanas) para cerciorarse de que continúa sin perder peso. Si esto sucede, la mayoría de los médicos le considerarían a usted «metabólicamente resistente» (siempre que le creyeran), pero yo no haría necesariamente lo mismo.

Pues yo he descubierto que tres de cada cuatro personas que no pierden peso con una ingestión equilibrada de alimentos con un valor energético de 1.000 calorías sí adelgazarían con la dieta de inducción. Su paso siguiente, por tanto, es seguir la dieta de inducción. Existe una clara posibilidad de que pierda peso con la dieta de inducción de catorce días, pero que se quede atascado antes de alcanzar el peso propuesto. En tal caso, se ha ganado usted el diagnóstico de resistencia metabólica. El resto de ustedes, que se van aproximando lentamente y con dificultad, recibirían mi diagnóstico de «resistencia metabólica relativa».

¿Qué deben hacer los metabólicamente resistentes?

Mi primera reacción sería decir que se busque usted un médico que trate la resistencia metabólica, pues, sin lugar a dudas, necesita asesoramiento médico. Pero, por desgracia, dudo que pudiera encontrar una persona tal; yo nunca he localizado ninguna.

Sin embargo, hay preguntas que es preciso formular y responder desde el principio, tales como: ¿está tomando algún medicamento? En caso afirmativo, existen muchas probabilidades de que ese o esos medicamentos sean la causa de su resistencia metabólica.

Los más perjudiciales son las drogas psicotrópicas: fenotiazinas, antidepresivos incluido el Prozac, tranquilizantes, litio y similares. En segundo lugar, hormonas tales como el estrógeno, la prednisona y otros esteroides pueden hacer ganar peso e impedir perderlo. Muchos de los medicamentos antiartríticos, sobre todo los NSAID, producen el mismo efecto. Están luego los diuréticos y, en menor grado, otros medicamentos cardiovasculares. Sin duda, la insulina y los antidiabéticos orales ejercen su efecto. De hecho, se ha dicho que, cuando una persona es metabólicamente resistente, cualquier medicamento puede agravar su situación.

No esperará que prescinda de mis medicamentos, ¿verdad?

Desde luego, no espero que un lector haga tal cosa. El riesgo sería enorme. Pero eso es exactamente lo que pretendemos de mis pacientes. Uno no puede suspender una medicación que se considera necesaria a menos que pueda proporcionar un tratamiento alternativo igualmente eficaz. Quizá le sorprenda saber que por cada grupo de medicamentos que he mencionado existe una alternativa nutricional eficaz. Como se trata de un tema un poco alejado de lo que constituye el objeto de este libro, quisiera remitirle a mi obra *Dr. Atkins, Health Revolution*.

La técnica consiste en la sustitución gradual de los medicamentos sospechosos por el protocolo nutricional (dieta y suplementos) que puede reemplazarlas adecuadamente. (Advertencia: *esto requiere la intervención de un profesional experto en nutrición; no es recomendable que lo haga por sí mismo un profano.*)

Si ha atendido usted al problema de la medicación, la siguiente posibilidad es considerar su equilibrio hormonal. En efecto, un porcentaje significativo de los metabólicamente resistentes tienen función tiroidea hipoactiva.

Yo compruebo esta hipótesis mediante una batería de análisis tiroideos entre los que se incluye uno destinado a comprobar los niveles de TSH (una elevación de TSH es el análisis de sangre más fiable de todos), y otro para comprobar los autoanticuerpos tiroideos (existe para su detección una nueva tecnología mucho más sensible que antes). Pero si la resistencia metabólica se halla asociada a síntomas específicos de disfunción tiroidea, tales como cansancio, cabello quebradizo, piel áspera, menstruación irregular, depresión y dificultad para conservar el calor, yo haría una prueba más, el control de la temperatura basal corporal.*

* Esto se realiza poniéndose un termómetro en la axila durante diez minutos, antes de levantarse de la cama por la mañana. Si el promedio de temperaturas obtenidas en cuatro o más tomas matutinas diferentes es de 36 grados o menos, ello constituye, *prima facie*, la evidencia de una tiroides perezosa.

Si presenta usted alguna de estas manifestaciones de hipoactividad tiroidea, es muy probable que la administración (por parte de su médico) de la dosis correcta de hormona tiroidea corrija la resistencia metabólica. Si su médico se resiste a esta sugerencia, transmítale, por favor, mi experiencia: que nunca he encontrado que sea peligrosa una prueba terapéutica supervisada de tiroides en esta situación.

Hay una sencilla prueba que puede hacer usted mismo y que no debe descartar si parece ineludible la evidencia de que es metabólicamente resistente. Utilice las tiras de prueba de la lipólisis después de haber seguido durante varios días la dieta rigurosa de inducción —nada más que carne, aves, pescado, huevos, queso—, esta vez sin tan siquiera la ensalada. Los que en verdad sean metabólicamente resistentes serán los únicos que no teñirán de púrpura las tiras.*

Existen aún quienes obtienen una respuesta cetogénica/lipolítica mensurable y, sin embargo, no pierden peso. En este caso, estamos confirmando que se disgregan los depósitos de grasa y prevemos una pérdida de centímetros. Los que pueden desa-

---

* En el Atkins Center podemos cuantificar mucho más exactamente el grado de cetosis/lipólisis por medio del cetoanalizador, que mide el total de cetona excretada por los pulmones, cantidad directamente proporcional al nivel en sangre. De este modo, podemos determinar hora a hora el nivel de cetona, a fin de estudiar las respuestas metabólicas de nuestros pacientes.

rrollar lipólisis pero no pierden peso suelen presentar una explicación basada en la medicación o en un problema hormonal.

Para los más endurecidos de los resistentes metabólicos irreductibles

Pero habrá todavía algunos de ustedes que no perderán peso con la dieta de inducción ni siquiera con una dieta baja en grasas de menos de 900 calorías, y otros que no entrarán en cetosis/lipólisis en ninguna circunstancia. La exposición que sigue va destinada a ellos.

Cuando se siente uno frustrado porque las cosas no van como quiere, se puede reaccionar de dos formas: una destructiva y la otra constructiva. Podría usted, y yo he visto muchas veces esta reacción, ceder a su frustración y decirse: «No vale la pena seguir una dieta», y decidir: «Abandono esta dieta.» Las consecuencias son tristes, pero predecibles. Si no está perdiendo peso con una dieta extremadamente eficaz, sin duda lo ganará —y rápidamente— en cuanto suavice esa dieta. Y como la dieta le proporcionaba control sobre su comportamiento con relación a la comida (al suprimir su respuesta de hiperinsulinismo), la pérdida de control no puede por menos que acelerar el aumento de peso.

La respuesta constructiva al hecho de «quedar atascado» implica un desapasionado proceso de autoanálisis que lleva a una conclusión: «Cualquier cosa que deba hacer, la haré.» Abandonar la dieta es la respuesta correcta, pero sólo si es para pasar a otra dieta más eficaz.

Recuerde que hay dos técnicas eficaces para perder peso que nosotros hemos estado utilizando. Una es la restricción de los hidratos de carbono; la otra, la restricción de la cantidad total de comida, habitualmente medida (con cierto grado de inexactitud metabólica) en calorías.

Podría usted observar su respuesta al hecho de tomar menos comida; raciones más pequeñas, menos calorías, alimentos menos densos calóricamente (es decir, con menos grasas). Quizá se había dejado usted seducir por la idea de «come todo lo que necesites», que tal vez interpretó como «come todo lo que quieras», y los dos sistemas de determinar sus cantidades óptimas pueden ser muy diferentes. Para usted, la estrategia más eficaz podría ser decirse a sí mismo: «Comeré sólo lo suficiente para verme libre de intolerables señales de hambre, nada más.» No hay duda de que eso es lo primero que debe intentar hacer la persona que se ha quedado atascada.

Así pues, hágalo usted también y vuelva a esta sección después de haber modificado debidamente su concepto de cantidad. (Varias semanas quizá.)

Tiene que responder ahora a estas preguntas. ¿Está funcionando ya la nueva dieta? En caso afirmativo, ¿me siento tan feliz como con la dieta de inducción? ¿Me siento tan a gusto? ¿Puedo seguir haciendo esto toda la vida? Si la respuesta es afirmativa, adelante, ya ha encontrado usted su respuesta. Si contesta negativamente a cualquiera de estas preguntas, continúe leyendo.

El segundo principio de pérdida de peso con el que trabajamos (y el principio número uno en general) es el de restricción de los hidratos de carbono.

Lo he situado aquí en segundo lugar simplemente porque, si está usted en la dieta de inducción, ya habrá restringido los hidratos de carbono. Naturalmente, usted no ha reducido a cero la ingestión de hidratos de carbono; están las verduras, la ensalada, el zumo de limón y los demás alimentos bajos en hidratos de carbono pero no carentes por completo de ellos que hacen tan agradable esta dieta. ¿Qué sucedería si prescindiese totalmente de ellos? (No quisiera tener que decir esto, pero si hace usted trampa de vez en cuando, interrumpa inmediatamente esta actitud y avergüéncese por echarle la culpa a su metabolismo cuando lo que falla es su disciplina.)

Bien, trate de eliminar totalmente los hidratos de carbono y hágase luego la misma pregunta. ¿Funciona ahora la dieta, y se siente usted a gusto y se siente feliz y podría seguirla durante toda la vida?

Si continúa sin perder peso, tiene usted una resistencia metabólica extrema y lo peor es que nadie parece comprender la prisión en que está viviendo. En tal caso, confíe en mí. Yo soy, probablemente, una de las pocas personas que pueden comprenderle. ¿Qué otro profesional ha admitido la existencia de su problema?

Hubo un tiempo en que yo solía decir a la gente: «Bueno, siempre puede reducir las calorías y los hidratos de carbono hasta llegar al estado de ayuno.» No es una idea tan mala como podría parecerle a quien no ha intentado ponerla en práctica nunca. El estado de ayuno, una vez inducido, está lleno de mecanismos protectores. Una persona en ayuno libera más SMG y otros movilizadores de lípidos que casi cualquier otra dieta, y la SMG conduce a la situación de cetosis/lipólisis, pérdida de apetito y varios otros beneficios que hacen sentirse a gusto y frecuentemente jubilosas a la generalidad de las personas que se mantienen en ayuno. El atractivo del ayuno y de la dieta Atkins es el hecho de que se puede utilizar la dieta de inducción para crear una máxima elaboración de SMG y luego, sin interrupción, pasar al ayuno sin sufrir el hambre y el malestar que caracterizan los dos primeros días de ayuno. Así pues, siguiendo durante dos o tres días una dieta de «nada más que carne, huevos, pescado y aves», puede empezar a ayunar hallándose ya en un efectivo estado de cetosis/lipólisis.

Ahora bien, como ha demostrado el estudio de Benoit y otros investigadores, el ayuno conlleva una pérdida de tejido muscular, además de perderse grasa, y algunos de los kilos que adelgace no serán los que usted desea eliminar. Por otra parte, la pérdida de minerales esenciales tales como el potasio lo hacen peligroso para muchas personas y se ha informado de la producción de docenas de muertes (generalmente por alteraciones del ritmo cardiaco como consecuencia del agotamiento del potasio).

Creo, por lo tanto, como la mayoría de los que se ocupan del asunto, que se debe modificar el ayuno. Debe incluir abundantes electrolitos tales como potasio, por lo que es preferible suavizar el ayuno con un zumo diluido o un caldo de verduras. (Si no entro en detalles, no se incomode; tengo algo mejor de que hablarle en breve.)

Una de las «modas» actuales es el ayuno modificado escaso en proteínas (AMEP) al que usted habrá oído referirse como «dietas de fórmula», el tipo que ayudó a Oprah Winfrey a lograr tan espectacular, aunque evanescente, pérdida de peso. Estas dietas mantienen casi toda la eficacia del ayuno y comparten con él muchos de los riesgos, pero los reducen al mínimo. Sin embargo, como la mayoría de ellas contienen hidratos de carbono permiten que una importante cantidad de la pérdida de peso corresponda a tejido muscular. Eso, unido al hecho de que no preparan para un mantenimiento de por vida, explica la rápida recuperación de peso que con tanta frecuencia se produce después de una experiencia tal.

Así que, ¿cuál es su respuesta, doctor Atkins?

Hasta la fecha la mejor respuesta a la resistencia metabólica no es nueva. Se conoce desde hace veintisiete años. ¿Recuerda el estudio de Benoit que he descrito en la página 96? Bien, él estudió una dieta que superaba en un 88 % al ayuno total por lo que a pérdida de grasa se refiere. Y, a su vez,

Benoit se había limitado a utilizar una de las dietas experimentales ideadas por Kekwick y Pawan.

Aquella extraordinaria dieta que proporcionaba resultados tan espectaculares que los representantes de los medios oficiales no podían, con su cerrazón mental, dar crédito a sus datos contenía 1.000 calorías ¡y el 90 % de ellas se componían de grasas! Las otras 100 calorías consistían en aproximadamente 15 gramos de proteína y 10 gramos de hidratos de carbono.*

Espero no revelar ningún secreto si le digo que los sujetos de los estudios de Kekwick y Pawan y de Benoit no disfrutaron con sus dietas experimentales, aunque sí disfrutaron de su nuevo estado físico. Pero usted sabe lo mucho que a mí me interesa la comida. Así que, leyendo y releyendo sus sorprendentes resultados, exclamé de pronto: «¡Eso lo puedo hacer yo!» Comprendí que yo podía hacer agradable la dieta de Kekwick y Pawan. La he probado con mis pacientes metabólicamente resistentes y les ha ido muy bien. No la he utilizado con mis pacientes habituales, porque creo que la dieta podría resultar peligrosa si se aplicara a quienes no presentan una auténtica resistencia metabólica. Aquellos de ustedes que, simplemente, se sienten insatisfechos porque su ritmo de pérdida de peso es demasiado

---

* Estas cifras indican que la dieta es deficitaria en proteínas y, por ende, no es adecuada para un uso prolongado, a menos que se administren periódicamente suplementos de aminoácidos. Observe que los hidratos de carbono no son esenciales y, por lo tanto, no es preciso suplementarlos.

lento, deben utilizar la dieta regular Atkins y seguir-la escrupulosamente. No utilice esta otra, salvo durante breves intervalos de menos de cinco días.

La dieta de ayuno de grasa

Lo primero que aprenderá usted es que 900 calorías de grasa (el 90 % de la ración de 1.000 calorías) vienen suministradas por 100 gramos de grasa, no mucha comida. Es menos que 120 gramos de mantequilla, por ejemplo.

Veamos, pues, cómo se puede traducir eso a los alimentos que a usted le gustan.

Empecemos con dos alimentos que están en las proporciones correctas exactas y cumplen el criterio del 90 % de grasa: sabroso y suculento queso de crema y pecaminosamente deliciosas nueces de Australia. Trescientos gramos de queso de crema serían la ración alimenticia total de un día, al igual que 150 gramos de nueces de Australia.

Como la dieta da mejor resultado si se hacen comidas pequeñas y frecuentes, es preferible dividir la ración diaria en cuatro bocaditos de 250 calorías cada uno, o cinco de 200 calorías. De este modo, se encontrará usted virtualmente en estado de ayuno modificado por cinco puñados de nueces de Australia (28 gramos cada una) al día, o el equivalente. El ayuno se modifica por la ingestión de alimentos grasos, de forma semejante a como el ayuno escaso en proteínas se modifica con una bebida proteínica. Y recuerde que esta dieta solamente está indicada para personas cuya grasa corporal se resiste a desaparecer tanto como el tejido de color indeleble se resiste a perder su color.

Podría funcionar de la siguiente manera. Podría usted optar por tomar 56 gramos de queso de crema a las siete de la mañana, a las tres de la tarde y a la hora de acostarse, e intercalar 28 gramos de nueces de Australia a las once de la mañana y a las siete de la tarde. O viceversa. Vale la pena intentarlo durante inducción, sólo para demostrarse a sí mismo que no pasa hambre, que su cantidad de azúcar en sangre se mantiene notablemente estable y que se siente perfectamente. ¡Qué maravillosa sensación será saber lo fácilmente que puede usted adaptarse a la dieta para perder grasas más eficaz jamás descrita en una publicación médica!

¿No puedo comer nada más?

Bueno, hay muchísimas más cosas que puede usted comer, y aquí es donde el amante de la comida que hay en mí puede ayudarle a convertir su ayuno de grasas en una experiencia placentera. Yo puedo enseñarle modificaciones de la dieta básica que serán agradables para todos ustedes; y para aquellos que han permanecido privándose de grasa todos estos años porque creían que era lo que debían hacer, esto puede ser una respuesta a sus sueños de ver cumplidos sus deseos.

Por cada uno de los alimentos de grasa de 200 calorías, puede tomar:

- 56 gramos de crema agria con una cucharada sopera de caviar, servido sobre tres o cuatro cortezas de cerdo fritas.
- 2 medios huevos picantes, servidos no en las claras, sino sobre cortezas de cerdo o sobre una fina rebanada de pan de soja.
- Paté Real de Graham Newbould (56 gramos) servido sobre el pan de soja.
- 56 gramos de ensalada de pollo hecha con una cantidad de mayonesa triple de la habitual. (O ensalada de jamón, ensalada de huevo, ensalada de gambas.)
- 25 gramos de las ensaladas anteriores en medio aguacate.
- 70 gramos de nata espesa batida, endulzada artificialmente y con vainilla molida.
- Y hay también otras posibilidades en la sección de recetas, que incluyen trufas de chocolate.

El resto de su dieta debe consistir en bebidas sin calorías, que tomará sin restricciones. Vea en la página 445 la lista de bebidas permitidas.

Así pues, hemos tomado una dieta ideada experimentalmente para conocer por qué la grasa engorda menos, caloría por caloría, que las proteínas o los hidratos de carbono, y la hemos convertido en algo sabroso, sumamente bien tolerado y útil para vencer la resistencia metabólica.

Primero, debemos determinar si este programa es eficaz para usted. Los que sigan el ayuno de grasas deben estudiarse a sí mismos con TPL antes, durante y después. Si no entra en estado de cetosis con este programa, debe visitar a un médico especializado en trastornos metabólicos, pues no cabe duda de que lo necesita. Como no espero que encajen en tal categoría más de unas pocas docenas de lectores de este libro, mis ayudantes pueden disponer de tiempo para hablar con los pertenecientes a este restringido grupo y responder a sus preguntas. Pero por lo que se refiere a la mayoría de ustedes, creo que han encontrado una herramienta que finalmente les permitirá adelgazar.

Sólo me queda decirles cómo usarla.

No creo que el ayuno de grasas deba seguirse durante más de una semana seguida. Se trata de una simple medida de seguridad, porque la dieta no ha sido verificada para un uso prolongado. Debe, por lo tanto, alternarse con la dieta de inducción o algún otro nivel riguroso de la dieta Atkins. El aspecto más importante de la variación es no ingerir hidratos de carbono que interrumpirían la producción de SMG. Su estrategia debe ser perder peso con el ayuno de grasas y utilizar la dieta regular Atkins para mantener esa pérdida de peso. Una persona afectada de resistencia metabólica no puede esperar perder peso rápidamente y debe desarrollar la paciencia de Job. Calcule que necesitará un par de años para lograr su objetivo y confórmese con avanzar ininterrumpidamente en el programa.

Mis pacientes metabólicamente resistentes

A lo largo de mi carrera he visto cientos de pacientes metabólicamente resistentes, quizá más que ningún otro médico. Quisiera poder decirles que he descubierto un remedio para este problema, pero no sería cierto.

Lo que he descubierto es unos cuantos nutrientes que han ayudado a algunas de estas personas, pero ninguno les ha ayudado a todas ellas.

Aquellos de ustedes que padecen este problema deben pasar al capítulo 22, donde relaciono esos nutrientes y trato, además, acerca de otras ventajas que ofrece una utilización inteligente de la suplementación nutricional.

Si su resistencia metabólica es tan grave que ni siquiera este libro constituye una solución completa a su problema, espero que encuentre un profesional médico o nutricional que esté familiarizado con la suplementación y pueda ayudarle en cuestión de dosificaciones, duraciones, combinaciones y riesgos que entraña su utilización.

Sus problemas siempre serán más graves

Recuerde que, si las consideraciones de este capítulo le son aplicables a usted, todo el resto del libro se halla condicionado por ese hecho. Para usted, las ocasionales dispensas que ofrezco a los demás dietistas en el capítulo sobre mantenimiento tienen que ser muy ocasionales.

19

Premantenimiento: preparación para la delgadez permanente

Si ha llegado usted a esta fase de la dieta, no le queda mucho peso por perder. Yo suelo aconsejar a los dietistas que avancen gradualmente hacia la dieta de mantenimiento cuando sólo les quedan entre dos y cuatro kilos por perder. Según la disminución que haya experimentado el ritmo de su pérdida de peso mientras avanza hacia su objetivo, podrían pasar dos o tres semanas, o uno o dos meses, antes de que lo alcance de manera natural siguiendo la dieta de PPP. Lo que le indico ahora es que reduzca aún más su ritmo de pérdida de peso. Cuanto más lentamente pierda esos dos últimos kilos, mejor. Yo creo que debe aumentar la ingestión de hidratos de carbono hasta que esté perdiendo menos de 450 gramos a la semana. En efecto, para cuando alcance ese peso «perfecto», usted se encontrará ya en la dieta de mantenimiento y su pérdida de peso estará a punto de terminar.

Las semanas precedentes le habrán:

1. Acostumbrado a su plan vitalicio de comidas.
2. Proporcionado una buena indicación de cómo será.

Desviaciones constructivas

Una de las cosas que aprenderá usted en el nivel de premantenimiento es qué excepciones puede introducir en el régimen aprendido en las dietas de inducción y de PPP y, no obstante, seguir perdiendo peso, aunque lentamente. Empiece con una o dos desviaciones a la semana, tales como fruta y algún alimento que contenga almidón: un plato de arroz o una patata cocida.

Para cuando alcance su peso deseado y llegue al nivel de mantenimiento, podría estar disfrutando de tres de esas desviaciones. Un vaso de vino, un par de rodajas de pan integral, medio melón para almorzar un día. O, si su resistencia metabólica es pequeña, unas pocas cosas más cada semana.

Pero tenga cuidado. Hay un par de razones por las que la gente encuentra a veces problemas con la dieta de mantenimiento.

1. No comprenden lo rigurosa que tiene que ser la dieta de mantenimiento.
2. Se sobresaltan al descubrir que, sin cetosis/lipólisis, se ha esfumado la maravillosa ventaja de la supresión del apetito.

Por este motivo resulta importante la dieta de premantenimiento. Ésta es la fase de la dieta en la que usted se aclimata a ella para el resto de su vida. Mientras practica el premantenimiento, está empezando a desvanecerse la protección de la cetosis. Usted querrá comer un poco más, así que hágalo.

Pero no se atiborre a ciegas. No tiene usted que compensar nada. A diferencia de otras dietas, ésta no le ha causado sufrimiento ni hambre.

Sin embargo, la supresión del apetito le ha hecho la vida fácil hasta ahora. A partir de ahí, tendrá que pensar un poco más en qué añade a su menú. Añada los hidratos de carbono lentamente y pase con suavidad y sin riesgos a la dieta de mantenimiento. Como no tardará en aprender, una adecuada dieta vitalicia de mantenimiento implica la utilización de las cuatro dietas cuando sea adecuado. Ningún peso ideal es constante, como tampoco lo es ninguna persona.

Habrá ocasiones en su vida en que recuperará algo de peso. Por fortuna, usted ha desarrollado ya la confianza necesaria para saber que esas pequeñas ganancias de peso se pueden eliminar con facilidad. La mayoría de las personas descubre que con esta dieta es fácil controlar el peso. Veamos cómo se hace.

20

Mantenimiento: delgado para siempre

Deberían repicar las campanas, deberían ondear las banderas: ya está usted aquí. Ha llegado a donde millones de personas con exceso de peso de todo Estados Unidos nunca han vuelto a estar desde que eran niños; a su peso ideal. El efecto psicológico debe de ser considerable. No creo que exista ningún hombre, mujer o niño a quien no le guste tener buen aspecto.

Mírese al espejo, pruébese algunas prendas recién hechas a medida o póngase ropa vieja en la que no había podido introducirse desde hacía años y luego —oh, delicia— escuche los comentarios que hace la gente. Apuesto a que es usted el centro de todas las miradas. No cabe duda de que el hecho de perder peso atrae la atención.

¿Ha ganado la batalla de la barriga? ¿O solamente acaba de salir del centro de instrucción, donde se ha puesto en forma para librar la batalla que le espera? Como dietista a tiempo parcial y gastrónomo a tiempo completo, personalmente le garantizo que sólo ha logrado esto último. Y las recaídas entre dietistas son tan comprobadamente frecuentes que muchos médicos cínicos aconsejan que no se intente siquiera perder peso. Por eso necesita usted una dieta de mantenimiento y una postura resuelta.

Recuerdo mi conversación con Marjorie Burke, una enfermera de cuarenta y un años que pesaba 115 kilos cuando vino a visitarme por primera vez y que nunca había pesado menos de 79 en toda su vida adulta. Había probado todas las dietas, incluida una famosa dieta de proteínas líquidas con la que empezó a quedarse calva. Dijo que durante más de veinte años, cada día al levantarse por la mañana, entrar en el cuarto de baño y mirarse en el espejo se sentía frustrada y deprimida. Ahora todo eso ha desaparecido, convertido en parte de un terrible pasado.

¿Abandonaría alguna vez la dieta? La respuesta fue tajante: «Nunca, nunca, nunca.»

Proteja sus pérdidas de peso

También usted ha invertido mucho esfuerzo y energía física en esas lecciones. Como usted y yo sabemos que tiene tendencia a engordar, quiero que se mantenga atento a una posible nueva ganancia de peso.

Si su metabolismo lo resiste, le permitiré que tome —con moderación— muchos de los alimentos que antes solía saborear. (La excepción fundamental es el azúcar.)

Entre mi experiencia en el tratamiento de pacientes con exceso de peso figura el haberme ocupado también de más de mil pacientes que han logrado alcanzar su peso deseado cuatro veces o más, sólo para volver a perderlo de nuevo. Por eso, puedo asegurarle que no debe apresurarse ciegamente a retornar a su antigua forma de comer, con la intención de aproximarse a sus pautas alimentarias anteriores lo más posible sin violar totalmente las reglas de la dieta. Eso demostraría que esta dieta no le había enseñado nada de nada. (Lo cual es lógico, porque las dietas no son maestros.) Pero esta dieta es una experiencia y se supone que la experiencia es el mejor maestro. Espero que con ella haya aprendido a adoptar para toda su vida una forma diferente de comer.

El punto esencial del mantenimiento

A continuación debe preguntarse a sí mismo: «¿Con qué nivel de consumo de hidratos de carbono me siento mejor?» Éste es un objetivo más racional que el de encontrar el nivel de consumo de hidratos de carbono más alto que puede resistir sin ganar peso. Muchas personas descubren que se sienten mejor con un nivel muy bajo de hidratos de carbono —quizá sólo 25 o 30 gramos diarios— que con las versiones más generosas de la dieta. Eso podría equivaler a dos ensaladas y una gran ración de verduras. Juntamente con las satisfactorias porciones de proteínas y grasas, eso completaría una dieta muy sana.

Otras personas se sienten mejor consumiendo

el doble de hidratos de carbono y tienen el metabolismo adecuado para resistirlo. Ésta es su oportunidad para confeccionarse una dieta personal a su medida. Recuerde que su mejor nivel de hidratos de carbono es aquel en que más cómodo se sienta sin recuperar el peso perdido.

Una vida deliciosa

Como ha visto, la dieta Atkins está compuesta en realidad por cuatro dietas: la dieta de inducción, que es la forma más austera de una dieta cetogénica baja en hidratos de carbono; la dieta de pérdida de peso progresiva (PPP), destinada a continuar perdiendo peso durante un largo periodo de tiempo; la crucial dieta de premantenimiento, que le acostumbra a la importantísima transición entre el proceso de perder peso y el de mantenerlo, y la dieta de mantenimiento, de la que estamos hablando en estos momentos y cuyo objeto es mantenerle delgado y sano durante toda una larga vida.

Cuando la mayoría de mis pacientes llegan a la fase de mantenimiento de la dieta, descubren lo infinitamente variada, sabrosa y satisfactoria que resulta esta forma de comer.

Donna Miller, que vino a verme hace un par de años, sin energías, plagada de alergias y con catorce kilos de más, había sido siempre una fanática del pan, las rosquillas y la pizza.

En cuatro meses, pasó de gastar una talla 46 (que casi reventaba, según admitió) a gastar una talla 40. Además, había recuperado las energías casi tan pronto como la privamos de trigo, azúcar y leche. Pero ¿qué iba a comer?

Era una mujer de recursos y espero que su dieta le resulte a usted tan atractiva como me parece a mí. Ahora suele tomar para desayunar unas rodajas de atún y un poco de ensalada. O un par de huevos revueltos con extracto de soja. Para el almuerzo, tomará verduras salteadas o cocidas al vapor al estilo de los japoneses, junto con cecina, o una hamburguesa fina o un poco de pescado. Para cenar, le gusta comer calabacines, berenjenas o espárragos. A menudo, mezcla ajo picado, hierbas y perejil en salsa de tomate y con frecuencia toma pollo, costilla o salmón. Ha descubierto también que puede comer lentejas, guisantes y alforfón sin ganar peso. Muchas veces toma el alforfón con canela y unas cuantas rodajas de manzana.

Desde que comenzó la dieta, Donna ha ido ampliando su variedad de ensaladas y no hace mucho me dijo que lo que aprecia especialmente en la dieta es el hecho de que tiene muchas alternativas y disfruta con ella mucho más que con el menú repetitivo y alto en féculas a que estaba acostumbrada. A mí lo que más me impresiona es que todos los alimentos de su nuevo plan de comidas son nutritivos, frescos y sanos.

Francamente, desafío a cualquiera a que proponga una dieta más suculenta que el programa Atkins con la que pueda mantenerse delgado y saludable.

Desde luego, le he estado asegurando desde el

principio que ésta es una dieta que se enorgullece no tanto de lograr una rápida pérdida de peso —aunque la consigue—, como de poder mantener el peso alcanzado. En lugar de devolverle enseguida al país de los gordos, la dieta Atkins le acoge permanentemente en el hogar de los delgados.

Pero ¿y si se encuentra usted en la dieta de mantenimiento, está comiendo a gusto y sintiéndose de maravilla, y advierte de pronto que aquellos horribles kilos y centímetros empiezan a reaparecer?

Para enfrentarse a la recuperación de peso

Bien, dado que ha empezado usted la dieta de mantenimiento, sé que, por definición, ha alcanzado su peso ideal (o, al menos, el peso que usted deseaba). Por lo tanto, probablemente no está observando ya una dieta cetogénica, ya que la cetosis/lipólisis entraña, por definición, un elemento de pérdida de grasa. Las personas recién adelgazadas ya no intentan perder kilos y, por tanto, no queman grasa. Están por encima de su nivel crítico de hidratos de carbono para perder peso (NPP).

Pero ésta es la cuestión que muchos dietistas no captan. Hay un margen muy pequeño antes de cruzar el otro nivel crítico de hidratos de carbono, el NM, aquel en el que se empieza a ganar peso. Una persona típica de resistencia metabólica media puede encontrarse con que debe permanecer entre 40 y 60 gramos de hidratos de carbono al día.

El ingerir más de los 40 le impide perder más kilos y adelgazar demasiado; ingerir menos de los 60 le impide recuperar peso.

En este peso ideal se encuentra usted bastante bien equilibrado en el total de su ingestión de hidratos de carbono. Nada es exacto, naturalmente. Como la vida es cambio, su peso estará oscilando constantemente en pequeños incrementos. Ahora la forma mejor de mantener el peso es no dejar que suba demasiado. De lo contrario, puede encontrarse usted resbalando cuesta arriba, por acuñar una frase. Le recomiendo que conozca usted su peso; al fin y al cabo, es un aspecto de su salud general del que siempre puede estar enterado fácilmente. Pesarse a diario (o, al menos, dos veces a la semana) es requisito imprescindible para lograr mantener el peso. Cuando advierta que ha ganado dos kilos o más por encima de su peso ideal, debe apresurarse a poner nuevamente las cosas en orden. Y debe hacerlo sin demora.

Hacerlo es tan sencillo como iniciar la dieta. Pero cuando descubra que ha engordado dos kilos, no aplace el momento de tomar medidas. Quizá se aproxima el día de Acción de Gracias, o Navidad, o su cumpleaños, o el cumpleaños de su cónyuge, o las vacaciones. Para cuando celebre alguno de estos acontecimientos con algún exceso gastronómico puede encontrarse con que, en vez de haber engordado dos kilos, ha engordado seis y se está desplomando cuesta arriba a toda velocidad. En vez de esperar, actúe.

Su acción es tan sencilla como la CDB. En estas circunstancias debe volver a la fase de inducción de la dieta. No vuelva a su dieta de mantenimiento sin perder primero todo el peso que ha recuperado. Es sencillo. Una ensalada diaria de hidratos de carbono y, *voilà!*, ha reducido de nuevo su peso al nivel adecuado en tan sólo seis u ocho días, o dos o tres semanas, si tiene usted una resistencia metabólica elevada.

Es obligado que su peso básico sea un punto de referencia fijo en su mente como objetivo en el que debe permanecer, sin que se eleve en el transcurso de los años con la dieta de mantenimiento. Si se eleva, entonces está usted cediendo al impulso metabólico que nos lleva a la mayoría de nosotros a alcanzar el equilibrio sólo cuando alcanzamos nuestro peso máximo anterior.*

Su estrategia aquí debe ser muy semejante a la del corredor de bases en el béisbol que se aleja un trecho de la primera base, pero nunca tanto como para no poder volver a tocarla sin riesgos si el lanzador se vuelve de pronto para lanzar la pelota en

* Muchas personas obesas parece que tuvieran en su centro hipotalámico regulador del apetito (o, más exactamente, del peso) una tendencia a recuperar peso con un régimen equilibrado de comidas, hasta un punto muy concreto en el que el peso se estabiliza y no se producen nuevos aumentos, aunque permanezca constante la dieta con la que ha aumentado el peso. Para la mayoría de las personas, el centro hipotalámico queda fijado en su peso máximo anterior. De todas formas, los medicamentos pueden elevar este punto de equilibrio, así como también el dejar de fumar o las píldoras dietéticas.

su dirección. Para usted, el peso que constituye su objetivo es la base que debe tocar entre desviaciones. El llegar a ella le proporciona la seguridad de que no se aleja demasiado de su objetivo vitalicio. Por eso, después de cada dos kilos de aumento que registre, debe lanzar la pelota y utilizar de nuevo la dieta de inducción.

Según mi experiencia, los dietistas que recuperan peso con la dieta de mantenimiento son los que, al engordar, se limitan a volver a su nivel de mantenimiento de consumo de hidratos de carbono, en vez de a la dieta de inducción.

Para lograr verdadero éxito, debe usted intercalar la dieta estricta de inducción entre su aumento de peso y el retorno final a la dieta de mantenimiento. Si no lo hace, lo probable es que recupere el peso por incrementos. Gana dos kilos, deja por algún tiempo de ganar peso con la dieta de mantenimiento, gana luego dos kilos más, y así sucesivamente. Si permite que esto suceda, empezará a alejarse de forma paulatina del peso que constituye su objetivo hasta que de nuevo le parecerá fuera de su alcance. Expuesta la cuestión de manera sencilla, usted gana peso cuando está ingiriendo demasiados hidratos de carbono, cuando ha rebasado el NM. Y a medida que van incorporándose los kilos adicionales vuelven a hacer su aparición las desagradables molestias metabólicas que usted creía haber dejado atrás. Su nivel de energía desciende y empiezan a presentarse de nuevo los síntomas de hiperinsulinismo que experimentaba antes. Quienes abandonaron sus medicamentos tal vez vuelvan a necesitarlos. Y los que padecían síntomas de fermentación quizá vean volver la hinchazón y la confusión mental. Va usted por mal camino, amigo.

No reactive sus adicciones

Naturalmente, en esta situación puede verse usted enzarzado en una verdadera batalla por lograr el autocontrol, al tiempo que sus defensas se desmoronan. Quizás ha estado consintiéndose demasiada cantidad de los alimentos que antes le creaban problemas. Tal vez ha caído de nuevo bajo su hechizo.

El hiperinsulinismo y los bajos niveles de azúcar en sangre resultantes, más las alergias o intolerancias alimentarias específicas, pueden crear una situación adictiva. Si vuelve al azúcar o —en algunos casos— al pan, la fruta o los alimentos fermentados, descubrirá de pronto que tiene que tomar esos alimentos, que ningún día ni ninguna comida parecen completos sin ellos. Si esto sucede, y se observa cuidadosamente a sí mismo, advertirá que la necesidad que desarrolla es auténticamente física. No se trata sólo de que le agrade el sabor de una rosquilla con mermelada y de que le gustaría comerse una. No, su cuerpo ruge de anhelo y pasión por saborear esa rosquilla. Y entonces usted comprende. Ha activado usted una adicción, igual que un alcohólico con su botella.

Esto no es vergonzoso; es físico, es químico, es

metabólico y por eso precisamente debe usted evitarlo. La mayoría de los lectores sabe ya que durante una parte importante de su vida los hidratos de carbono han sido más fuertes que ellos. No juegue con algo tan peligroso.

Casi todos ustedes descubrirán que, si esas ansias de hidratos de carbono vuelven, pueden aliviarlas con varios días de dieta de inducción. Pero en el caso de muchos reincidentes, esta sencilla maniobra es más fácil de decir que de hacer. Un reincidente profesional, por razones que sólo él conoce, no volverá a la dieta de inducción hasta haber recuperado todo el peso que tenía o hasta que ya experimenta síntomas intolerables. Pero yo creo que los reincidentes no nacen, sino que se hacen, y si usted se sorprende a sí mismo dando largas al asunto o, peor aún, no piensa siquiera en cercenar su aumento de peso cuando es todavía pequeño, puede evitar este comportamiento reconociendo que la decisión de perseguir inmediatamente el peso recuperado es la mejor forma de combatir esta calamidad vitalicia.

Regreso al mantenimiento

Entretanto, ¿de qué modo se desarrollarán las cosas mientras continúa usted en su peso deseado?

En la dieta de mantenimiento puede añadir la mayoría de las verduras, frutos secos y bayas. Puede reintroducir cautelosamente las verduras que contienen más de un 10 % de hidratos de carbono, así como cereales enteros tales como avena, cebada, mijo, arroz, cuscús o alforfón. Puede incluso tomar una patata de vez en cuando y una fruta diaria. Puede empezar a utilizar recetas que contienen algunos ingredientes con hidratos de carbono (chuletas de ternera empanadas, etcétera).

Pero lo que no debe hacer, lo que es verdaderamente peligroso para usted, es tomar dulces. Francamente, mi sugerencia es que restrinja su consumo de dulces elaborados con azúcar de verdad al ocasional trozo de tarta de boda o de cumpleaños. Aquellos de ustedes a quienes el azúcar ha hecho desgraciada la vida durante largo tiempo pueden incluso decidir, después de aceptarlos cortésmente, depositar discretamente estos trozos en el plato de otro.*

Sus tendencias metabólicas no se curan nunca

Usted nunca se curará, ya lo sabe. Su grasa es un síntoma de una enfermedad crónica. Usted tiene y tendrá siempre una tendencia metabólica a engordar.

El problema del hiperinsulinismo que he identi-

* Mi otra sugerencia es que construya su propio mundo personal de dulces elaborados con edulcorantes artificiales o estevia o tagatosa. La sección de recetas que figura al final del libro le introducirá en la materia y le dará algunas de nuestras más felices ideas. Mediante la utilización de sucedáneos del azúcar, puede usted crear versiones sin azúcar de sus dulces favoritos.

ficado para usted no desaparecerá porque haya tomado un camino nutricional que lo rodea. Si vuelve a comer como lo hacía antes, aunque sólo sea parcialmente, despertará al demonio dormido. Al cabo de muy poco tiempo, su cuerpo segregará grandes cantidades de insulina, sufrirá usted los síntomas de un bajo nivel de azúcar en sangre y su resistencia a la insulina conducirá a la producción de más insulina y esto, a su vez, a ganar peso.

Si quiere permanecer sano y verse libre de grasa superflua, no puede retornar a una forma totalmente arbitraria y despreocupada de comer. Precisamente, uno de los principales objetivos de este libro ha sido incorporar buenas costumbres a su estilo de vida.

Pero ¿y mis malas costumbres?

Naturalmente, todos las tenemos. La comida es agradable, deliciosa, psicológicamente esencial incluso en las ocasiones en que no es fisiológicamente necesaria. Todos comemos para deleitarnos y sosegarnos, además de para alimentarnos.

Tal vez haya tenido una semana de duro trabajo y, al llegar el fin de semana, una de las cosas que usted se propone hacer es concederse un pequeño atracón de comida (o quizá no tan pequeño).

A mí también me gustan las comilonas. La cuestión es qué clase de comilonas. La revista *Parade* realizó en noviembre de 1991 una encuesta sobre hábitos alimentarios y, al preguntar a la gente qué era lo que más le gustaba, las cinco cosas más preferidas fueron chocolate, postres dulces, pasteles, helado y bombones.

Yo preferiría que el atracón se lo diera usted de alimentos ricos en grasa y proteínas. Lo digo no porque no pueda engordar 500 g o un kilo si consume demasiados solomillos de cinco centímetros de grueso, sino porque los alimentos proteínicos son fundamentalmente autolimitadores. Todo el mundo se ha comido treinta pasteles de una sentada en algún momento de su vida, y muchos adictos a los hidratos de carbono lo han hecho cientos de veces, pero ¿cuántas personas se han comido diez huevos duros de una sentada? La gente, simplemente, no lo hace. Los alimentos con grasas y proteínas sacian muy rápidamente el apetito. De hecho, no es posible estar comiéndolos continuamente, y nadie, desde luego, desea hacerlo. Eso no quiere decir que una pechuga de pollo no constituya un bocado delicioso y que, combinada con unas cuantas cosas más, no forme un delicioso pequeño banquete.

El dato crucial sobre los alimentos proteínicos es que no desatan una oleada metabólica en el cuerpo. Muy pocas personas contraen una adicción a las proteínas. Su nivel de glucosa en la sangre no se eleva y desciende bruscamente cuando se sienta a comer una tortilla de jamón con cebolla y pimiento verde. Pero sí lo hace cuando se sienta a comer un pedazo de tarta. Eso conduce a la necesidad de otro pedazo, y luego otro más.

No quiero asustarle con la perspectiva de que

nunca más volverá a probar la tarta de la abuela. Si no es usted un incontrolado adicto a los hidratos de carbono, afectado de obesidad grave que sólo esta dieta ha podido curar, probablemente podría permitírselo de vez en cuando.

Sólo usted conoce su grado de adicción al dulce y ésa es la verdadera prueba. Si no es adicto, dispone de espacio de maniobra. La ocasional ración de pizza o el helado que parece gustar a todo el mundo podrían ser permisibles. Pero tenga cuidado: cuando reaparezcan esos dos primeros kilos —y reaparecerán—, contrólese firmemente y vuelva a su peso ideal. Y, recuerde, la forma en que está comiendo ahora es sana. No lo son los alimentos tratados industrialmente, que no le ayudarán en nada. Después de haberse privado de ellos algún tiempo, el helado o la pizza entran de maravilla, pero una vez que los ha comido, es posible que empiece a notar un retorno temporal de los viejos y conocidos síntomas. No recomiendo correr riesgos, simplemente reconozco que la naturaleza humana los exige de vez en cuando. Y por si le preocupa a usted el hecho de que su dieta personalizada, metabólicamente correctora y cardiológicamente saludable es por completo diferente de la dieta alta en hidratos de carbono y con un 30 % de grasa que nos están recomendando los organismos oficiales y sus asesores subvencionados por la industria alimentaria, vuelva a la parte tercera de este libro. Los hechos y datos que allí se exponen le tranquilizarán.

Unas cuantas recomendaciones de despedida

Para aquellos de ustedes que han obtenido el éxito, su travesía dietética parece casi finalizada. La verdad es que continúa, pero está usted al timón y el barco responderá a su gobierno. Por eso, quiero dejarle con estos pocos principios básicos para su vida con la dieta Atkins.

1. Fíjese en lo que come. Recuerde que carne fresca, pescado, aves, verduras, frutos secos, semillas, frutas y féculas ocasionales son los alimentos que la naturaleza ha destinado para su alimentación. Esas cosas envasadas del supermercado le meten dinero a alguien en el bolsillo, pero no intente usted metérselas en el estómago. Éste es el único cuerpo que tiene. Observe lo bien que se siente ahora. Observe qué buen aspecto ofrece. Consérvelo así.

2. Tenga cuidado —no deje de tenerlo— con el azúcar y el jarabe de maíz, la harina blanca y el almidón de maíz. Mire las etiquetas de cualquier alimento envasado que se vea obligado a comprar y huya como de la peste de los envases que contienen azúcar, jarabe de maíz, miel, maltosa, dextrosa, fructosa, lactosa, sorbitol y todas las demás variaciones e invenciones de la moderna industria de refinado del azúcar.

3. Individualice su dieta. Pruebe nuevos alimentos. Aumente la variedad de alimentos que le

gustan. Utilice las recetas que se incluyen en la quinta parte de este libro. Ello le ayudará a evitar volver a comer alimentos que saboreaba en el pasado pero que, simplemente, no le convienen. Le recomiendo fervorosamente que elabore un menú que le resulte atractivo, sabroso y satisfactorio. Necesita sentirse feliz con los alimentos que tome. Una vez que se sienta a gusto comiendo alimentos sanos, es casi seguro que su futuro dietético será también sano.

4. Continúe su ya establecido y eficaz programa de suplementación vitamínica y mineral. Ya le he dicho parte de lo que necesita saber. El capítulo 22 le proporciona más detalles.

5. Utilice con moderación la cafeína y el alcohol.

6. Recuerde que las adicciones solamente se pueden vencer por medio de la abstinencia.

7. Ocúpese de las recuperaciones de peso rápida y eficazmente volviendo a la fase de inducción de la dieta durante el tiempo que sea necesario para alcanzar de nuevo el peso que usted se ha fijado como objetivo. Jure que nunca se permitirá a sí mismo estar a una distancia de ese peso superior a dos semanas de dieta.

8. Haga ejercicio.

Una observación final. Tal vez se haya fijado en que un grupo de consenso del Instituto Nacional de la Salud informó recientemente que de los resultados obtenidos por los mejores programas de dietas bajas en calorías se deduce que «entre el 90 y el 95 % de los dietistas recuperan en el plazo de cinco años la totalidad o gran parte de los kilos perdidos con tanto esfuerzo».

Pero cuando un programa cambia la composición de la dieta, no la cantidad, y cuando se aplican adecuadamente las enseñanzas del premantenimiento y la regla de los dos kilos, las recaídas constituyen un fenómeno muy poco frecuente. Los archivos en que conservamos los datos de nuestros pacientes confirman este hecho patente.

21

Ejercicio: un agradable camino
hacia la delgadez

Como me encanta la polémica, no he mencionado la cuestión del ejercicio. Mi postura con respecto al ejercicio (lo aplaudo y lo recomiendo) es la parte menos polémica del libro, lo cual no significa que el ejercicio no sea importante para usted. No sólo constituye una parte esencial del programa, sino que en casos de resistencia metabólica severa es probable que suponga la diferencia entre el éxito y el fracaso.

Por supuesto, el ejercicio debería formar parte de cualquier programa dietético. Yo he ayudado a adelgazar a muchas personas que no querían hacer ejercicio y que, por lo tanto, nunca lo hicieron, pero a todas ellas les habría ido mucho mejor si hubieran estado dispuestas a incorporar en su vida una razonable cantidad de sano ejercicio.

Cuando alguien sigue una dieta, está tratando de cambiar la forma de su cuerpo. Evidentemente, el ejercicio es un complemento, pues es la única actividad normal, además de la dieta, que altera el tamaño, grosor, contornos, etcétera, del ente físico. En nuestra sociedad, el número de personas que quieren perder peso para sentirse mejor es probablemente inferior al de las que quieren perderlo para tener un mejor aspecto. El ejercicio es importante para ambos fines. Ejerce un efecto benéfico.

Hágase un seguro de enfermedad para el corazón

Sospecho que el modesto descenso en la tasa de enfermedades cardiacas que hemos presenciado en los años setenta y ochenta está directamente relacionado con el auge alcanzado por la moda de estar en forma. *Aerobics*, del doctor Kenneth Cooper, y los numerosos libros sobre diversos tipos de ejercicio físico publicados después tocaron realmente una fibra sensible en Estados Unidos. La gente vio que se trataba de algo bueno, algo totalmente positivo en una época de gran negatividad —la era de Vietnam y Watergate— y se apuntó a ello con entusiasmo.

Había llegado la hora del ejercicio, bienvenida fuera. ¡En menuda pandilla de aficionados al sillón nos estábamos convirtiendo! Yo era tan culpable como cualquiera. Es muy fácil sentarse ante el televisor y dejar que la gravedad se ocupe de uno. Pero como millones de personas más, he descubierto la inmensa alegría de mover los miembros. No necesito que me convenzan de los beneficios que entraña para la salud.

Los estudios de población —lo que el mundo médico llama estudios epidemiológicos— pueden clarificar bastante sus ideas al respecto. Se ha demostrado que las enfermedades coronarias son casi tres veces más probables entre los empleados sedentarios del servicio de Correos de Washington D.C. que entre los carteros repartidores, físicamente activos. En otro estudio se descubrió que los habitantes de Dakota del Norte no dedicados a la agricultura corrían doble peligro que los agricultores.

El ejercicio desempeña una función protectora en el campo de las enfermedades coronarias y en muchas otras: la obesidad, la hipertensión, la diabetes iniciada en la madurez, la osteoporosis e, incluso, el cáncer son significativamente menos comunes entre las personas físicamente activas.

Si le cuesta mucho perder peso

Entretanto, usted quiere perder peso. Si encaja en la categoría de resistencia metabólica de la que acabo de hablar, el ejercicio puede ser de una importancia capital. Necesitará usted todas las ventajas que pueda encontrar, no sólo la ventaja dietética que le he estado enseñando, sino también la ventaja del movimiento físico que le estoy exponiendo ahora.

Se ha calculado que se podrían perder siete kilos al año con sólo hacer treinta minutos de ejercicio aeróbico tres veces a la semana. Después de todo, por cada kilómetro y medio que se recorre caminando se queman cien calorías. No parece mucho, pero esos kilómetros se van sumando.

Además, incluso cantidades modestas de ejercicio contribuyen a formar masa muscular, sobre todo cuando se ha sido sedentario, y la estructura celular del músculo está constituida de tal modo que quema más energía que las células de grasa. Esto es así incluso mientras se permanece inactivo. Por consiguiente, una persona que hace ejercicio está llevando, lenta pero firmemente, su cuerpo hacia un mayor consumo de energía y, por tanto, hacia una mayor delgadez. También esto es una forma de ventaja metabólica y espero que usted la adopte.

¿Cuáles son las ventajas del ejercicio?

1. El ejercicio puede ser divertido.
2. El ejercicio puede hacer que su cuerpo presente un mejor aspecto y le ayudará a perder peso.
3. El ejercicio puede darle más salud (y, casi con toda certeza, se la dará).
4. El ejercicio puede hacer que se sienta bien. Después de los primeros días de fatiga, le dará más energía y le hará más apto para enfrentarse a todos y cada uno de los desafíos de la vida.

¿Cuáles son los inconvenientes del ejercicio?

1. No hay ninguno.

¿Qué razones se aducen para no hacer ejercicio?

1. Pereza. Ésta suele ser la verdadera razón y muy difícilmente puedo criticarle por ello, pues durante buena parte de mi vida yo también he sido culpable de este pecado. La solución para usted puede ser la que lo fue para mí: búsquese un ejercicio que realmente le guste (en mi caso, el tenis) y elabore en torno a él su programa de puesta en forma. A mí siguen sin gustarme muchos tipos de ejercicio, pero practico algunos de ellos porque me digo a mí mismo que me ayudarán a jugar mejor al tenis.

2. Falta de tiempo. Oh, cuántas veces he oído eso. Por favor, cuénteselo a su tía. Mire, amigo, si duerme 8 horas cada noche, eso le deja todavía 16 horas diarias. Quite 8 horas para trabajar y 2 para comer y ocuparse de su higiene personal y aún quedan 6 horas. Supongo que en esas 6 horas podrá encontrar algún momento para hacer ejercicio. Su cuerpo constituye una de sus más serias responsabilidades, ya que le resultará en extremo difícil desempeñar sin él el resto de responsabilidades. Si no puede arañar media hora al día, ya sabe a quién está perjudicando.

3. Edad y/o malas condiciones físicas. Si tiene usted más de cien años, llámeme para una consulta especial en la que trataremos la posibilidad de que no haga ejercicio; en otro

caso, no crea que le va a servir una excusa tan pobre. En cuanto a las malas condiciones, eso es exactamente lo que estamos intentando remediar.

4. Mala salud. Ésa es una razón para empezar despacio y avanzar con cautela, no una remisión de condena. Un programa de ejercicios se puede adaptar a cualquier dolencia y la persona más enferma puede comenzar a un nivel adecuado a su estado. Si todavía conserva usted el uso de sus miembros, puede hacer ejercicio.

¿Cuáles son los tipos de ejercicio?

Si tiene usted más de 35 años, antes de emprender cualquier programa de ejercicios más fuertes que el de andar a paso vivo, debe someterse a un reconocimiento médico y realizar una prueba de esfuerzo para detectar posibles problemas cardiovasculares.

Ejercicio aeróbico

El ejercicio aeróbico impone un desafío al ritmo cardiaco y origina un incremento en el consumo de oxígeno. Caminar es sólo levemente aeróbico porque el nivel de esfuerzo es muy bajo. La danza aeróbica, el esquí campo a través, el esquí simulado, correr, nadar, la marcha gimnástica, remar y montar en bicicleta son ejercicios altamente aeróbicos. Los beneficios que producen son inmensos, al margen de la pérdida de peso. Todas las células de su cuerpo necesitan un constante suministro de oxígeno y, si es usted un televidente empedernido desde hace años, muchas de ellas están siendo privadas del suministro adecuado. Esto significa que, cuando se haya acostumbrado a una rutina regular de ejercicio aeróbico, empezará a sentirse físicamente mejor que antes. Salvo la muerte y los impuestos, nada hay más seguro que esto.

Si emprende usted alguna forma de ejercicio aeróbico enérgico, yo le aconsejaría que obtuviese alguna forma de asesoramiento profesional o, al menos, se comprase un libro de autoayuda sobre el tipo de ejercicio que ha escogido. Es importante aprender a hacer ejercicios de flexión y distensión para poder relajar los músculos, prevenir la rigidez y reducir la probabilidad de sufrir una lesión. El correr, debido a su impacto sobre las rodillas y los tobillos, requiere cuidado y un par de buenas zapatillas.

Aquellos de ustedes que llevan mucho tiempo sin hacer ejercicio, o que quieren prevenir la osteoporosis, quizá deseen practicar ejercicios en la cama elástica. La finalidad en este caso es incrementar la tensión vertical sobre el esqueleto, que soporta el peso, al objeto de que las vértebras respondan a la señal de que se necesita más calcio a lo largo de los planos que reciben la tensión. Los muelles de la cama elástica permiten absorber y amortiguar los impactos fuertes. Cuanto más calcio se acumule antes de la menopausia, mejor se resistirá la pérdida involutiva de calcio.

Ejercicio anaeróbico

Este término se refiere a cualquier tipo de ejercicio que no sea significativamente aeróbico. Incluye muchos tipos de ejercicio que desarrollan masa muscular, como el levantamiento de pesas y numerosas formas de trabajo físico. Este ejercicio no es tan saludable y beneficioso para el corazón como el ejercicio aeróbico, pero puede producir dos efectos favorables: ayudará a moldear el cuerpo y le dará un mayor atractivo y, al desarrollar músculo, facilitará el mantenimiento de un peso ideal. Si aumenta usted en grado considerable su musculatura, descubrirá que ese peso ideal es un poco más elevado de lo que las tablas de las compañías de seguros le inducirían a esperar, ya que el músculo pesa más que la grasa.

Ejercicio levemente aeróbico

Ejercicios tales como caminar, jugar al golf, al tenis o al pimpón, montar a caballo y bailar no sólo pueden incrementar levemente la acción bombeadora del corazón y la actividad de los pulmones, sino que constituyen grandes mejoras en el estilo de vida de quien no hace ejercicio habitualmente. Si quiere usted sentirse bien y vivir muchos años, en mi opinión al menos debe acostumbrarse a caminar media hora todos los días, preferiblemente a paso vivo.

Para quien no ha hecho ejercicio en toda su vida, caminar es la mejor forma de empezar. Sé que muchos de mis lectores serán personas que durante años no han recorrido más de dos manzanas si no es en automóvil. ¡Estupendo! Le esperan enormes mejoras. Camine a lo largo de cinco manzanas. Pruebe luego seis. Si un paseo de diez minutos le resulta duro hoy, al cabo de tres o cuatro días no lo será. Sus músculos se aflojarán, cesará la rigidez y en su cuerpo se liberarán relajantes endorfinas. Antes de que se dé cuenta, estará caminando un kilómetro. Lo único que necesita es romper la costra inicial de los malos hábitos. Sentirse bien cuando uno se mueve es natural. No sentirse bien es un estado sumamente artificial. Recuerde que la madre naturaleza consideraría, sin duda, una aberración el estilo de vida «moderno».

¿Qué debe hacer para empezar?

1. Trabaje con su propio plan y decida qué parte del día va a reservar para hacer ejercicio. Muchas personas que llevan una vida muy atareada descubren que la única forma en que pueden hacer ejercicio con asiduidad es dedicándose a ello a primera hora de la mañana. Si éste es su caso, ¿por qué no deja preparada la ropa y las zapatillas de andar o de correr antes de acostarse por la noche y, al levantarse por la mañana, se los pone y sin más preámbulos pasa a la acción? Siempre puede lavarse y desayunar después de la media hora de ejercicio.

2. Empiece lentamente el plan de ejercicios durante las primeras semanas. Comience haciendo menos de lo que cree que puede hacer. Si un paseo de diez manzanas le parece duro, recorra ocho. Descubrirá que el progreso es rápido. Cada día sucesivo puede hacer un poco más. Muchas personas empiezan demasiado agresivamente. La finalidad de un plan de ejercicios no es agotarse. Si practica usted vigorosos ejercicios aeróbicos, no los haga siete días a la semana; cinco debe ser el máximo. Si inicia un programa de levantamiento de pesas, nunca lo haga dos días seguidos.

3. Si tiene usted mucho exceso de peso, debe empezar por caminar. Eso será suficiente. Al fin y al cabo, hasta que elimine ese exceso de peso sus probabilidades de lesionarse las articulaciones con alguna forma de esfuerzo muy activo son mucho mayores.

Unas observaciones finales

Cuando se hace ejercicio, debe producirse una elevación normal del número de pulsaciones. Si se marea o le duele el pecho, DETÉNGASE. Evidentemente, ha llegado el momento de consultar con su médico de cabecera.

Si todo se desarrolla con normalidad, probablemente descubrirá que puede incrementar su ejercicio entre un 10 y un 20 % cada semana.

Al cabo de sólo un par de semanas de ejercicio muchas personas descubrirán que les gusta y que no pueden pasar sin él. Ésta es una de las pocas adicciones en la vida que no debe usted temer.

Incluso los menos habituados al ejercicio se encontrarán con que, después de dos o tres meses, han contraído una costumbre que puede continuar formando para siempre una agradable y fácil parte de su vida.

Adelante con ello. Lo único que puede perder son las cadenas de la inactividad.

22

Suplementos nutricionales:
los secretos del Atkins Center

El hecho esencial que debe usted conocer en este capítulo es que los mejores médicos que conozco tratan a sus pacientes con vitaminas. Con eso quiero decir que utilizan lo que yo llamo «farmacología nutricional» y prescriben lo que el doctor Stephen de Felice denomina «nutracéuticos».

Puede que estos términos le induzcan a usted a preguntar: «¿Existe un sistema de tratar las enfermedades con nutrientes y sustancias naturales, en lugar de los específicos y productos farmacéuticos que casi todos los médicos prescriben?»

Bueno, me alegro de que me lo pregunte; ya temía que nunca fuera a hacerlo. Existe, en efecto, ese sistema. Su difusión va creciendo rápidamente y lo han adoptado más de mil médicos y un número cien veces mayor de curanderos no médicos. Yo lo llamo medicina complementaria porque su principio básico es que todas las artes curativas pueden y deben complementarse mutuamente. Otro principio básico es que quien utilice la medicina complementaria debe seleccionar primero las terapias más seguras. Por eso es tan probable que el complementarista utilice terapias nutricionales; la ausencia de riesgos, sobre todo comparado con los medicamentos a los que sustituye, es casi absoluta.

Desde luego, yo soy un médico complementarista. De hecho, en la pared de mi despacho hay varias placas que dan a entender que para algunos profesionales soy uno de los líderes de este movimiento. Por eso, tengo que hacer una confesión. Mary Anne Evans, Harry Kronberg y todos los demás pacientes míos cuyas historias clínicas ayudan a personalizar este libro recibieron algo más que la dieta Atkins.

Todos mis pacientes —y los ejemplos que he citado no constituyen una excepción— reciben una cantidad bastante importante de vitaminas, minerales, ácidos grasos esenciales y otros agentes nutricionales llamados metabolitos intermediarios. Los receto ya que, por mi experiencia clínica, mis lecturas y mi asistencia a congresos médicos, por no hablar de mis entrevistas para mis programas radiofónicos semanales con más de cien de las más destacadas figuras de la medicina todos los años, he aprendido que los nutrientes pueden influir en la salud.

He descubierto tantos nutrientes valiosos, que benefician la salud incluso de las personas sanas, que ya no creo que una persona que siga una dieta teóricamente óptima, incluso «perfecta», pueda tener una vida tan larga o tan saludable como podría tenerla tomando también suplementos nutricionales.

Citaré sólo un ejemplo para demostrar mi afirmación. Existen pruebas científicas de que el grupo antioxidante de nutrientes otorga una importante protección contra los daños originados por los radicales libres, electrones generados por el medio ambiente y violentamente activos que contribuyen a la aparición del cáncer, las enfermedades cardiacas y el envejecimiento. Incluso una persona que siga una dieta perfecta no vive en un medio ambiente perfecto, de forma que puede conservar durante más tiempo su buena salud si toma las dosis eficaces de vitaminas A, C y E, más selenio, glutatión, cisteína y bioflavonoides.

Se han realizado estudios para tratar de encontrar las dosis eficaces máximas de nutrientes. El dos veces premio Nobel Linus Pauling llegó a la conclusión de que la mayoría de nosotros deberíamos tomar a diario 10 gramos de vitamina C.

De hecho, cuando se consideran todos los nutrientes útiles y preguntamos cuál es la dosis óptima de cada uno, la mejor respuesta científica podría llevarnos a tomar más de cien píldoras de vitaminas al día.

Como, evidentemente, eso no sería nada práctico, me vi obligado a idear un sistema de prescripción nutricional que denominé nutrición específica. Esto me permite recetar (y a las demás personas seleccionar por sí mismas) una variedad de formulaciones enfocadas a las necesidades nutricionales propias de problemas clínicos concretos.

Por ejemplo, si una persona es víctima de frecuentes resfriados y virus y quiere asegurarse de tener el apoyo nutricional adecuado para ayudar a prevenirlos, podría optar por una fórmula contra la infección aguda como la que en el Atkins Center llamamos AI n.º 6.

Esta fórmula contiene las vitaminas C y A, además de cinc, bioflavonoides y elementos constitutivos del complejo B que, según han demostrado estudios realizados sobre el particular, ejercen un influjo nutricional en nuestra capacidad para combatir a tales invasores.

A diferencia de los medicamentos, los agentes nutricionales no actúan contra la enfermedad. En cambio, refuerzan la capacidad del receptor para organizar una defensa contra la enfermedad, cosa que puede hacer con mucha más efectividad cuando se ha atendido a su nutrición.

El mundo ha sido programado para creer que se combate a la enfermedad atacándola con una combinación de medicamentos, pero, desde que utilizo la nutrición, mis pacientes sanan mucho antes y mucho más completamente cuando se refuerza metabólicamente su propia resistencia.

La aplicación de la nutrición específica se extiende, desde luego, a aquellos cuya principal preocupación es perder peso, y a este efecto he elaborado una fórmula del dietista, una especie de anexo a la dieta Atkins.

Le hablaré de ella, de modo que no tendrá que obtenerla del Atkins Center (naturalmente, en la venta de esas vitaminas tengo una participación económica personal), pero puede usted, simplemente, optar por una serie de vitaminas que suministran el apoyo nutricional equivalente.

Nuestra fórmula del dietista (Básica 3) contiene todos los ingredientes de nuestra vitamina múltiple básica, aunque en dosis algo diferentes. Fue diseñada para ser tomada en una dosis de seis a nueve pastillas diarias (la dosis mayor para personas de más de 90 kilos de peso), pero ni siquiera tomando el doble existiría ningún peligro de sobredosis.

Se diferencia de la fórmula básica usual en que contiene mayores cantidades de picolinato de cromo, pantenina, selenio y biotina. Se hace hincapié en este grupo de nutrientes debido a que determinados informes científicos indican que todos ellos desempeñan funciones nutricionales en el metabolismo de la glucosa, la insulina y los lípidos. Se inserta a continuación nuestra fórmula del dietista (Básica 3).

Fórmula del dietista
Básica 3

Vitamina A	200 UI	
Betacaroteno	500 UI	
Vitamina D-2	15 UI	
Tiamina (HCL) (B_1)	5 mg	
Riboflavina (B_2)	4 mg	
Vitamina C (ascorbato de calcio)	120 mg	(150 mg)
Niacina (B_3)	2 mg	
Niacinamida	5 mg	
Pantetina (80%)	25 mg	(30 mg)
Pantotenato de calcio (B_5)	25 mg	
Piridoxal-5-fosfato	2 mg	
Piridoxina (HCl) (B_6)	20 mg	
Ácido fólico	100 µg	
Biotina	75 µg	
Cianocobalamina (B_{12})	30 µg	
Vitamina E (alfa D tocoferol)	20 UI	
Sulfato de cobre	200 µg	

Magnesio (óxido)	8 mg
Bitartrato de colina	100 mg
Inositol	80 mg
APAB	100 mg
Manganeso (quelato)	4 mg
Cinc (quelato)	10 mg
Bioflavonoides cítricos	150 mg
Cromo (picolinato)	50 µg
Molibdeno (sodio)	10 µg
Sulfato de vanadilo	15 µg
Selenio	40 µg
Octacosanol	150 µg
N-acetil-1-cisteína	20 mg
L-glutatión (reducido)	5 mg

En una base de lactobacilus, acidofilus bulgaris y bifidus, complejo B y factores del crecimiento.

Dosificación sugerida: de una a tres tabletas tres veces al día después de las comidas.

El cromo merece la máxima atención. Descubierto primeramente como el único mineral componente del Factor de Tolerancia a la Glucosa (FTG), una molécula que actúa como una especie de catalizador para la acción de la insulina en sus puntos de recepción, el cromo estaba empezando a ser considerado como un nutriente esencial y el FTG como una verdadera vitamina. En muchos aspectos este estado de cosas resultaba frustrante, pues resulta muy difícil encontrar alimentos que contengan cromo. Sólo la levadura de cerveza parecía cumplir ese requisito y, como hemos visto en el capítulo 13, este alimento no le convendría a ese 30 % de la población que, según se estima, padece una proliferación excesiva de *Candida albicans*. Sin embargo, recientemente se ha descubierto que el picolinato de cromo se asimila con facilidad y numerosos estudios han demostrado que el cromo crea masa muscular (un efecto anabólico) y reduce la grasa corporal, además de reducir los niveles de colesterol.[1]

Lo mejor, probablemente, es ingerir picolinato de cromo en dosis de 300-600 µg al día.

La pantetina es el intermediario entre el ácido pantoténico de la vitamina B y la importante coenzima A. Desempeña un papel crítico en muchos procesos metabólicos y es un destacado nutriente controlador del colesterol. Es útil en la alergia, la colitis, los estados de tensión y las infecciones por fermentación. Yo empleo de 100 a 400 mg diarios*.[2]

El selenio es útil como antioxidante y su carencia parece aumentar el riesgo de cáncer. Además, un reciente estudio sobre animales realizado por McNeill sugirió que desempeña un beneficioso papel nutricional en la prevención de la diabetes. Yo creo que 200 µg constituye una dosis diaria adecuada para adultos.[3]

La biotina es una de esas poco conocidas vitaminas del grupo B cuya función nutricional se vio recientemente realzada cuando J. C. Coggeshall y sus colegas advirtieron un significativo descenso de los niveles de azúcar en sangre en los diabéticos cuando se administraba biotina.[4]

---

* La pantetina plantea problemas al fabricante de vitaminas, ya que existe en forma líquida. Hemos visto productos en cuya etiqueta se citaba como componente la pantetina, pero, efectuado el oportuno análisis, resultaba que no la contenía. Asegúrese de que el producto que emplea contiene la pantetina adecuada.

Y otra observación sobre la suplementación de vitamina C. G. J. Naylor y sus compañeros realizaron un estudio doble ciego controlado por placebo sobre cuarenta y una mujeres extremadamente obesas que habían fracasado en anteriores intentos por perder peso. Al cabo de seis semanas, el grupo de control había perdido un promedio de un kilo, pero el grupo que recibía 3 gramos diarios de vitamina C perdió 2,5 kilos.[5] Nada espectacular, desde luego, pero dado que se combina con las ventajas de la vitamina C para reforzar nuestra resistencia a las infecciones, quiero cerciorarme de que todos ustedes se hallan adecuadamente provistos de ácido ascórbico.

Una vez que se decida por un adecuado preparado polivitamínico y de minerales, el siguiente grupo nutricional más importante para suplementación durante largo tiempo es el constituido por los ácidos grasos esenciales. Éstos no los encontrará usted en un preparado polivitamínico, porque existen físicamente como aceites. Los aceites y los polvos secos se mezclan muy mal y, por ello, es preciso tomarlos por separado. Hay dos tipos de ácidos grasos esenciales que la mayoría de nosotros necesitamos. Un tipo es la serie omega-3, que proviene de fuentes animales (peces y mamíferos marinos principalmente) y una fuente vegetal (aceite de lino o linaza) que suministra el aceite esencial ácido alfalinoleico. Otro tipo es una subdivisión especial de omega-6 llamado ácido gamalinoleico, útil para el tratamiento del eccema atópico, el síndrome premenstrual, el aumento de colesterol y muchas otras situaciones de carencia, y que se contiene en el AEP, el aceite de borraja y el aceite de grosella negra.

La administración de aceite esencial debe realizarse individualmente según prescripción de un consejero de nutrición, pero, a efectos generales, yo sugeriría 2 cápsulas de aceite de borraja, 2 de super-AEP y 2 de aceite de linaza. Los amantes de la comodidad tal vez prefieran 6 de la fórmula de aceites esenciales, que contiene todos los citados y que yo prescribo a mis pacientes.

Hay luego nutrientes cuya carencia o provisión insuficiente originan a veces una obstrucción nutricional. En ocasiones, la resistencia metabólica se puede explicar en parte como una deficiencia nutricional. Quisiera mencionar tres de esos nutrientes. Quizá quiera usted estudiar el efecto que producen sobre su respuesta dietética. El primero de ellos es la L-carnitina. La carnitina participa en el transporte de la grasa y cuando es escasa las personas obesas tienen dificultades para entrar en cetosis/lipólisis. El uso principal de la carnitina es en las enfermedades cardiacas, donde corrige un tipo muy común de cardiomiopatía, contribuye a estabilizar el ritmo cardiaco, descender los niveles de triglicéridos y aumentar el colesterol LAD. Para estas afecciones, la dosis oscila entre 1.000 y 2.000 mg diarios.[6]

La coenzima Q_{10} es otro nutriente esencial para la función cardiaca. También es necesaria para el adecuado funcionamiento del sistema inmunológico y es una corrección nutricional específica para la enfermedad periodental (de las encías). Pero a los lectores con exceso de peso tal vez les interese conocer un estudio belga, dirigido por el doctor Luc van Gall, en el que se demostraba que más de la mitad de un grupo de pacientes obesos tenían niveles de carencia de CoQ_{10} y los comparó con un grupo similar sin carencia.[7] Al cabo de nueve semanas, el grupo antes carente perdió 13,4 kilos con una dieta estándar, mientras que los no carentes perdieron 5,7 kilos con la misma dieta. Si este trabajo refleja la incidencia de la carencia de CoQ_{10} en todos los sujetos con exceso de peso, entonces la mitad de ustedes se beneficiará considerablemente de este nutriente. Van Gall utilizó 100 mg diarios en su investigación.

La piridoxina alfa-cetoglutamato (PAC) ha sido menos estudiada, pero parece ejercer un efecto favorable sobre la diabetes. Cualquier nutriente capaz de facilitar la acción de la insulina debería, lógicamente, ser beneficioso para los que se esfuerzan por perder peso. Yo utilizo entre 500 y 1.500 mg diarios.

Por consiguiente, la suplementación básica se compone de:

Fórmula básica para dietistas: 6 veces al día.
Picolinato de cromo: 300 μg diarios o un poco más, salvo que esté contenido en la fórmula básica.
Aceites esenciales: 3 a 6 diarios, o AGL, AEP y lino.
Carnitina, CoQ_{10} y PAC, si decide usted que le van bien.

Ventajas adicionales

Ahora que he presentado el esquema básico de la suplementación para todos ustedes, he aquí varias soluciones nutricionales concretas para problemas frecuentes entre los dietistas:

- Para el estreñimiento: Puede emplear óxido de magnesio, vitamina C o diversos laxantes vegetales y agentes impulsores de *Psilium*. Empiece con una cucharada sopera en un vaso de agua y aumente o disminuya la dosis hasta que se logre el movimiento de intestinos óptimo.
- Para la necesidad de tomar azúcar: L-glutamina, 500-1.000 mg antes de las comidas y quizá justo en el momento en que mayor es la apetencia de azúcar.[8] También resulta útil aumentar la cantidad de cromo.
- Para el hambre no calmada por estar en cetosis: L-fenilalanina o acetil L-tirosina, 500 mg de la primera o 300 mg de la segunda, antes de las comidas.[9]
- Para retención de líquidos: Piridoxal 5 fosfato, 50-100 mg, más 1.500-3.000 mg diarios de L-taurina.[10] Las tabletas de espárragos dan también muy buen resultado.
- Para la fatiga: Octacosanol, 5-10 mg, APAB, 600-2.000 mg, dimetilglicina, de 3 a 6 tabletas sublinguales al día; tabletas sublinguales de B12, 1-3 diarias, o 1-3 tabletas diarias de complejo B (concentración de 50 mg).[11]

- Para el nerviosismo: Inositol, de 500 a 2.000 mg al día e infusiones de hierbas tales como manzanilla, valeriana y pasionaria.[12]
- Para el insomnio: Las anteriores infusiones tomadas de noche, más 200 mg de melatonina (extracto pineal) antes de acostarse (adapta el ciclo de sueño al ciclo día/noche; contraproducente para quienes trabajan de noche). Calcio, magnesio, niacinamida, ácido pantoténico y 5-hidroxiltriptófano también pueden ser útiles.[13]

Nutrición y problemas de salud

Hablemos ahora de un programa de suplementación para problemas médicos que suelen afectar a un importante sector de mis pacientes sujetos a dieta.

Enunciaré simplemente lo que yo prescribo. No pretendo que los nutrientes que a continuación se relacionan ejerzan un efecto terapéutico directo sobre las afecciones para las cuales se emplean. Los efectos que producen se logran por caminos nutricionales.

Desde que los estoy tratando con este sistema, mis pacientes manifiestan mejorías clínicas cuatro o cinco veces más frecuentemente que cuando ejercía una rama autorizada de la medicina interna ortodoxa. Este hecho sólo puede atribuirse al elevado porcentaje de pacientes míos que presentan carencias nutricionales específicas.

- Para hipoglucémicos, utilizo la fórmula básica, más cromo, L-glutamina, cinc, selenio, magnesio, todos los componentes del complejo B, PAC, biotina extra, L-alanina o, si no, utilizo la fórmula Atkins HF-12.[14]
- Para la diabetes, utilizo la fórmula básica, más cromo, cinc, selenio, inositol, CoQ_{10}, PAC, biotina, sulfato de vanadilo, magnesio o, si no, utilizo la fórmula Atkins DM-19.[15]
- Para bajar o prevenir las elevaciones de colesterol, utilizo gránulos de lecitina, cromo, pantetina, niacina y otros factores del complejo B, ajo, vitamina C, AGL (aceites de borraja, prímula o grosella negra), AEP (aceite de pescado), sitosterol, glucomanán, goma de guar, pectina, cáscaras de psilium, dimetilglicina, CoQ_{10}, fosfatidilcolina o utilizo la fórmula de lípidos Atkins,* más la fórmula de aceites esenciales.[16]
- Para niveles altos de triglicéridos, la lista es similar a la que se emplea para el colesterol, salvo que se da más importancia a la L-carnitina y al AEP. Debido a la correlación existente entre triglicéridos e hiperinsulinismo, los nutrientes útiles para la diabetes también pueden utilizarse aquí.[17]
- Para la hipertensión utilizo magnesio (preferiblemente como orotato, taurato, arginato o aspartato), L-taurina, piridoxal 5 fosfato o pi-

* Lea las etiquetas. La fórmula de lípidos debe completarse con cromo, pantetina y los ácidos grasos esenciales.

ridoxina, ajo, aceites grasos esenciales (AGL y AEP), CoQ_{10}, potasio, o la fórmula Atkins AH-3, más la fórmula de aceites esenciales.[18]

- Para cardiopatías coronarias, utilizo sólo uno de los compuestos de magnesio mencionados, L-carnitina, vitamina E, CoQ_{10}, serrapeptasa y/o bromelia, ajo, picolinato de cromo, o utilizo la fórmula CV-4.[19]
- Para la artritis, utilizo cartílago de tiburón, superoxi-dismutasa, calcio EAP, pantetina, niacinamida, piridoxina, APAB, vitamina C, bioflavonoides, vitamina E, SOD/catalasa, sebacato de cobre, o utilizo la fórmula Atkins AA-5, más la fórmula de aceites esenciales.[20]

La lista de nutrientes que han dado resultados favorables en estas afecciones proporcionará un atisbo de los numerosos trabajos publicados acerca de los nutracéuticos. Considere al mismo tiempo los casi obscenos márgenes de beneficios que continuamente registra la industria farmacéutica y empezará a entender por qué no han sido objeto de amplia difusión todos estos honrados y fidedignos estudios médicos que avalan una terapia competente. Si su médico no le habla a usted de ellos, es sólo porque nadie se los ha dado a conocer a él.

La restricción de hidratos de carbono le otorga a usted una ventaja y, de igual forma, el uso específico de suplementos nutricionales le proporciona otra clase de ventaja. Aprenda de ellas, aprenda a utilizarlas y utilícelas adecuadamente. Cuando lo haga, toda la ventaja estará de su parte.

NOTAS

1. Evan, G.W.: «The effects of chromium picolinate on insulin controlled parameters in humans», *International Journal of Biosocial Medical Research* 11, 1989, págs. 163-180.

2. Cattin, L.: *op. cit.*

3. McNeill, J.H.: *op. cit.*

4. Coggeshall, J.C.: *op. cit.*

5. Naylor, G.J. y otros: «A double-blind placebo controlled trial of ascorbic acid in obesity», *Nutrition and Health*, 1985, pág. 425.

6. Ferrari, R.: *op. cit.*

7. Van Gall, L. y otros: «Explorator study of coenzyme Q_{10} in obesity» en Folkers, K. y Yamamura, Y., editores, *Biomedical and Clinical Aspects of Coenzyme Q*, vol. 4. (Amsterdam, Elsevier Science Publishers), 1984, págs. 369-373.

8. Uso clínico de la glutamina en el Atkins Center for Complementary Medicine.

9. Resultados clínicos obtenidos en el Atkins Center for Complementary Medicine.

10. Azuma, J. y otros: «Therapeutic effect of taurine in congestive heart failure: a double blind crossover trial», *Clinical Cardiology* 8, 1985, págs. 276-282.

11. Ellis, F.R. y Nasser, S.: «A pilot study of vitamin B_{12} in the treatmen of tiredness», *British Journal of Nutrition* 30, 1973, págs. 277-283.

12. Atkins, Robert D.: *Dr. Atkins' Health Revolution* (Boston, Houghton Mifflin), 1988.

13. Mohler, H. y otros: «Nicotinamide is a brain constituent with benzodiazepinelike actions», *Nature* 278, 1979, págs. 563-565. También Yogman, M. y Zeisel, S.: «Diet and sleep patterns in newborn infants»,

The New England Journal of Medicine 309 (19), 1983, pág. 1147.

14. Anderson, R.A. y otros: «Chromium supplementation of humans with hypoglycemia», *Federal Proc.* 43, 1984, pág. 471. También Curry, D.L. y otros: «Magnesium modulation of glucose induced insulin secretion by the perfused rat pancreas», *Endocrinology* 101, 1977, pág. 203.

15. Goggeshall, J.C.: *op. cit.* También Liu, V.J. y Abernathy, R.P.: «Chromium and insulin in young subjets with normal glucose tolerance», *The American Journal of Clinical Nutrition* 25 (4), 1982, págs. 661-667. También Ceriello, A. y otros: «Hypomagnesemia in relation to diabetic retinopathy», *Diabetes Care* 5, 1982, págs. 558-559. También Shigeta, Y. y otros: «Effect of coenzyme Q_7 treatment on blood sugar and ketone bodies of diabetics», *Journal of Vitaminology* 12, 1966, pág. 293.

16. Childs: *op. cit.* También Horrobin: *op. cit.*; Saynor: *op. cit.*; Railes y Albrink: *op. cit.*; Cattin: *op. cit.*; Grundy: *op. cit.*; Bordia: *op. cit.*; Ernst: *op. cit.*; Simons: *op. cit.*; Day y Trueswell: *op. cit.*

17. Jamal, C.A. y otros: «Gamma-linolenic acid in diabetic neuropathy», *Lancet*, 1 (1986), pág. 1.098. Véase también Ceriello, A. y otros: «Hypomagnesemia in relation to diabetic retinopathy», *Diabetes Care* 5, 1982, págs. 558-559.

18. Cohen, L.: «Magnesium and hypertension», *Magnesium Bulletin* 8, 1986, págs. 1.847-1.849. También Azuma, J.: *op. cit.* También Norris, P.G. y otros: «Effect of dietary supplementation with fish oil on systolic blood pressure in mild essential hypertension», *British Medical Journal* 293, 1986, pág. 104.

19. Kosolcharoen, P. y otros: «Improved exercise tolerance after administration of carnitine», *Current*

Therapeutic Research, noviembre de 1981, págs. 753-764. También Jaeger, K.: «Long-time treatment of intermittent claudication with vitamin E», *American Journal of Clinical Nutrition* 27 (10), 1974, págs. 1.179-1.181. También Kamikawa, T. y otros: «Effects of coenzyme Q_{10} on exercise tolerance in chronic stable angina pectoris», *American Journal of cardiology* 56, 1985, pág. 247. También Taussig, S.J. y Nieper, H.A.: «Bromelain: its use in prevention and treatment of cardiovascular disease: Present satus», *Journal of International Academy of Preventive Medicine* 6 (1), 1979. También Bordia: *op. cit.*

20. Goebel, K.M y otros: «Intrasynovial orgotein therapy in rheumatoid arthristis», *Lancet* 1, 1981, págs. 1.015-1.017. Véase también Barton-Wright, E.C. y Elliott, W.A.: «The pantothenic acid metabolism of rheumatoid arthritis», *Lancet* 2, 1963, págs. 862-863. También Roberts, P. y otros: «Vitamin C and inflammation», *Medical Biology* 62, 1984, pág. 88. También Sorenson, J. en *The Anti-inflammatory Activities of Copper Complexes, Metal Ions and Biological Systems* (Marcel Dekker), 1982, págs. 77-125.

23

Su comportamiento alimentario
en el mundo real para lograr
la delgadez permanente

He explicado detalladamente la gloriosa experiencia de descubrir la ventaja metabólica induciendo un estado de saciedad mediante la ingestión sin restricciones de alimentos proteínicos, avanzando paso a paso hacia planes de comida más interesantes y pasando venturosamente, y de manera casi imperceptible, a una vida de comidas suculentas y sanas con las que se mantendrá en el peso deseado. Pero, ¿sucede realmente así?

Puede estar seguro de que sí, pero si me pregunta con qué frecuencia se desarrollan los acontecimientos conforme a esta secuencia exacta, yo tendría que estimarlo en aproximadamente una vez de cada diez. Por el contrario, ¿con cuánta frecuencia se alcanza y mantiene ese objetivo de delgadez a través de un proceso más tortuoso, con arranques y paradas, recuperaciones, desastres, emociones, decepciones, sorpresas, frustración, necesidad de recurrir a la fuerza de voluntad y a la disciplina, a la inteligencia y la sabiduría de utilizar la ventaja metabólica en beneficio propio? Dicho de otra manera: ¿con cuánta frecuencia el trayecto hacia la delgadez parece más bien algo planeado por un agente de viajes inepto en extremo? Mis archivos de historiales clínicos indican que viene a suceder unas seis veces de cada diez.

No todos llegamos allí del modo planeado porque nos vemos enfrentados a un gigantesco obstáculo llamado el mundo real. En el mundo real pueden producirse tristes acontecimientos que nos conturban de tal modo que nos volvemos en busca de consuelo hacia nuestros viejos amigos, los alimentos que siempre nos han confortado. Puede haber acontecimientos felices, vacaciones, fiestas, celebraciones con brindis de champaña, bodas familiares y grandes banquetes. Puede haber viajes de negocios, inesperadas enfermedades, intervenciones quirúrgicas o dificultades económicas. En todas estas situaciones se romperá la cadena de acontecimientos que he descrito y los dietistas resueltos tendremos que encontrar formas de rectificar y volver al camino recto. Y con las herramientas que yo le daré lo conseguirá.

Observe que los problemas del mundo real que he mencionado no son obstáculos que formen parte de nuestro programa, como ocurre cuando se utilizan centros dietéticos que abastecen de alimentos o fórmulas. En tales establecimientos, tratar de mantener el peso sin los alimentos envasados o las bebidas proteínicas requiere una técnica completamente nueva de adaptarse a señales de hambre distintas. El programa debe proporcionar los medios necesarios para efectuar esa transición; de lo contrario, es perfectamente lícito considerar que semejante programa es un fraude.

Nuestro programa empieza en el mundo real, continúa en el mundo real y subsiste y se mantiene en el mundo real. Cuando se ha aprendido a aplicar el principio básico de permanecer en el nivel crítico de hidratos de carbono o por debajo de él, ya nunca hay que cambiar. Se hacen los ajustes al principio y eso es todo. Si la connotación de la palabra «dieta» es «algo con un principio y un final», entonces esto no es una dieta, es simplemente una forma nueva y mejor de que cada persona adapte su forma de comer a su metabolismo para todo el resto de su vida.

Yo, por ejemplo, he perfeccionado la dieta hasta el punto de que hay una sola cosa que no puedo resistir. Esa única cosa es la tentación.

Espero que esta última observación arranque una sonrisa, porque hay gran parte de verdad en ella. Para la mayoría de nosotros, el auténtico obstáculo que hay en el mundo real es la tentación.

Para enfrentarse a la tentación

Venzamos la tentación no con nuestra fuerza de voluntad, que tan escasa es con frecuencia, sino con nuestra inteligencia, un recurso potencialmente ilimitado.

Imagine que está usted obteniendo resultados excelentes, perdiendo peso, sintiéndose mejor que nunca y emocionado consigo mismo, escuchando elogios, tanto de amigos como de simples conocidos, y experimenta el deseo de algo que no debe tomar. ¿Qué hacer?

Hay tres estrategias que puede emplear:

1. Puede disuadirse a sí mismo de seguir la momentánea pasión y mantenerse firme.
2. Puede flexibilizar la dieta, pero no romperla.
3. Puede caer en la estrategia de no emplear ninguna estrategia y romper la dieta, en cuyo caso tendrá que actuar con rapidez para no verse en problemas. O también puede romper la dieta como estrategia, lo que en ocasiones puede ser una técnica muy útil.

La primera estrategia

Mantenerse en la dieta es su primera línea de defensa. Pero ¿y si le acomete el deseo de comer algo, y lo que desea no es simplemente cualquier alimento, ni desde luego más de lo mismo, sino alguna comida prohibida? Peor aún, puede tratarse de algo que se le permitía tomar con todas las demás dietas. ¿Se acuerda?, aquellas con las que ganaba peso o que no podía seguir. ¿Qué hacer?

Mi consejo es que no ignore nunca un deseo vehemente de tomar algo; puede pasar, pero es probable que reaparezca cuando su resolución sea débil. Y entonces acabará rompiendo la dieta. Como el ansia de comer es parte integrante de la adicción, eso podría disparar un ciclo de comportamiento adictivo en relación con la comida. Si alguna vez le ha ocurrido esto, tal vez sea usted realmente un adicto.

La respuesta correcta, según he aprendido por experiencia, es cambiar su fisiología. Permita que se lo explique con más detalle, ya que este punto podría salvar su dieta y salvarle también la vida. Su ansia de comida apareció, muy probablemente, en un estado de relativo ayuno; fue provocada por un descenso del nivel de glucosa en la sangre y su cuerpo percibió la necesidad de frenar ese descenso y emitió la señal de que necesitaba sustancias dulces. (Esta teoría solamente se aplica cuando se anhela alguna forma de hidrato de carbono de fijación rápida.)

Su estrategia cambiará su fisiología de un estado de ayuno a un estado de saciedad. En otros términos, eso significa comer algo. En el lenguaje de la dieta Atkins, alimentos, alimentos sabrosos y abundantes, pero, naturalmente, alimentos con grasa y proteínas y sin nada o muy pocos carbohidratos. Esto estabilizará su nivel de glucosa en la sangre y todos los demás elementos que provocan la señal de anhelo. ¡Listo! Se acabó el antojo.

Los mejores alimentos para lograr esto son las nueces de Australia, el mejor amigo del dietista. Sirven también las nueces corrientes, las pacanas y las de Brasil. Otros alimentos para suprimir estos acuciantes deseos son el queso de nata o ricos quesos de postre como el de St. Andres o Explorateur. También puede hacerlo con algo dulce —endulzado artificialmente, quede bien claro— y con nata espesa. Ponga tres o cuatro cucharadas soperas de nata espesa en un vaso y hágase una soda campesina instantánea llenándolo con su soda dietética favorita, o puede optar por un postre de jalea cubierta abundantemente con nata espesa batida (no la fabricada industrialmente y con azúcar añadido, por supuesto).

Estoy seguro de que ya comprende el principio básico de esta forma de comer. Las nueces de Australia, por ejemplo, tal vez estén en la lista de alimentos prohibidos de todas las dietas clásicas debido a su alto contenido calórico, pero lo que importa es el efecto que producen sobre la química corporal. Las nueces de Australia, al tener una razón cetogénica elevada (cociente de dividir la cantidad de grasa entre la de hidratos de carbono), suprime el apetito y tiende a producir como resultado el que se ingieran menos calorías diarias.

No olvidemos además la comodidad, ya que las nueces se pueden llevar con toda facilidad en el bolso o en el bolsillo de la camisa o de la chaqueta. Si sus horarios de trabajo o los viajes que debe realizar le obligan a saltarse comidas o verse con frecuencia ante alimentos inaceptables, tiene a su disposición un sustitutivo perfecto.

Otro de mis favoritos, ahora que hemos rebasado ampliamente el nivel de la dieta de inducción, es el aguacate. En su calidad de única fruta de uso común que contiene grasa, en su mayor parte de la beneficiosa categoría monoinsaturada, este singular producto vegetal proporciona una bien venida y sabrosa solución para quienes ansían algo fresco, natural y que sacie. Medio aguacate, con el gran hueco en que se alojaba su enorme hueso, puede servir de taza en la que servir gambas o cangrejo o ensalada de atún y proporcionar así ese elegante almuerzo que hace tan agradable el tiempo que transcurre entre el desayuno abundante y la cena satisfactoria. Un aguacate contiene unos 12 gramos de hidratos de carbono, aproximadamente lo mismo que 1/3 de manzana. Y está también la ensalada de aguacate; encontrará mi receta favorita en la página 464.

En el otro extremo del espectro, tenemos un alimento fácil de preparar que parece enormemente grasiento pero que, en realidad, no contiene nada de grasa. Se trata de las cortezas de cerdo fritas, el premio de consolación, carente de hidratos de carbono, para los adictos a las palomitas de maíz o a las patatas fritas. Se ha eliminado virtualmente toda la grasa, dejando la matriz de proteína que retenía la grasa del cerdo. El pastel de carne, las salsas de crema agria y las ensaladas de aguacate van perfectamente sobre una corteza de cerdo frita.

Pero ¿y si no estamos hablando de un ansia adictiva ni de un simple impulso que se puede satisfacer mediante un cambio de la química corporal? ¿Y si estamos hablando de un deseo prolongado en el tiempo? Algo que usted siempre supo que era uno de sus alimentos favoritos y que figura ahora en su lista de prohibidos. Ya sabe, cosas como patatas fritas, pizza, rosquillas, tortillas rellenas, revueltos, bizcocho, pasta y... bueno, para qué torturarle más.

En busca de sustitutivos adecuados

Una de las mejores técnicas para no apartarse de la dieta es comer alimentos que sustituyan a un alimento deseado. Si su deseo no tan secreto se refiere a cualquiera de los alimentos antes mencionados, o a tortitas, lasagna, pasteles o, incluso, dulces, desde trufas de chocolate hasta helados, pastel de queso o tarta de fresas, entonces la solución estriba en utilizar los ingeniosos sustitutivos de estos alimentos que presento en la sección de recetas. Aprenda a utilizarlos. Forman parte de su dieta, tanto como el pollo asado y la ensalada.

Pase tantos meses como pueda integrando estas recetas en su nueva dieta y su nuevo estilo de vida, y tenga perfectamente claro en su mente que «nuestra» tarta de queso no es la tarta de queso «de ellos» ni «nuestra» pizza es la pizza «de ellos», porque sus alimentos pueden tener un contenido de hidratos de carbono diez veces mayor. Los alimentos con restricción de calorías pueden considerarse bajos en calorías cuando su nivel calórico se halla reducido en un 33 %, pero nuestras alternativas de hidratos de carbono suponen una reducción de nada menos que el 90 % de éstos. Formidable, ¿verdad? Lo es, a menos que incurra usted en desviaciones. En el alimento que se trata de sustituir hay hidratos de carbono suficientes para cambiar por completo la química corporal. Una ración entera de pizza o helado hará que se detengan en seco sus movilizadores de grasas, sus cetonas y su lipólisis.

Pero entre mis favoritos figuran también alimentos que contienen hidratos de carbono. Rompen espectacularmente con el prototipo de filete con ensalada y, sin embargo, no contienen hidratos de carbono suficientes para elevar el recuento total en uno o dos niveles de cinco gramos.

Entre estos descubrimientos destacan las tostadas. Mi vida con la dieta mejoró considerablemente cuando encontré algo crujiente y tostado sobre lo que extender mi queso cremoso o servir como aperitivo en las fiestas. Descubrí una marca, GG Bran Crispbread®, que asegura tener sólo dos gramos de hidratos de carbono por rebanada. Y su fuerte aroma a salvado de trigo le hace a uno creer que no ha tenido que renunciar al pan. Otra marca es Kavli®, que contiene un poco más de hidratos de carbono, pero que se puede utilizar cuando se ha superado el nivel de inducción de la dieta. No lo volveré a repetir, pero todas las sugerencias de alimentos que formulo podrían estarles prohibidas a quienes manifiestan intolerancia alimentaria a uno de sus ingredientes, y el trigo es uno de esos alimentos que, con bastante frecuencia, resultan ser causa de intolerancia alimentaria.

La segunda estrategia

¿Flexibilizar la dieta? ¿Cómo puede uno flexibilizar una dieta tan claramente definida como ésta, doctor Atkins? Bien, usted puede.

En este momento se encuentra ya en la dieta de

pérdida de peso progresiva o quizás en la de mantenimiento y está personalizando su estrategia alimentaria. Debería estar utilizando la tabla de gramos de hidratos de carbono que figura al final del libro para ayudarle a decidir qué alimentos puede añadir.

Observe atentamente en la lista: a) Hasta qué punto le agradaría tomar el alimento de que se trata, y b) Cuántos gramos de hidratos de carbono contendría la porción con la que usted se quedaría satisfecho. Podría incluso establecer una relación matemática —valor de disfrute/gramos de hidratos de carbono— que le ayudara a seleccionar candidatos para su siguiente nivel de la dieta. Aunque espero que su reacción sería un poco más espontánea, como: «¡Eh, eso estaría de rechupete, y sólo tantos gramos de hidratos de carbono!»

En cualquier caso, seleccione aquellos candidatos a integrarse en su dieta que ofrecen una elevada proporción de disfrute por gramo ¡y no olvide nuestras recetas! Apunte en un papel los artículos elegidos y anote junto a ellos su equivalencia en gramos. Si lo hace bien y ha encontrado varios artículos de cinco o seis gramos, verá inmediatamente que, añadiendo uno de ellos al día, sólo habrá ascendido un nivel en su dieta de PPP. Está todavía dentro de lo permisible.

Pero supongamos que su capricho dietético favorito tiene diez gramos, o veinte. Un sistema alternativo para avanzar un nivel es añadir cuarenta gramos a la semana. Así que podría optar por un «extra» de diez gramos el martes y el jueves y un exceso dietético de veinte gramos el fin de semana. Si su nivel crítico de hidratos de carbono para perder peso es bastante alto, puede incluso pocas semanas o un mes después añadir otros cuarenta gramos a la semana, o incluso otros cuarenta después.

Se trata de crear su propio plan dietético personal, basado en su grado demostrado de resistencia metabólica y en sus alimentos favoritos, quizá los mismos que creía que nunca podría probar mientras siguiese una dieta. Usted no está siguiendo la dieta Atkins; jamás ha existido una dieta Atkins; usted está en la dieta «Atkins y yo». Yo aporto los principios; usted aporta la personalización y la ejecución.

Pero a veces la flexibilización se convierte en ruptura

A veces, naturalmente, uno hace algo más que flexibilizar solamente las cantidades de hidratos de carbono de la dieta, y uno come algo que debería evitar.

Cada vez que un dietista hace eso me preocupa que el alimento en cuestión pueda resultar el resorte de una adicción. ¡Cuidado, pues! Una comilona en toda regla generalmente empieza por ahí.

Hay comilonas de todos los tipos y tamaños, y pueden resultar tan desastrosas que son capaces de convertir una historia de éxito dietético aparentemente total en un fracaso instantáneo. La recuperación de peso suele ser tan acusada que se puede medir en kilos por día y, a veces, en kilos por hora. Y el tiempo que se permanece entregado a comilonas es, sin lugar a dudas, una cuestión esencial. No deje que la cosa continúe, porque con demasiada frecuencia no se detiene hasta que ya es demasiado tarde.

Para poner coto a la situación, ante todo debe darse cuenta de que está en un aprieto y aplicar inmediatamente una técnica eficaz. La mejor forma que he encontrado es tomar ciertos nutrientes: 400 µg de picolinato de cromo, tres veces al día durante dos días, más 500-1.000 mg de L-glutamina, tres veces al día, más complejo B, concentrado de 50 mg. Al mismo tiempo, venza los antojos de comida instituyendo una dieta alta en grasas y carente por completo de hidratos de carbono. Carnes rojas grasas, queso cremoso, jalea dietética con nata espesa y nada que tenga hidratos de carbono. Dos días después de inducir la cetosis/lipólisis, habrán desaparecido las ansias de comida, habrá recuperado de nuevo el control y el peso ganado tan rápidamente durante el tiempo de comilonas estará ya descendiendo al nivel anterior. Y felicidades, acaba usted de librarse de una buena.

Recuperado el control, será mejor que averigüe qué alimento o combinación de alimentos desencadenó la sucesión de comilonas. Supongo que no querrá reincidir.

Pero existe un problema central que surge cuando descubre usted que hay algo en la dieta que no le gusta. O mejor dicho, que hay algo que le gusta demasiado y que no puede comer. Naturalmente, usted piensa: «¿Por qué prometí que nunca volvería a tomar ese alimento? Ya no estoy dispuesto a cumplir esa promesa.» ¿Siempre debe ser «siempre» y nunca debe ser «nunca»?

Esta importante pregunta tiene varias respuestas. En una de ellas, yo le pido que considere la situación en que se encuentra el alcohólico en trance de recuperación. La mayoría de nosotros comprendemos que cuando el problema es una adicción como la del alcoholismo, es mucho mejor que nunca sea realmente «nunca». De modo que si su propuesta desviación de hidratos de carbono entraña algo a lo que es usted adicto, lamento tener que darle el consejo de nunca-nunca. Pero la mayoría de nosotros en el fondo pensamos que cuando saboreamos un alimento por el que sentimos debilidad lo hacemos por el placer que nos proporciona y no por adicción. Supongo, por lo tanto, que debo dejar que pruebe y lo averigüe.

Podría probar una dieta de reversión

Y existe todavía otra respuesta, una estrategia que le permitirá apartarse de los constreñimientos que le impone su propia fructuosa dieta. Esta estrategia es sencilla y, estoy seguro, para los atentos lectores de este libro, sorprendente. Supongamos que los alimentos favoritos que echa de menos aparecen en otra dieta, pero no en ésta. Simplemente, tiene que anunciarse a sí mismo: «Estoy dispuesto a seguir ahora mismo la dieta XYZ.» Y luego, hágalo.

Supongamos que experimenta usted el anhelo de una categoría concreta de alimentos, como fruta o pasta, por ejemplo. Puede seguir durante tres o cuatro días una dieta de sólo fruta o de sólo pasta. Este radical apartamiento de lo que durante algún tiempo ha venido realizando con éxito puede parecer contraproducente, pero cumple con dos finalidades. Le evita decirse a sí mismo: «Nunca más podré volver a comer mi alimento favorito», y actúa como técnica de reversión metabólica, que a veces puede revitalizar la dieta baja en hidratos de carbono si ha mostrado señales de debilitamiento. Permítame que se lo explique.

Después de muchos meses de seguir una dieta que actúa forzando al cuerpo a tomar caminos metabólicos ineficientes y disipando, así, centenares de calorías en forma de calor (que presumiblemente es lo que sucede con una rigurosa dieta baja en hidratos de carbono), puede que el cuerpo comience a adaptarse haciéndose más eficiente y reduciendo con ello el ritmo de la pérdida de peso. No se asuste al leer esto; nunca se ha demostrado científicamente esta adaptación al camino lipolítico. La mayoría de ustedes podrá alcanzar su peso deseado y permanecer en él sin notar jamás el fenómeno de adaptación. Pero algunos experimentarán la impresión de que el ritmo de pérdida de peso ha disminuido en exceso. Deben considerar la posibilidad de seguir durante algún tiempo una dieta de reversión.

Por el contrario, los que se han librado de diversos síntomas siguiendo la dieta Atkins, quizá se lo tengan que pensar dos veces antes de embarcarse en una reversión de dieta, porque es muy probable que todos sus síntomas (o la mayoría) retornen con la reintroducción de alimentos altos en hidratos de carbono.

Pero yo creo que todos ustedes deben conocer el principio de una dieta de reversión, y muchos de ustedes deberían probarla en algún momento. En la dieta de reversión, hay que seguir un régimen muy bajo en grasas y proteínas y en cambio alto en hidrocarburos complejos. Sirve para ello la antes mencionada dieta de sólo pasta, si no se mezcla con una salsa aceitosa/cremosa; la dieta de sólo fruta, no, porque sus hidratos de carbono no son complejos. (Pero durante tres días, ¿por qué no?) Y hay dietas más serias que permiten técnicas de reversión ideales. La versión extrema baja en grasas de la dieta del doctor Julian Whittaker es un ejemplo.

El objetivo principal de las dietas de reversión es restablecer el espectacular efecto que debió de notar usted cuando siguió la dieta de inducción, es decir una pérdida de peso rápida y continuada. Se hace para romper un punto muerto. Observe que la dieta de inversión misma es un programa austero; no es una dieta equilibrada y, desde luego, no significa tomarse un respiro temporal en medio de una dieta. Cuando se intenta interponer un periodo de dieta equilibrada, el resultado suele ser una rápida recuperación de peso. La lección que debe usted aprender es que si «abandona la dieta» no se queda suspendido en el vacío, sino que pasa a seguir otra dieta. Asegúrese de que esa otra dieta es también una en la que usted conserva el control.

El minibanquete

Hay otra técnica para romper deliberadamente la dieta y, sin embargo, mantener el control. Es el minibanquete de sesenta minutos difundida por los doctores Rachael y Richard Heller y destinada a adictos a los hidratos de carbono. Los Heller la llamaron comida de premio y la permitían todos los días. En su programa, una austera dieta baja en hidratos de carbono podía ser interrumpida por una hora de comer sin limitaciones, siempre que los alimentos fuesen nutritivos y bien equilibrados. El principio operativo en que se basa esa técnica consiste en que cuando se consumen hidratos de carbono la insulina se libera en dos fases, y la segunda y mayor cantidad comienza unos setenta y cinco minutos después del primer contacto con los hidratos de carbono. Hay que estar saciado antes de eso y hay que haber dejado de comer en menos de una hora.

Si el sistema de los Heller le resultara a usted eficaz, sus ventajas serían evidentes. Los inconvenientes son: no se agotan las reservas de glucógeno; por lo tanto, no hay movilización de grasas; por lo tanto, no hay cetosis/lipólisis; por lo tanto, no se desencadena ventaja metabólica. No les irá bien a aquellos cuyo sobrepeso es metabólico y no proviene de una adicción. Yo sugeriría, por consiguiente, que no siga el sistema de los Heller hasta hallarse próximo a su peso deseado y entonces lo ponga en práctica poco a poco, para familiarizarse con el efecto que produce sobre su subsiguiente control de la dieta, su nivel de apetito y su peso. Pero debe tener presente el principio porque, en el caso de que los hidratos de carbono acudan inopinadamente a su boca, puede aminorar considerablemente los daños terminando antes de que transcurra una hora. Y, decida lo que decida, no escoja un restaurante donde el servicio sea lento.

Usted, su dieta y su entorno

Observará que le he dado una serie de estrategias para flexibilizar la dieta o restablecerla, pero que en todas ellas se puede encontrar un denominador común: usted es el estratega jefe. Usted se halla al mando. Créame, he visto fracasar muchas experiencias dietéticas potencialmente eficaces y en casi todos los casos fue por la misma razón: la pérdida de control por parte del dietista de sí mismo y de su entorno.

Hemos pasado revista a varias estrategias que le enseñan a controlarse, por lo que ahora se necesita conocer lo que debe hacer para controlar su entorno.

No cabe la menor duda de que su entorno externo inmediato es mucho menos receptivo ahora a la dieta baja en hidratos de carbono que hace veinte años, cuando se proclamó la revolución dietética. La contrarrevolución combinada de la fobia a las grasas y la farmacofilia ha dificultado el hecho de que la persona pueda reconocer sus propias diferencias individuales con respecto a las masas y que exija su libertad de elección en materias que afectan a su propia salud. En vez de dejarse arrastrar por la histeria, ahora tienen que luchar por el privilegio de ser diferente, instruido y eficaz en la tarea de autoconservación.

Educar a esas personas especiales

Su primer obstáculo lo constituyen las personas en cuyos consejos confía usted normalmente —cónyuges, familiares, amigos bienintencionados, incluso profesionales médicos con experiencia en otros campos— es probable que compartan el muy humano rasgo de reaccionar automáticamente a los estímulos, personas influidas por afirmaciones que han oído tantas veces que ya no ponen en tela de juicio la forma en que se han obtenido las conclusiones. «Oh, ésa es una dieta alta en grasas; no puede ser buena de ningún modo», es su respuesta automática, pero puede estar seguro de que no han oído hablar jamás de Yudkin o Kekwick o Reaven o Benoit, ni han realizado nunca un estudio en profundidad de mi trabajo.

Entonces, ¿cómo se les puede enseñar? Porque, por valioso que el consejo de estas personas haya sido para usted en el pasado, debe recordar que uno no conoce algo hasta que lo ve. Si quien le lleva la contraria es una persona con la que convive o con la que debe tratar todos los días, entonces necesita su total cooperación tanto como necesita su propia firmeza de propósito. Yo, en su lugar, empezaría insistiendo en que leyese este libro. «Me impresiona el hecho de que el doctor Atkins haya empleado su programa con tantos miles de personas y continúe utilizándolo —podría sugerir— y quiero saber si puede resultarme eficaz a mí. Como necesito tu ayuda, ¿por qué no estudias cuidadosamente sus argumentos y sus fundamentos a ver si puedes encontrarles algún punto débil?»

Debe usted lograr la cooperación de todas las personas de su entorno inmediato; resistir a la tentación es mucho más fácil si no ve y huele los tentadores hidratos de carbono. He mencionado el problema de los incrédulos, pero ¿qué pasa con quienes piensan que «la dieta es problema tuyo, comer es derecho mío»? Aquí debe seguir el pragmático lema: «Si no puedes vencerlos, atráetelos.»

Mi recomendación es que logre atraer a su dieta a esas otras personas. Si la persona con quien comparte su vida tiene también exceso de peso tendrá un buen argumento en la perspectiva de perder peso sin esfuerzo. Pero si la persona en cuestión está aferrada al viejo cuento de que basta con disminuir las grasas, usted puede sugerir: «¿Por qué no probamos las dos dietas y vemos cuál va mejor a nuestro metabolismo?»

Supongamos ahora que se encuentra en la situación en que es usted el único que tiene que perder peso. Debe sugerir nuestra dieta de «carne y mijo» para personas de peso normal que quieren gozar de mejor salud. Puede encontrar las instrucciones en *Dr. Atkins, Health Revolution*. Es una dieta que permite una ilimitada cantidad de hidratos de carbono complejos, pero, como la carne está permitida y el azúcar no, es compatible con la dieta «Atkins y yo».

Un mensaje más, muy importante. Supongamos que la tentación asume la forma de esos alimentos tratados industrialmente y cargados de azúcar que hay en la casa «para los niños». «Los niños comen esas cosas, ya sabe.» Si cree usted que los aditivos alimentarios más peligrosos del planeta constituyen alimento adecuado para los miembros en desarrollo de la especie humana, que por añadidura son sus seres queridos, entonces quizá deba reconsiderar su posición. ¿Quién ha de resultar más perjudicado por una sustancia que contribuye a crear diabetes, hipertensión y enfermedades cardiacas que aquellos que tienen virtualmente toda la vida por delante? Permitir que los niños coman conforme al principio del placer y no conforme al principio del mantenimiento de la salud no es, probablemente, la clase de comportamiento que como padre o madre desea usted. Así pues, tome ahora la decisión: «El azúcar no entrará en mi casa.»

Para seguir la dieta en el amplio mundo que se extiende más allá de su hogar

Pero ¿cómo controla uno su entorno laboral? Con sentido común. ¡El café de las once y la tarta de las tres huelen tan bien! No si ha desayunado huevos revueltos con tocino y se ha saciado luego en el almuerzo. Su resistencia a las tentaciones es máxima cuando no tiene hambre. ¿Sirven comidas adecuadas en la cafetería o la cantina próximas? Compruébelo, porque, en otro caso, tendrá que empezar a llevarse la comida de casa.

Los que siguen dietas bajas en hidratos de carbono encontrarán que los restaurantes se muestran más amigos que enemigos. Si se mantienen es gracias a su capacidad para hacer que los alimentos sean más sabrosos que los que la mayoría de ustedes obtiene en sus cocinas. Así que casi todos sus platos principales son adecuados. La cuestión es no dejarse seducir por todos los extras. Si es posible, piense antes de entrar lo que va a pedir.

Y no acepte los extras con hidratos de carbono sólo porque «van incluidos».

Lo bueno es cuando uno descubre restaurantes que hacen automáticamente grandes cosas con la dieta. No debe resultar demasiado difícil encontrar una buena ración de carne, pescado o ave con los condimentos adecuados, bien preparada y que, sin embargo, no tenga hidratos de carbono. Yo he saboreado en restaurantes más de cinco mil comidas magníficas, todas ellas acordes con la dieta. Sé dónde encontrar en mi ciudad los mejores filetes, churrascos, costillas de cordero, patos asados y salmones hervidos. Pero también conozco la mejor trucha con costra de nueces de Australia, triestina, saltimbocca a la romana, gambas y langostas chinas, fajitas mexicanas, ensalada de aguacate y chiles rellenos. Señoras y caballeros, ésta es la dieta del verdadero *gourmet*. Yo siempre digo: «Si de todos modos debe perder 45 kilos, mejor es que lo haga con generosas cantidades de alimentos sabrosos.»

El truco en los restaurantes es no empezar a comer hasta que llegue el aperitivo o el plato principal que usted ha pedido correctamente. Si puede obtener una bandeja de apio y aceitunas en vez de pan y mantequilla, tiene una alternativa. Recuerde también: nunca tome el postre en la misma sala.

Las cenas a las que está invitado pueden constituir auténticas carreras de obstáculos. Ésta es la primera década del siglo en que las anfitrionas no tienen el menor reparo en ofrecer una cena compuesta exclusivamente de pasta y, por ello, existe la posibilidad de que no encuentre usted nada adecuado que comer. Permítame que le advierta lo que supone prescindir de la dieta por una sola comida. Eso equivale a hacer retroceder su dieta en casi una semana por lo que se refiere a la pérdida de peso. La mejor táctica es hacer saber a los anfitriones que está usted siguiendo una dieta por prescripción médica, a fin de poder preguntar qué van a servir. Si la comida simplemente no es aceptable, excuse su asistencia o pida permiso para llevar su propia comida. Si teme que no haya alimentos con proteínas suficientes para que le duren durante toda su permanencia en la fiesta, asegúrese de llevarse algo en el bolsillo, esas nueces de Australia, por ejemplo.

Los viajes en avión pueden ser otra causa de ruptura de la dieta. Siempre que sea posible, llame previamente y encargue una comida especial de dieta. Dígales que se halla sujeto a una dieta compuesta exclusivamente de proteínas, sin nada de hidratos de carbono. Su respuesta será probablemente, hasta que este libro consiga su primer millón de seguidores, que ellos no tienen una dieta así. A menudo, la comida *kosher* es la más baja en hidratos de carbono de todas las que ofrecen, así que pida la comida *kosher*.

Domine las estrategias y sea delgado toda la vida

Recuerde que tiene usted a su disposición más herramientas de las que imagina.

Además de las cuatro dietas, hay diversos niveles en cada una, hay combinaciones de dieta intensa los días laborables con un menor rigor los fines de semana, dietas para conservar la línea y para hacer un trabajo, variaciones altas en grasas y bajas en grasas, variaciones altas en calorías y bajas en calorías. Existe, incluso, el ayuno de grasas para breves periodos. (Véase capítulo 18.)

Con estas herramientas, usted se convierte en un gran estratega. Es usted como un defensa de rugby, que se mantiene expectante en la zona baja durante algún tiempo y se lanza luego para obtener una gran ganancia (o pérdida en este caso) cuando se presenta la oportunidad favorable, pero manteniendo siempre la vista fija en la línea de meta y, en última instancia, en la victoria.

24

Usted será el beneficiado

La dieta baja en hidratos de carbono no ha sido una de las dietas clásicas durante muchos años y, en muchos aspectos, eso constituye un misterio.

Su médico tiene que decidir si utilizar o no una droga —por ejemplo, la prednisona— para tratar la artritis reumatoide de su paciente, debe librar un conflicto en su mente. Sabe que la droga ejercerá un efecto positivo en los síntomas artríticos; sabe también que podría producir efectos secundarios perjudiciales. No existe en ello ningún misterio. La elección es difícil, la evidencia está dividida.

Una dieta baja en hidratos de carbono es una cuestión muy distinta. La evidencia científica no está uniformemente dividida. Está totalmente inclinada en favor de la eficacia y las potencialidades de mejora de la salud que posee tal dieta. ¿Qué podría, por tanto, explicar la resistencia a otorgar reconocimiento a esta dieta? Me temo que no tengo una respuesta. Los cínicos o los economistas podrían apuntar a la influencia de las grandes compañías de productos alimenticios, pues no sólo se hallan intensamente dedicadas a la venta de hidratos de carbono en los géneros que comercializan, sino que figuran también entre los principales financiadores de la investigación nutricional. Los alemanes, por el contrario, podrían llamarlo el *Zeitgeist*, o, como diríamos nosotros, el espíritu de los tiempos.

En efecto, las dietas altas en hidratos de carbono han prevalecido durante la última década. No puedo decir que haya visto que la gente adelgaza, ni que ha recuperado la salud. Francamente, creo que hay sitio para más de un punto de vista y espero que usted ayude a promoverlo.

Lo que el éxito de este libro significará para usted

No se me ocurre nada más desairado que el hecho de que un autor incite a sus lectores a ensalzar su libro y mencionar sus méritos a otros. Parece tremendamente egoísta, pero la verdad es que el beneficiado será usted.

Si un número suficiente de ustedes habla de la dieta Atkins y del efecto que ha ejercido en su vida, empezará a aparecer todo lo que necesita para que le resulte más fácil seguir la dieta. Las líneas aéreas empezarán a servir comidas bajas en hidratos de carbono, los restaurantes entenderán al instante lo que usted pide, las anfitrionas no le darán ya a elegir entre varias formas de pasta y saldrán al mercado analizadores portátiles de cetona que den una lectura digital instantánea; yo he visto el prototipo. Y lo más importante de todo, aparecerán en el supermercado alimentos bajos en hidratos de carbono. En lugar de helados bajos en grasas y llenos de azúcar, encontrará, en los mismos frigoríficos, helados bajos en hidratos de carbono rebosantes de crema.

Hace veinte años, cuando *La revolución dietética* estaba en pleno éxito, eso fue exactamente lo que ocurrió. El triunfo temporal del dogma de la reducción de grasas en la década de los ochenta dio al traste con muchas de estas ventajas, pero basta un pequeño esfuerzo para verlas reaparecer.

Ojalá hubiera tenido tiempo para hablar en este libro acerca de todos los demás aspectos del régimen favorecedor de la salud que se enseña a mis pacientes. He ofrecido un atisbo de lo que se puede conseguir con la suplementación vitamínica, pero las hierbas, la homeopatía, las técnicas bioeléctricas y el resto de la medicina complementaria pueden contribuir también a mejorar la salud.

Espero que retenga usted el concepto de que sólo mediante el libre juego de ideas y terapias pueden las personas alcanzar el más alto nivel de bienestar. No pretendo que todo el mundo cambie a la dieta baja en hidratos de carbono, pero sí pido que el mundo permita el desarrollo de estos tratamientos, que quizá no sean fundamentales, pero que prometen beneficiar la salud en mayor medida que la medicina tradicional.

Con ese fin, permítame presentarle una fundación de cuyo consejo rector soy miembro. Su nombre es FAIM (*Foundation for the Advancement of Innovative Medicine*, Fundación para el Avance de la

Medicina Innovadora) y su objetivo principal es asegurar una mayor libertad en lo que a la salud se refiere para usted y para los médicos que le tratan. Si quiere escribir o llamar al Atkins Center para obtener más información sobre el FAIM, o sólo para decir que es uno de los nuestros, hágalo, por favor y, a cambio, yo le mandaré un ejemplar gratuito de la carta de salud Atkins. Escriba a:

The Atkins Center for Complementary Medicine
152. East 55th Street
New York, NY 10022

o llame a: 1-800-2-ATKINS y deje su nombre y un breve mensaje. Si le interesa, trataremos de tenerle al corriente de nuevas recetas, productos alimenticios y formulaciones vitamínicas.

Si quiere escribir una carta larga, sea crítica o testimonial, le prometo leerla con atención. Yo también estoy aprendiendo cosas nuevas todos los días y sus observaciones pueden ser útiles a personas a las que usted nunca ha visto.

Además, yo agradecería recibir noticias suyas. En el pasado, estas comunicaciones de mis lectores me han hecho saber que no estaba luchando contra molinos de viento, sino satisfaciendo una necesidad real.

QUINTA PARTE

MENÚS Y RECETAS

El menú «El doctor Atkins y yo»

He examinado muchas dietas y rara vez he visto una tan dedicada como ésta a implicar al dietista en su propia forma de comer. Eso es porque ninguna dieta da mejores resultados que aquella que uno mismo ha ayudado a crear.

Pensé presentarle un plan de comidas para ayudarle a confeccionar sus selecciones diarias, pero, en lugar de ello, al final me decidí por otra solución. Me ha llamado con frecuencia la atención el hecho de que algunos de quienes fracasaron con mi dieta eran personas que, al verse ante un plan de comidas, se lo tomaban excesivamente el pie de la letra y consideraban que, si el plan decía chuletas de cerdo el martes, tenían que tomar chuletas de cerdo el martes, aunque no les gustaran en absoluto las chuletas de cerdo.

La verdad es que no está usted obligado a comer un alimento determinado, pero puede y debe comer todo lo que figura en el menú y que a usted le guste, y todo lo que no figura en el menú pero es permisible (es decir, que no contenga niveles inadecuados de hidratos de carbono). He dividido estos menús según se apliquen a la dieta de inducción, a la de PPP o a la de mantenimiento. Una vez que empiecen a hacer de esta dieta su forma definitiva y vitalicia de comer, algunos de ustedes descubrirán que les va mejor la dieta de mantenimiento, otros obtendrán mejores resultados con la de PPP y, naturalmente, habrá unos pocos cuya resistencia metabólica exija pasarse toda la vida con una dieta casi tan rigurosa como la de inducción. Sin embargo, estoy convencido de que los siguientes menús le encenderán a usted un cálido fuego culinario en la boca del estómago, cualquiera que sea la dieta que se proponga seguir.

Permítame recordarle que algunos alimentos de los menús de inducción se hallan incluidos en los menús de PPP y mantenimiento, y que algunos alimentos de PPP figuran incluidos en mantenimiento.

Mi consejo general sobre el seguimiento por algún tiempo de la dieta «Atkins y yo» es que en general se atenga a los aspectos básicos y que acuda a las recetas cuando quiera darse un festín especial. Como verá enseguida, muchas de las recetas están cargadas de mantequilla, nata y yemas de huevo. Esto podría dar lugar a la errónea impresión de que eso es lo que quiero que coma siempre, lo cual no es verdad. A menos que esté siguiendo el régimen especial de ayuno de grasas, está perfectamente indicado comer alimentos ligeros. Las recetas son altas en grasas, por lo que resultarán especialmente deliciosas en ocasiones especiales. Por regla general, sin embargo, sólo un pequeño porcentaje de dietistas deben seguir una dieta alta en grasas y esto se limita a personas a quienes no les conviene la dieta ligera.

Hay un principio general que me gustaría recomendarle, porque le puede ahorrar bastante malestar físico, y es el principio de la rotación de comidas. Existe entre los dietistas la tendencia a apegarse a una pauta de comidas con la que se sienten a gusto y a repetir los alimentos que les complacen. Pero yo creo que debe usted procurar evitar tomar ciertos alimentos todos los días. Yo recomendaría que nunca tomase el mismo alimento en días sucesivos. De esta forma se evitan las nocivas consecuencias de alergias e intolerancias alimentarias; el esfuerzo vale la pena. Por consiguiente, sugiero que varíe de forma rotativa sus elecciones. Entre otras cosas, tome carne, pescado, aves y mariscos en días sucesivos, pero siempre de acuerdo con sus gustos, buscando los alimentos que más le convengan y mayor satisfacción le produzcan. Después de todo, la principal lección del libro es que el buen alimento puede ser placentero y, a la vez, sano. Haga de ello su objetivo.

Los prototipos de comida «Atkins y yo»

Las nueve comidas que presento a continuación le proporcionan las combinaciones prototípicas de alimentos en cada una de las tres dietas principales: inducción, PPP y mantenimiento. Estos alimentos no son especialmente refinados; son deliberadamente típicos y básicos. Si no le gusta alguna de estas comidas, no importa; después de todo, en sus comidas diarias usted elegirá alimentos que le gusten de entre las amplias listas o añadirá a ellas comidas apropiadas que sean de su propia elección o de su propia creación. No es necesario que coma lo que figura relacionado aquí. Espero, no obstante, que los prototipos le proporcionarán una rápida idea de lo que puede ser el ámbito de sus comidas en cada fase de la dieta.

Menú típico de inducción

Desayuno:
Huevos, revueltos o fritos, con tocino, jamón, salchicha sin azúcar o lomo de cerdo ahumado.
Café descafeinado o té.

Almuerzo:
Hamburguesa de queso, sin pan.
Ensalada revuelta pequeña.
Agua con gas.

Cena:
Cóctel de gambas con mostaza y mayonesa.
Consomé ligero.
Filete, carne asada, chuleta, pescado o ave.
Ensalada (aliño a elección).
Gelatina dietética con una cucharada de nata espesa batida y endulzada artificialmente.

Menú típico de pérdida de peso permanente (PPP)

Desayuno:
Tortilla de jamón, pimiento verde y cebolla.
85 gramos de zumo de tomate o zumo de V-8.
2 gramos de hidratos de carbono de pan de salvado.
Café descafeinado o té.

Almuerzo:
Ensalada del Chef con jamón, queso, pollo y huevo; sin hidratos de carbono o vinagre de aliño de ensalada.
Té de hierbas helado.

Cena:
Ensalada de marisco.
Salmón hervido.
2/3 de taza de verduras de la lista de vegetales permitidos.
Media taza de fresas con nata.

Menú típico de mantenimiento

Desayuno:
Tortilla de queso de Gruyère y espinacas.
Medio melón pequeño.
4 gramos de hidratos de carbono de pan de
  salvado con mantequilla.
Café descafeinado o té.

Almuerzo:
Pollo asado.
2/3 de taza de verduras.
Ensalada verde.
Agua con gas.

Cena:
Sopa de cebolla francesa.
Ensalada con tomates, cebollas y zanahorias.
Una taza de verduras permitidas.
Media patata pequeña cocida con nata agria y
  cebolletas.
Chuletas de ternera ligeramente empanadas.
Una taza generosa de macedonia de frutas.
Un vaso de vino seco o dos de blanco con
  soda.

Selecciones típicas de desayuno, almuerzo y cena

TENTEMPIÉS Y PANES

Inducción

Todos los tentempiés que estén compuestos exclusivamente de carne, pescado, aves y huevos.

De la sección de recetas de *La nueva revolución dietética*:

Pan básico de proteínas.
Tentempié de queso dulce.
Albóndigas de carne de vaca.
Tortitas básicas. Éstas merecen mención especial. La receta servirá para crêpe, así como para tortitas, y se puede utilizar como base de rellenos, tacos, crêpe de postre o cerdo o pollo Moo Shu. Es un ingrediente sumamente adaptable.

Pérdida de peso progresiva (PPP)

En la dieta de PPP se incluyen también todos los alimentos de la dieta de inducción.

De la sección de recetas de *La nueva revolución dietética*:

Bizcochos de soja y salvado.
Bocadito suizo.

Mantenimiento

En la dieta de mantenimiento se incluyen también todos los alimentos de la dieta de inducción y de la de PPP.

De la sección de recetas de *La nueva revolución dietética*.

Pizza.
Pastelillos de nueces con mantequilla.

Desayuno

Inducción

Platos principales:

Huevos, revueltos o fritos en mantequilla con tocino, jamón, salchicha sin azúcar o lomo de cerdo ahumado.

Salmón ahumado o esturión o trucha o mezcla de pescados ahumados y 50 gramos de queso cremoso.

Tortitas (ver sección de recetas) y 50 gramos de nata agria.

Sobras de cena adecuadamente preparada.

Bocaditos de la lista de tentempiés.

Tortilla básica:

   a) Gruyère y espinacas.
   b) Queso de cabra y cebolletas.
   c) Jamón, pimiento verde y cebolla.
   d) Tortilla francesa.
   e) Tortilla de cecina o pastrami (estilo tortita).
   f) O cualquier otra tortilla baja en hidratos de carbono de su invención.

De la sección de recetas de *La nueva revolución dietética*:

Tortilla de queso.

Huevos revueltos en salsa de queso con salchicha.

Pérdida de peso progresiva (PPP)

En la dieta de PPP se incluyen también todos los alimentos de la dieta de inducción.

Platos principales:

Huevos Benedict, utilizando pan de dieta en vez de tostadas.

Queso fundido en cerveza sobre pan de dieta.

El desayuno de la dieta PPP puede incluir también:

80 gramos de zumo V-8 o zumo de tomate, recién preparado.

1/2 taza de anillos de cebolla, fritos hasta quedar crujientes (la cebolla sólo, no el rebozado).

2 rebanadas de pan de centeno GG tostado (2 gramos de hidratos de carbono) o una rebanada de 4 gramos de pan tostado.

1 rodaja de naranja fresca (de medio centímetro de grosor) como guarnición.

2 rebanadas de pan de dieta, tostadas y untadas de mantequilla.

Capuchino descafeinado.

De la sección de recetas de *La nueva revolución dietética*:

Tortitas de queso.

Mantenimiento

En la dieta de mantenimiento se incluyen también todos los alimentos de la dieta de inducción y de la de PPP.

1/2 pomelo, se puede cocer con edulcorantes artificiales.

Taza y media de melón español, persa, de Cantalupo y de Casaba.

1 taza de bayas, de una clase determinada o de va-

rias, con un poco de nata agria o nata espesa batida (sin endulzar); puede añadir sabores de canela, chocolate o almendras de los presentados por la casa Wagner.

1/2 taza de yogur sin sabores.

Tortilla de brécol.

Picadillo de cecina, utilizando pan de dieta en la receta, en lugar de seguir la receta clásica.

Carne de vaca picada y cubierta de crema sobre una tostada de dieta.

Tortitas rellenas, utilizando la receta del crêpe.

De la sección de recetas de *La nueva revolución dietética*:

Huevos a la florentina.
Setas, cebollas y huevos.

Un desayuno especial de mantenimiento

Para aficionados a los cereales, 2-4 rebanadas de tostadas desmenuzadas a mano. Poner en una cazuela, cubrir con agua y hervir hasta que adquiera consistencia de gachas. Añadir dos clases diferentes de edulcorantes, extractos de sabores a banana o coco si se desea y agregar 50-80 gramos de nata espesa o ligera, o mitad y mitad.

ALMUERZO

Inducción

Hamburguesa de queso o de queso y tocino, sin pan.

Escabeche agrio.

Consomé de pollo ligero (lea la etiqueta).

1-2 tazas de ensalada de hortalizas varias, con aceite y vinagre y aliño de queso azul o de ajo; asegúrese de que todos los aliños de ensalada carecen de azúcar; mejor aún, cerciórese de que cada ración tiene menos de un gramo de hidratos de carbono.

Lonchas frías: jamón, queso, lengua, salchichón, cecina, pollo, pavo y ensalada como se ha indicado.

Ensalada del Chef.

Pepinos en nata agria (ver sección de recetas).

Trozos de pollo, asados, sin empanar.

Ensalada de atún, ensalada de pollo, ensalada de huevo, ensalada de jamón, ensalada de cangrejo o langosta (hecha con los ingredientes citados más mayonesa pura, no sucedáneo de mayonesa ni «aliño de ensalada», más apio picado, cebollas, chalotes, alcaparras, etcétera y medio huevo duro si se desea).

Pérdida de peso progresiva (PPP)

En la dieta de PPP se incluyen también todos los alimentos de la dieta de inducción.

Ensalada de gambas, cangrejo o atún, presentada en un tomate fresco o en medio aguacate.

Pizza (ver sección de recetas).

Guacamole.

Ensalada de pollo (ver recetas, también en la sección de cena).
Sobras de carne.
Espinacas cocidas.

Mantenimiento

En la dieta de mantenimiento se incluyen también todos los alimentos de las dietas de inducción y PPP.

Tarta de huevos y espinacas.

CENA

Inducción

Aperitivos y sopas:

Salpicón de marisco.
Prosciutto.
Scampi de gambas.
Gambas frías con mayonesa y mostaza, o mayonesa y rábano picante.
Filetes de vaca a la tártara.
Caviar con nata agria.
Paté (ver sección de recetas).
Almejas.
Mejillones a la provenzal.
Trucha ahumada.
Salmón ahumado.
Caldo de carne.

Ensaladas (y aliños):

Tricolere.
Berza y queso frito.
Ensalada campesina: hortalizas variadas con trozos
de tocino y queso azul.
Ensalada César (sin tostadas).

De la sección de recetas de *La nueva revolución dietética*:

Ensalada de salmón.
Ensalada de huevos y tocino.
Ensalada de setas.
Ensalada de aguacate.
Aliño ruso.
Aliño francés básico.

Platos principales:

Filetes, asados, chuletas de todas clases.
Pollo, pavo, pato, asados en su jugo.
Chuletas de cerdo, sin glaseado.
Costillas de cordero.
Pescado a la plancha, hervido, asado, frito, todas
las variedades.
Scampi.
Langosta en mantequilla fundida.

De la sección de recetas de *La nueva revolución dietética*:

Pierna de cordero asada.
Ensalada de pollo.
Carne picada.
Ensalada de carne, setas y berros, sazonada con rábanos picantes.

Entremeses:

Una taza de verduras al vapor, mezcladas o solas, de la lista de verduras permisibles.
Setas gigantes (porcini, colmenillas, portobello, etcétera) salteadas en aceite de oliva.

Postres:

Gelatina dietética (más un poco de nata espesa batida y endulzada artificialmente).

Pérdida de peso progresiva (PPP)

En la dieta de PPP se incluyen también todos los alimentos de la dieta de inducción.

Aperitivos y sopas:

Sopa de crema de aguacate.
Sopa de langosta.

Ensaladas:

Guacamole.
Ensalada de raíz de apio (ver sección de recetas).

Platos principales:

De la sección de recetas de *La nueva revolución dietética*:

Salmón hervido.
Carne de vaca ahumada con crema de albahaca y
perejil.
Lubina frita en lonchas con puerros y tomates.
Choucrute con carnes diversas cocidas.
Buey a la Strogonoff.
Coq au oui.

Entremeses:

De la sección de recetas de *La nueva revolución dietética*:

Tortilla de brécol.
Berenjenas fritas.
Coles de Bruselas asadas.

Postres:

De la sección de recetas de *La nueva revolución dietética*:

Molde de frutas.
Bizcocho italiano.
Helado de bayas.
Helado de vainilla.
Mousse de limón.

Mantenimiento

En la dieta de mantenimiento se incluyen también todos los alimentos de las dietas de inducción y de PPP.

Aperitivos y sopas:

Marinada de ostras.
Setas fritas rellenas.
Crema de sopa de cebolla.

Ensaladas:

De la sección de recetas de *La nueva revolución dietética*:

Ensalada fría de huevos revueltos y queso de granja con espárragos.
Espinacas cocidas sazonadas con albahaca y queso ricotta.
Setas fritas rellenas con queso de cabra.

Platos principales:

De la sección de recetas de *La nueva revolución dietética*:

Pollo a la cazadora.
Pollo a la paprika.
Cacerola de gambas sazonadas con verduras y hojas de laurel.
Pollo al curry.

Pollo con abelmosco y cacahuetes.

Estofado de ternera.

Aguacates calientes y langosta con salsa bearnesa.

Chuletas de ternera rellenas de setas silvestres.

Ensalada de langosta con mantequilla y estragón.

Escalopes de ternera rellenos con puré de setas.

Muselina de vieiras con salsa de azafrán.

Medallones de cordero con lentejas verdes y tocino.

Entremeses:

De la sección de recetas de *La nueva revolución dietética*:

Judías verdes con salsa de nueces.

Pimientos rellenos.

La comida de la ventaja psicológica Atkins

Aproveche su recién encontrada libertad para comer todo lo que le apetezca yendo a algún lugar en que pueda hacer precisamente eso. ¿Qué le parecería meterse en un «buffet libre» y atiborrarse de proteínas y cosas saladas? Llene su plato y repita. Y vuelva a repetir quizás. Asegúrese de que no hay nada dulce en lo que come. Los dietistas experimentados reconocerán ese sabor al instante.

Postres:

Trufas de chocolate.

Trufas de ron.

Tarta de fresas.

Zabaglione.

Bizcocho italiano.

BEBIDAS

Para todas las dietas

Gaseosas con sabores (cereza negra, frambuesa, etcétera; deben especificar que no contienen calorías).

Té de hierbas caliente o helado (no de cebada, higos, dátiles, miel, etcétera).

Café descafeinado o té.

En las dietas de inducción o de mantenimiento:

Soda de naranja endulzada artificialmente que contenga algún zumo natural.

RECETAS

Habrá reparado usted seguramente en las numerosas veces que he dicho que la dieta Atkins es digna de un príncipe. Estoy convencido de que éste es un régimen de adelgazamiento con el que usted se verá tratado a cuerpo de rey.

Una de las razones por las que la dieta baja en hidratos de carbono no recorrió el planeta con la rapidez con que se propaga un incendio en la maleza es porque sus primeros formuladores, aunque llenos de entusiasmo por su capacidad para fundir las acumulaciones de grasa, no se hacían ninguna ilusión sobre las excelencias gastronómicas de la dieta. Describían a sus sujetos experimentales como insatisfechos por la monotonía de la dieta y sugirieron que ésta nunca sería adecuada para utilizarla durante largo tiempo.

Ahí fue donde el entonces joven doctor Atkins entró en escena, hace unos treinta años. Toda mi vida he sido una mezcla de *gourmet* y *gourmand*. Me gustaba y me sigue gustando comer. He leído artículos de revista titulados «Lo que comen los especialistas en dietética» y llegué a la conclusión de que el mundo no ha conocido jamás un especialista en dietética a quien le guste comer tanto como a mí. Esto es una mala noticia para mí, pero estupenda para usted. Me hizo crear una dieta del comilón, una dieta del hambriento. Si *La revolución dietética del Dr. Atkins* constituyó un éxito internacional, debió de ser, en parte, porque conseguí transmitir mi propio entusiasmo por la comida.

Bien, pues no podía permitir que este libro se quedara en desventaja en lo que a comidas se refiere, así que tenía que encontrar un gran cocinero capaz de hacer realidad los regios placeres que yo tenía planeados para usted. Estando de vacaciones en Barbados, la fortuna me sonrió. Probé la cocina de Graham Newbould, jefe de cocina en el famoso hotel Treasure House. Newbould había sido durante seis años uno de los cocineros del príncipe Carlos y la princesa Diana, y pronto comprendí por qué. Y cuando pruebe sus recetas, usted también lo comprenderá. Las recetas de Newbould se señalan, muy adecuadamente, con una corona ▲▲▲. Comparadas con nuestras recetas estándar, son, desde luego, más elegantes, más espectaculares cuando se sirven en la mesa y no están concebidas como comida de diario. Como puede ver por el total de gramos, la mayoría son apropiadas para la dieta de mantenimiento, en esas fiestas en la que usted quiere, ni más ni menos, demostrar lo suculenta que puede ser la dieta. Las otras recetas fueron elaboradas por mi mujer, por los especialistas en dietética del Atkins Center o proceden del *Libro de cocina de la dieta del Dr. Atkins*.

Si bien Newbould es la joya de la corona culinaria de esta sección, no puedo ocultar que me enorgullezco de todas nuestras recetas, agrupadas según la comida y la finalidad. No he pretendido incluirlo todo. Al fin y al cabo, la mayoría de ustedes lleva toda la vida preparando platos principales de proteínas y sería superfluo decirle cómo asar un filete a la parrilla o preparar huevos con tocino para el desayuno.

He incluido, sin embargo, la clase de sabrosas recetas de las que los comités dietéticos le han venido induciendo a apartarse, pero que, sin duda alguna, producirán un efecto inmediato y directo sobre sus glándulas salivales. Como la dieta Atkins es fundamentalmente una dieta de plato principal y ensalada, haga esos platos lo más deliciosos posible. Si ese toque adicional de suculencia es lo que da éxito a un plato, no tenga prevención a utilizar estas exquisiteces. La regla es: si la dieta es inevitable, lo mejor es disfrutar con ella.

Entretanto, todos sabemos que hay determinados alimentos que no deben entrar en esta dieta. Los más frecuentemente deseados son postres dulces, pasta, patatas fritas y pan.

Sin embargo, a lo largo de los años yo he aprendido a encontrar sustitutos de estos apetecidos almidones y dulces. Gracias a la imaginación de Verónica, mi mujer, y a las aportaciones de muchos de los pacientes con aficiones culinarias que he conocido, puedo tomar postres todavía mejores que los originales a los que imitan. Yo he comido barras de chocolate con nueces de una excelencia que no podrían igualar la totalidad de los cocineros de la ciudad de Hershey, Pensilvania, ni aun con la ayuda de un equipo de especialistas llegado de Suiza. En momentos de necesidad, he podido saborear tartas de coco o piñas coladas sin permitirme ni un solo gramo de azúcar.

Simplemente, no experimento la menor sensación de privación. Éstas son las cosas que quiero compartir con usted.

Permítame tratar ahora unas cuantas ideas concretas para que sepa usted cómo utilizar esta sección. Dirija su atención a la receta de tortitas básicas. Ésta puede permitirle saborear sus propias variaciones de pizza, empanadillas o tortas, o puede enrollarlas y rellenarlas de carne de cerdo picada, como hacen los chinos.

Y luego está nuestro pan, una creación excepcionalmente sabrosa y baja en hidratos de carbono que puede utilizarse para bocadillos, tostadas, pinchitos, pan de ajo o, incluso, cortezas de falso pan ázimo en sopa de pollo. Y, si le parece, crear, con los aditivos adecuados, pan de jengibre, pan de banana o pan moreno de Boston, por no hablar de la mejor utilización que puede hacerse del pan, como algo con lo que recoger los exquisitos jugos de sus huevos fritos.

Cuando pruebe estas recetas y saboree las delicias gastronómicas de Graham Newbould, sin duda resolverá no seguir jamás ninguna otra dieta. ¿Dónde encontraría una que le permita ser todo un *gourmet* sin abandonar el régimen?

Sopas

Crema de aguacates bárbara

8 personas (1/2 taza para cada una)

1 aguacate mediano
2 tazas de nata espesa
1 taza de agua
1 cucharadita de sal de apio
1/4 de cucharadita de sal sazonada
1/2 diente de ajo picado
8 lonchas de tocino fritas

Pele el aguacate y quítele el hueso. Ponga en una batidora con la nata espesa, el agua, la sal de apio, la sal y el ajo. Bata a velocidad media durante 15 segundos.

Vierta todo en la cazuela. Caliente a temperatura media durante 5 minutos y sin llegar a ebullición, revolviendo constantemente. Sirva caliente o fría, aderezada con tocino desmenuzado.

TOTAL DE GRAMOS 29,6
GRAMOS POR PERSONA 3,7

Sopa de langosta

6 personas

2 tazas de carne de langosta fresca o en conserva
3 cucharadas soperas de mantequilla
3 tazas de crema espesa
1/4 de cucharadita de polvo de cebolla
1 taza de agua
1/2 cucharadita de sal
1/4 copa de jerez

Corte en trozos pequeños la carne de langosta. Derrita mantequilla en la cacerola y añada la langosta. Caliente a fuego lento durante 5 minutos.

Aparte, mezcle la crema con agua y échela en la cazuela, sin dejar de remover y sin que llegue a hervir. Añada sal y polvo de cebolla. Déjelo toda la noche en el frigorífico.

Recaliente. Añada jerez. Sirva en tazas.

TOTAL DE GRAMOS 25,2
GRAMOS POR PERSONA 4,2

Caldo reconstituyente rápido

1 persona

1 taza de caldo caliente
1 huevo
1 gota de salsa Tabasco
1 pizca de sal

Bata el huevo en la batidora eléctrica hasta que quede espumoso y ligero. Añada lentamente el caldo. Eche la salsa Tabasco y la sal.

Sirva caliente en una taza.

TOTAL DE GRAMOS 1,6

Crema de cebolla al curry

4 personas

4 cebollas medianas en rodajas
1 cucharada sopera de mantequilla

2 dientes de ajo pelados
2 hojas de laurel
1/2 litro de crema espesa
1 cuarto de litro de caldo de pollo
1 cucharada sopera de polvo de curry
1 cucharada sopera de cebolletas picadas
sal y pimienta (opcional).

Derrita la mantequilla en una cacerola caliente. Añada las cebollas, el ajo y las hojas de laurel. Saltee todo hasta que adquiera una tonalidad óscura.

Añada el polvo de curry y caliente durante un minuto, removiendo para que no se queme el polvo de curry.

Añada el caldo de pollo e hiérvalo hasta que el líquido se reduzca a la mitad, agregue luego la crema y deje hervir a fuego lento unos 15 minutos. Retire las hojas de laurel.

Deje enfriar y pase todo por la batidora. Pase la sopa por el colador chino y sazone con sal y pimienta según el gusto.

Al servir, recaliente la sopa (sin hervir), espolvoree las cebolletas picadas y añada encima un poco de crema.

TOTAL DE GRAMOS 57,6
GRAMOS POR PERSONA 14,4

Huevos

Tortilla básica

1 persona

2 huevos
1 cucharada sopera de cebolletas
1 cucharada sopera de perejil fresco picado
1/8 de cucharadita de sal
1 cucharada sopera de crema espesa
1 cucharada sopera de mantequilla
1 pizca de pimienta recién molida

Combine todos los ingredientes y bata suavemente.
Derrita la mantequilla en una sartén antiadherente.
Cuando baje la espuma, eche la mezcla de huevo en
la sartén. Fría sin revolver durante un par de minutos
hasta que los lados y el fondo se hayan solidificado pero
el centro esté todavía blando. Levante cuidadosamente
un lado de la tortilla y échelo sobre el otro lado, formando una media luna.

Pásela a un plato y sirva.

TOTAL DE GRAMOS 1,5

Tortilla de queso

2 personas

4 huevos
1/2 taza de queso de Cheddar rallado
1 cucharada sopera de perejil picado

Siga la receta de la tortilla esponjosa básica. Antes
de doblar la tortilla, añada queso de Cheddar y perejil
picado.

Después de haber doblado la tortilla, continúe friendo durante 2 minutos para asegurarse de que el queso se ha fundido.

Sirva caliente.

TOTAL DE GRAMOS 6,0
GRAMOS POR PERSONA 3,0

Huevos revueltos en salsa de queso con salchichas

6 personas

12 salchichas
25-80 gramos de queso de nata envasado
1 cucharada sopera de mantequilla
3/4 de taza de crema
1/4 de taza de agua
1 cucharadita de sal sazonada
2 cucharaditas de perejil
8 huevos batidos

Saltee las salchichas en la cazuela hasta que se doren y resérvelas.

Caliente al baño María el queso de crema y la mantequilla. Añada crema, agua, sal y perejil.

Agregue los huevos batidos y remueva con el tenedor. Mantenga al fuego hasta que los huevos se hayan espesado.

TOTAL DE GRAMOS 15,6
GRAMOS POR PERSONA 2,6

Tortitas de queso

6 personas

1 taza de queso fresco
6 huevos
3 cucharadas soperas de soja en polvo
3 cucharadas soperas de mantequilla, derretida
1 cucharadita de sal sazonada
aceite

Ponga en la batidora todos los ingredientes menos el aceite y bata hasta formar una masa homogénea. Caliente a temperatura elevada la tartera, untada de aceite, y eche en ella la masa a cucharaditas. Dore por los dos lados.

TOTAL DE GRAMOS 21,0
GRAMOS POR PERSONA 3,5

Champiñones, cebollas y huevos

3 personas

250 gramos de champiñones cortados en rodajas
1 cebolla pequeña picada
4 cucharaditas de mantequilla
sal
6 huevos
2 cucharadas soperas de nata espesa

Saltee los champiñones y la cebolla en la mantequilla hasta que se doren bien. Agregue sal.

Bata los huevos con la nata. Vierta sobre la mezcla

de champiñones y remueva hasta que los huevos se hagan (unas 4 vueltas). Sirva inmediatamente.

TOTAL DE GRAMOS 18,0
GRAMOS POR PERSONA 6,0

Huevos a la florentina

6 personas

2 tazas de espinacas frescas hervidas o 1 paquete de espinacas congeladas
6 huevos
sal
1 receta de salsa de queso (véase a continuación)

Precaliente el horno a 175 grados.

Cueza las espinacas, escurra bien y píquelas.

Ponga las espinacas en un recipiente poco profundo.

Haga un hueco para cada huevo en las espinacas. Casque un huevo sobre cada hueco. Espolvoree sal.

Prepare la salsa de queso. Viértala sobre los huevos y las espinacas.

Ponga en el horno a 175 grados durante 25 minutos.

TOTAL DE GRAMOS 36,0
GRAMOS POR PERSONA 6,0

Salsa de queso

18 cucharadas soperas

3/4 de taza de crema
1/3 de taza de agua
340 gramos (taza y media) de queso de Cheddar en
  cubitos
1 cucharadita de mostaza
1 cucharadita de sal
1/2 cucharadita de pimentón

Combine todos los ingredientes y caliente al baño María. Remueva constantemente hasta que espese.

TOTAL DE GRAMOS 10,8
GRAMOS POR PERSONA 0,6

Ensalada de huevos y tocino

6 personas

9 huevos duros
9 lonchas de tocino crujientes
1/2 cucharadita de sal
1/4 de cucharadita de mostaza seca
1/4 de taza de mayonesa

Pique los huevos y el tocino juntos en un cuenco de madera. Añada sal y mostaza.
Agregue la mayonesa y revuelva bien.

TOTAL DE GRAMOS 9,0
GRAMOS POR PERSONA 1,5

Trotilla de brecol*

4 huevos
1 taza de tallos de brécol hervidos
1 cebolla grande cortada en rodajas finas
250 gramos de sombrerillos de champiñones, cortados
*   en rodajas finas*
1/2 cucharadita de sal
1/2 cucharadita de pimienta recién molida
4 cucharadas soperas de mantequilla
3 cucharadas soperas de queso parmesano rallado
1 cucharadita de bicarbonato sódico
1 perejil picado para adornar

Ponga 2 cucharaditas de mantequilla en la cazuela. Saltee la cebolla y los champiñones hasta que se doren. Retire del fuego.

Ponga en un bol bicarbonato sódico, sal y pimienta y bata todo bien. Añada la cebolla, los champiñones y el brécol. Mezcle bien.

Eche en la cazuela el resto de la mantequilla y agregue la mezcla de huevo. Incline el recipiente para que la mezcla cubra todo el fondo. Fría sobre el fogón hasta que los huevos empiecen a endurecerse. Espolvoree encima el queso parmesano y mantenga sobre el fuego hasta que se dore. Retírelo luego.

Corte en trozos triangulares y sirva. Adórnelo con perejil picado.

TOTAL DE GRAMOS 31,2
GRAMOS POR PERSONA 5,2

* En vez de brécol puede utilizar cualquier verdura que no tenga almidón.

Aves, Carne y Pescado

Coq au oui

2 kilos de pollo troceado
125 gramos de tocino cortado en dados
50 g de barra de mantequilla
1 copa de vino tinto
1 taza de extracto de pollo
3 dientes de ajo
1 hoja de laurel
2 cebollas grandes picadas
1/2 kilo de sombrerillos de champiñones cortados en
*   rodajas*
sal

Saltee en mantequilla los dados de tocino hasta que se doren. Retírelos de la cazuela.

Lave y seque bien el pollo. Dórelo en grasa de tocino. Retírelo y déjelo aparte.

Saltee las cebollas y las setas. Vuelva a poner en la cazuela el pollo y el tocino. Añada el extracto de caldo, el ajo, el vino y la hoja de laurel. Hierva suavemente a fuego lento entre 40 minutos y una hora en una cazuela sin tapar. Añada sal.

TOTAL DE GRAMOS 49,8
GRAMOS POR PERSONA 8,3

Pollo al curry

4 personas

1 pollo cortado en 8-10 trozos
2 cebollas picadas
3 dientes de ajo picados
1 cucharada sopera de cúrcuma
1 cucharada sopera de comino
1 cucharada sopera de jengibre molido
1 cucharada sopera de chile en polvo
4 cucharadas soperas de mantequilla
1 taza de crema espesa
1 taza de agua caliente
sal

Saltee en mantequilla los trozos de pollo hasta que se doren. Revuelva.

Saltee suavemente las cebollas, el ajo y todos los demás condimentos durante 2-3 minutos, sin dejar de remover.

Ponga los trozos de pollo en la salsa. Añada 1 taza de agua caliente y 1 taza de crema espesa. Hierva a fuego lento hasta que el pollo esté tierno y se haya reducido aproximadamente a la mitad. Puede sustituir el pollo por cordero.

TOTAL DE GRAMOS 41,6
GRAMOS POR PERSONA 10,4

Pollo con abelmosco y cacahuetes

4 personas

1 pollo grande
3 zanahorias
2 puerros
1 cebolla entera
sal
250 gramos de abelmosco
250 gramos de cacahuetes
1 cucharada sopera de salsa de tomate sin endulzar
1 barra de mantequilla
1 cucharada sopera de perejil fresco picado

Combine los 5 primeros ingredientes. Cúbralos con agua e hierva a fuego lento durante 45 minutos. Retire el pollo y déjelo enfriar. Cuando se haya enfriado, deshuéselo por completo y desmenúcelo.

En un recipiente de metal esmaltado, caliente la mantequilla hasta que baje la espuma. Disminuya la llama. Ponga el pollo desmenuzado, el abelmosco, la salsa de tomate y los cacahuetes, y saltee suavemente hasta que se doren. Remueva con frecuencia. Espolvoree con perejil y sirva.

TOTAL DE GRAMOS 80,0
GRAMOS POR PERSONA: 20,0

Pollo al pimentón

8 personas

1 kilo y medio de pollo troceado
50 g de mantequilla

1/4 de taza de aceite vegetal
3 cebollas grandes picadas
4 dientes de ajo picados
6 cucharadas soperas de pimentón
1/2 taza de caldo de pollo
1 taza de vino blanco
2 tazas de nata agria

Precaliente el horno a 190-200 grados. En un recipiente de metal esmaltado saltee los trozos de pollo en la mezcla de aceite y mantequilla hasta que se doren por todas partes. Resérvelos.

Eche en el recipiente las cebollas y los ajos y saltéelos hasta que se doren. Añada el pimentón, el extracto de pollo, el vino y la nata agria y hierva todo a fuego lento durante unos 10 minutos.

Vuelva a poner los trozos de pollo en el recipiente y cúbralos de salsa. Póngalo todo en el horno a 190-200 grados durante unos 45 minutos o hasta que el pollo quede bien hecho.

TOTAL DE GRAMOS 68,0
GRAMOS POR PERSONA 8,5

Pollo a la cazadora

8 personas

2 kilos de pollo troceado
1/2 taza de aceite de oliva
1/2 barra de mantequilla
1 cebolla grande picada
1/2 kilo de sombrerillos de champiñones, en rodajas
  finas

4 dientes de ajo
1 taza de vino blanco
2 hojas de laurel
2 cucharaditas de orégano
1 cucharadita de pimienta recién molida
3 cucharadas soperas de coñac
1 taza de tomates secados al sol
sal

Empape los tomates en agua caliente y déjelos aparte.

Saltee el pollo en aceite de oliva y mantequilla a partes iguales hasta que se dore. Déjelo aparte.

Caliente en una cazuela el aceite y la mantequilla sobrantes y saltee la cebolla hasta que se dore ligeramente. Añada los champiñones y el ajo. Continúe salteando hasta que se ablanden.

Ponga los trozos de pollo en una cacerola esmaltada y eche encima la mezcla de champiñones y cebolla. Añada el vino, los tomates escurridos y el resto de los ingredientes. Cúbralo ligeramente y hierva a fuego lento durante 30 minutos o hasta que el pollo quede completamente hecho.

TOTAL DE GRAMOS 64,8
GRAMOS POR PERSONA 8,1

Pastel de carne

6 personas

1 kilo y medio de carnes varias picadas (cordero, ternera, cerdo)
2 cucharadas soperas de chile en polvo

3 huevos
3 dientes de ajo triturados
3 cucharadas soperas de cilantro o de perejil italiano
170 gramos de queso de Cheddar fuerte desmenuzado
2 cucharadas soperas de salsa de Worcestershire
sal

Precaliente el horno a 190 grados.

Mezcle bien todos los ingredientes en un bol grande. Ponga la carne en un molde untado de aceite y téngalo en el horno entre 45 minutos y una hora.

TOTAL DE GRAMOS 20,4
GRAMOS POR PERSONA 3,4

Parfait de hígados de pollo con uvas braseadas*

 4 personas

Hígados de pollo:
1 cucharada sopera de mantequilla
225 gramos de mantequilla líquida caliente
225 gramos de hígados de pollo
1 cabeza de ajo pelada (unos 8 dientes)
1 cebolla en rodajas
1 copa de oporto
1 copa de coñac
10 lonchas finas de tocino
1 pizca de nuez moscada rallada

---

* Las uvas braseadas se pueden sustituir por 30 gramos de puerros cortados en tiras finas salteadas en mantequilla sazonada con pimienta negra.

1 pizca de canela molida
1 hoja de laurel
1 ramita de tomillo

Uvas braseadas:
100 gramos de uva blanca
2 bolsitas de té
una cucharada sopera de Grand Marnier
1/2 cucharadita de cáscara de naranja rallada

Para preparar los hígados de pollo:

Ponga en un cuenco los hígados de pollo crudos y el ajo pelado, y tápelo con un plástico. Caliente suavemente en el borde del fogón.

Mientras tanto, cubra el fondo de un recipiente de medio litro con las lonchas finas de tocino.

Ponga la cucharadita de mantequilla en una cazuela caliente. Añada las rodajas de cebolla y manténgalas al fuego hasta que se hagan. Agregue el oporto, el coñac, la hoja de laurel y el tomillo e hierva a fuego lento, sin tapar, hasta que el líquido se reduzca en dos terceras partes. Cuele el líquido sobre los hígados de pollo calientes y el ajo.

Ponga la mezcla en la batidora y redúzcala a puré.

Mientras se tritura la mezcla, vaya añadiendo lentamente la mantequilla líquida caliente. Es importante hacerlo despacio para que no se formen grumos. Agregue la nuez moscada y la canela y páselo todo por el colador chino.

Ponga la mezcla en el recipiente. Cubra la parte superior con tocino y tápelo todo con papel de aluminio. Ponga el recipiente al baño María y cueza durante 1 hora en horno lento.

Una vez hecho, retire del horno y deje enfriar durante 24 horas. Una vez fría, corte la masa y sirva con una guarnición de hojas de lechuga y uvas braseadas.

Para preparar uvas braseadas:
     Hierva a fuego lento las uvas en medio litro de agua con las bolsitas de té y la corteza de naranja. Déjelas enfriar en la infusión de té y añada una cucharada sopera de Grand Marnier. Las uvas se pueden servir calientes o frías como acompañamiento del parfait.

TOTAL DE GRAMOS 32,4
GRAMOS POR PERSONA 8,1

Pimientos rellenos

8 personas

8 pimientos verdes medianos
2 cebollas grandes picadas
1 kilo de mezcla de carnes picadas (ternera, buey, cerdo)
1 cucharadita de eneldo seco.
3 cucharadas soperas de aceite vegetal
1 cucharadita de sal
1 cucharadita de pimienta blanca
1 zanahoria grande rallada
1/2 taza de concentrado de pollo
3 cucharadas soperas de salsa de tomate sin endulzar
1 taza de nata agria

     Saltee las cebollas en una cazuela hasta que se doren.
     Añada la mezcla de carnes, pimienta, sal y eneldo. Dórelo todo y mézclelo durante unos 5 minutos. Deje enfriar.
     Lave los pimientos y quíteles las pepitas. Rellénelos con la carne y póngalos, con el lado abierto hacia arriba, en un puchero esmaltado.

Combine el concentrado de pollo y la salsa de tomate y viértalo sobre los pimientos. Espolvoree encima las zanahorias ralladas.

Tape el recipiente y póngalo en el horno a 190 grados hasta que se cuezan los pimientos.

Al servir, añada generosas cantidades de nata agria.

TOTAL DE GRAMOS 79,2
GRAMOS POR PERSONA 9,9

Buey a la Strogonoff

4 personas

2 cucharaditas de perejil picado
2 cebollas grandes muy picadas
450 gramos de sombrerillos de champiñones en rodajas
950 gramos de solomillo cortado en tiras
1 y 1/2 cucharadita de mostaza en polvo
1/2 taza de nata agria
3 cucharadas soperas de ketchup sin azúcar
3 cucharadas soperas de aceite
pimienta blanca recién molida
sal según el gusto

Combine la mostaza en polvo, el ketchup y agua caliente en cantidad suficiente para formar una pasta espesa.

Saltee las cebollas y los champiñones en 2 cucharadas soperas de aceite hasta que queden dorados y blandos. Llévelos con una espumadera a una cacerola previamente calentada.

Eche el aceite restante a una sartén y saltee las tiras de carne rápidamente y en series de varias a la vez. Pase la carne a la cacerola.

Ponga la pasta de mostaza y la nata agria en la sartén, junto con el jugo que queda en ella. Remueva suavemente hasta que se mezclen bien todos los ingredientes.

Vierta el contenido de la sartén sobre la carne y las cebollas y agite bien. Ponga a hervir lentamente hasta que se caliente. Espolvoree perejil, sal y pimienta blanca recién molida y sirva inmediatamente.

TOTAL DE GRAMOS 40,0
GRAMOS POR PERSONA 10,0

Carne de buey ahumada con crema de albahaca y perejil

 6 personas

750 gramos de solomillo de buey

Marinada:
1 paquete de mantequilla
4 dientes de ajo machacados
1 cucharada sopera de pimienta negra molida
1 cucharada sopera de pimentón
1 cucharadita de rábano rallado o salsa de rábanos fría
1 cucharada sopera de salsa de soja
1 cucharada sopera de hierbas (albahaca, tomillo,
*   perejil, mejorana) picadas*

Salsa:
1/2 litro de nata espesa
1 cucharada sopera de perejil picado
1 cucharada sopera de albahaca picada
2 dientes de ajo machacados
1 vaso de vino blanco
1 cucharada sopera de mantequilla

Mezcle en la batidora todos los ingredientes de la marinada.

Corte la carne en 8 medallones.

Cubra la carne con la marinada y déjelo toda la noche en el frigorífico.

Al día siguiente:

Para hacer la salsa, derrita la mantequilla en un cazo caliente. Saltee ligeramente el ajo, el perejil y la albahaca, removiendo de vez en cuando.

Añada el vino blanco y hierva a fuego lento, sin tapar, hasta que se reduzca a la mitad.

Añada la nata agria e hierva a fuego lento durante 5 minutos hasta que la nata se espese. Sazone según el gusto.

Para cocinar la carne, ponga una cazuela al fuego hasta que esté muy caliente y eche en ella los medallones marinados (la mezcla debe permanecer sobre la carne). Cueza durante 1 minuto. Luego, dé la vuelta a los medallones y cueza 1 minuto más.

TOTAL DE GRAMOS 26,4
GRAMOS POR PERSONA 4,4

Albóndigas de carne

12 albóndigas

225 gramos de queso cremoso a temperatura ambiente
1/4 de cucharadita de salvia
1/4 de cucharadita de zumo de cebolla
1/4 de cucharadita de salsa de Worcestershire*

* Nosotros hemos utilizado Lea & Perrins porque es la que menos gramos de hidratos de carbono tiene; en una cucharada no hay apenas rastros.

Unas gotas de zumo de limón y una pizca de salsa de Tabasco
150 gramos de picadillo

Mezcle todos los ingredientes menos el picadillo. Enfríe durante 1 hora por lo menos.

Amase en pequeñas bolas e incorpore a ellas la carne picada. Póngalas a refrescar. Sírvalas pinchadas en palillos.

TOTAL DE GRAMOS: 4,8
TOTAL POR PERSONA 0,4

Col fermentada con carnes diversas cocidas

6 personas

1,300 kg de col fermentada
450 gramos de pollo cocido
450 gramos de cerdo asado (o lonchas de jamón)
450 gramos de salchichas
4 cucharadas soperas de manteca de cerdo
1/4 de taza de concentrado de carne
3 cucharadas soperas de salsa de tomate sin azúcar
2 cebollas medianas picadas
1 copa de vodka
1/2 vaso de vino blanco
1 ramito de calicanto, hoja de laurel y enebro
pimienta

Precaliente el horno a 175 grados.
Limpie la col. Pélela y escurra.
Caliente la manteca de cerdo en una cazuela. Añada

las cebollas picadas y saltéelas hasta que se doren. Agregue concentrado de carne, vodka, vino y salsa de tomate. Mezcle bien y hiérvalo a fuego lento durante 5 minutos.

Ponga una capa de col en la cazuela. Deposite encima una capa de carne. Repita la operación hasta que haya usado toda la col y toda la carne. Vierta sobre el conjunto la mezcla de concentrado de carne, vodka, etcétera. Agregue el ramito de hierbas y la pimienta. Tape el recipiente y téngalo unas 2 horas en el horno a 175 grados.

TOTAL DE GRAMOS 62,4
GRAMOS POR PERSONA 10,4

Chuletas de ternera rellenas de setas silvestres

4 personas

4 chuletas dobles de ternera (haga que el carnicero le abra una cavidad en las chuletas)
5 chalotes picados
900 gramos de espinacas frescas tiernas
450 gramos de sombrerillos de setas, en rodajas finas
25-50 gramos de setas secas
1/2 taza de concentrado de pollo
3 cucharadas soperas de mantequilla
1/2 vaso de vino blanco
2 cucharadas soperas de coñac
1 cucharadita de pimienta blanca molida
1 cucharadita de sal
1/2 taza de nata espesa
2 cucharadas soperas de aceite

Precaliente el horno a 200 grados.

Saltee los chalotes y los sombrerillos de setas en 1 cucharada sopera de mantequilla y otra de aceite hasta que se doren. Añada las espinacas picadas, pimienta blanca y sal, y manténgalo todo al fuego hasta que las espinacas pierdan el agua.

Retírelo y ponga a enfriar.

Empape las setas en el concentrado de pollo mientras prepara el relleno.

Rellene cada chuleta con la mezcla. Cierre la abertura con palillos.

Caliente la mantequilla y el aceite sobrantes en la cazuela y embadurne bien las chuletas rellenas por ambos lados.

Póngalas en una cacerola.

Mezcle el concentrado de pollo y las setas con coñac, vino blanco y nata espesa. Viértalo sobre las chuletas y áselas a 200 grados durante 45 minutos o una hora. Dé la vuelta a las chuletas a los 30 minutos. Retire las chuletas, espolvoree pimienta fresca y sirva.

TOTAL DE GRAMOS 77,2
GRAMOS POR PERSONA 19,3

Estofado de ternera

6 personas

1 tallo de apio cortado a dados
1 zanahoria cortada a dados
1 hoja de laurel
1,350 kilos de ternera
3/4 de vaso de vino blanco
450 gramos de cebollas

700 gramos de sombrerillos de champiñones, en
 rodajas
5 yemas de huevo
1 taza de nata espesa
sal según el gusto

Hierva los cinco primeros ingredientes en una cazuela. Tápelo y manténgalo al fuego 30 minutos más.
En un bol, bata las yemas y la nata. Vierta la mezcla en
un taza de caldo, revolviendo continuamente. Eche la
mezcla de huevos y nata sobre la ternera y agite hasta
que la salsa se espese.

TOTAL DE GRAMOS 91,8
GRAMOS POR PERSONA 15,3

Escalopes de ternera rellenos
con puré de champiñones

                                  4 personas

4 lonchas finas de lomo o solomillo de ternera

Relleno:
225 gramos de setas
1 cebolla picada
1 vaso de oporto

Rebozo:
100 gramos de queso parmesano rallado
2 huevos batidos

3 cucharadas soperas de mantequilla separadas
1 berenjena pelada y cortada a dados

1 litro y ¹/₂ de caldo de ternera
1/4 de litro de vino tinto
perejil picado

Puré:
Derrita una cucharada de mantequilla en una cazuela caliente. Saltee las cebollas hasta que se ablanden
y, luego, añada las setas y mantenga al fuego 5 minutos
más. Agregue el oporto y hierva a fuego lento la mezcla
hasta que se haya evaporado el agua. Remueva de vez en
cuando para evitar que se pegue.
Retire del fuego y deje enfriar.
Pase la mezcla por la batidora.
Aplaste la carne hasta que quede muy fina. Ponga
una cucharada de la mezcla encima de cada escalope y,
luego, dóblelos por la mitad, uniendo los bordes.
Sumerja cada escalope en el huevo batido y, luego,
en el queso parmesano.
Repita la operación.

Salsa:
Reduzca el concentrado de ternera y el vino tinto
hirviéndolos juntos a fuego lento y en un recipiente sin
tapar hasta que quede poco más de 1/8 de litro. Sazone
con sal y pimienta.
Si es necesario, se puede espesar con un poco de
arrurruz y agua.

Guarnición:
Fría la berenjena en un poco de mantequilla hasta
que adquiera un color dorado oscuro.

Para servir:
Derrita un poco de mantequilla en una cazuela y
fría los escalopes por los dos lados hasta que se pongan
de color dorado oscuro. Colóquelos en un plato calien-

te y rodéelos con un poco de salsa. Añada trocitos de berenjena y perejil picado.

TOTAL DE GRAMOS 70,4
GRAMOS POR PERSONA 17,6

Pierna de cordero asada

10 personas

4-5 kilos de pierna de cordero
5 dientes de ajo
2 cucharadas soperas de romero
1 cucharadita de sal

Precaliente el horno a 260 grados.

Practique varias incisiones por toda la pierna de cordero e introduzca en ellas trocitos de ajo. Frote la carne con sal y romero.

Ponga la carne en parrilla abierta con el lado grueso hacia arriba. Ase a 260 grados durante 15 minutos. Reduzca la temperatura a 175 grados y continúe asando durante 2 a 2 y 1/2 horas más.

TOTAL DE GRAMOS 5,0
GRAMOS POR PERSONA 0,5

Medallones de cordero con lentejas y tocino

2 personas

2 medallones de cordero
1/2 taza de lentejas pequeñas

6 lonchas de tocino ahumado
caldo de cordero con ajo
verduras de acompañamiento (cebolla, apio, puerro),
*   30 gr de cada una*
mantequilla aclarada
2 dientes de ajo picados

Para cocer las lentejas, pique bien la cebolla, el apio, el puerro y el ajo. Ponga todo en mantequilla. Añada las lentejas y, luego, el concentrado de cordero y cueza todo hasta que las lentejas queden blandas.

Selle los medallones, ponga unas cuantas lentejas cocidas encima de cada trozo y envuélvalos con tocino ahumado. Pinche el tocino para que quede sujeto.

Extienda un lecho de lentejas sobre el plato. Ponga la carne encima y bañe todo con salsa de cordero aromatizada con ajo. Disponga verduras de guarnición alrededor de la carne, por ejemplo guisantes verdes.

TOTAL DE GRAMOS 35,0
GRAMOS POR PERSONA 17,5

Salsa de cordero con ajo

2 personas

recortes de cordero, sin grasa
6 chalotes, en rodajas
4 dientes de ajo machacados
50 gramos de tocino ahumado
medio litro de caldo de cordero
1/2 botella de vino blanco seco

Saltee los recortes de cordero hasta que se doren, evitando el exceso de grasa. Añada los chalotes, el ajo machacado y el tocino ahumado. Saltee durante 2 minutos más. Añada el vino blanco y hierva a fuego lento y sin tapar hasta que se reduzca. Agregue luego el caldo de cordero y reduzca. Cuando la salsa se haya reducido a la mitad, pásela por un colador fino. Rectifique el aderezo y termine con un poco de mantequilla sin sal.

TOTAL DE GRAMOS 20,0
GRAMOS POR PERSONA 10,0

Cazuela de gambas sazonadas con verduras y hojas de laurel

 4 personas

16 gambas de buen tamaño, peladas y limpias
1 chirivía mediana muy picada
1 puerro mediano muy picado
2 tallos de apio bien picados
1/10 de litro de vino blanco
1/5 de litro de nata espesa
2 hojas de laurel
1 tomate, pelado, despepitado y cortado en dados
1 cucharada sopera de cebolletas picadas
1 cucharada sopera de mantequilla
sal y pimienta (opcional)

Derrita la mantequilla en una cacerola caliente. Saltee las verduras y las hojas de laurel en la mantequilla durante 2 minutos. Añada las gambas y mantenga 1 minuto más al fuego. Agregue el vino blanco y reduzca el líquido a la mitad. Añada luego la nata y hierva a fuego lento durante 3 minutos, aproximadamente.

Sazone al gusto con sal y pimienta.

Reparta en cuatro platos hondos y adorne con el tomate y las cebolletas.

TOTAL DE GRAMOS 32,4
GRAMOS POR PERSONA 8,1

Aguacates calientes y langosta glaseada con salsa bearnesa

4 personas

2 aguacates maduros medianos
225 gramos de carne de langosta cocida, cortada en trozos
100 gramos de champiñones cortados en rodajas
1 cebolla picada
1/10 de litro de vino blanco
1/5 de litro de salsa bearnesa
1 cucharada sopera de mantequilla

Corte los aguacates por la mitad y quíteles el hueso. Extraiga la pulpa, dejando intacta la cáscara exterior. Corte la pulpa en trozos pequeños.

Derrita la mantequilla en una sartén caliente. Saltee la cebolla picada y las rodajas de champiñones durante aproximadamente 1 minuto. Añada los trozos de langosta y de aguacate y revuelva. Añada el vino blanco. Reduzca a fuego lento durante 3-4 minutos.

Rellene con la mezcla las cáscaras de los aguacates. Recubra cada uno con la salsa bearnesa.

Glasee bajo una salamandra caliente o ponga a la parrilla hasta que se gratinen. Sírvalo inmediatamente.

TOTAL DE GRAMOS 67,6
GRAMOS POR PERSONA 16,8

Salmón hervido con salsa bearnesa

4 personas

4 filetes de salmón gruesos
1 taza de concentrado de pollo
1 vaso de vino blanco
1 hoja de laurel
salsa bearnesa
eneldo fresco

Ponga el salmón en un cazo hondo. Combine los restantes ingredientes y échelos sobre el salmón. Tape y hierva suavemente a fuego lento durante 10-15 minutos. Rocíe con eneldo y salsa.

TOTAL DE GRAMOS 27,2
GRAMOS POR PERSONA 6,8

Salsa bearnesa

3 yemas de huevo
1/5 de litro de mantequilla fundida caliente
1 cucharada sopera de estragón picado
3 cucharadas soperas de Chablis blanco seco
1 cucharada sopera de estragón o vinagre destilado
6 granos de pimienta negra
1 chalote picado

Ponga en un cazo los cuatro últimos ingredientes y llévelo a ebullición sin tapar hasta que sólo quede una cucharada de líquido. Deje enfriar y escurra luego el líquido.

Ponga las yemas de huevo en un bol con el líquido

escurrido y bátalas, calentándolas ligeramente (al baño María) hasta que no haya grumos.

Añada lentamente la mantequilla fundida. Siga batiendo la mezcla hasta que se haya incorporado toda la mantequilla.

Retire del fuego el cazo y añada el estragón picado.

Se sirve con pescado o carnes.

TOTAL DE GRAMOS 19,2
GRAMOS POR PERSONA 4,8

Ostras marinadas heladas con aliño de nata agria y pepino

Como plato principal, necesitará 12 ostras por persona
Como aperitivo, necesitará 6 ostras por persona
225 gramos de espinacas
1/2 pepino
1/2 litro de nata agria
eneldo recién picado
zumo de lima recién exprimido
salsa de Tabasco
pimienta de Cayena
sal y pimienta
caviar negro (opcional)

Abra las ostras y límpielas. Conserve el jugo y las conchas. Coloque las ostras y el jugo en un bol y añada un poco de Tabasco, el zumo de 1 lima y un poco de eneldo recién picado. Deje marinar durante 1 hora.

Cueza 125 gramos de espinacas en agua hirviendo y, luego, enfríelas con agua helada.

Escurra toda el agua sobrante. Salpimente ligera-

488

mente las espinacas y coloque en cada concha de ostra una pequeña porción de espinacas.

Pele 1/2 pepino, quítele las pepitas y córtelo a dados.

Añada al pepino medio litro de nata agria, 1 cucharadita de eneldo y una pizca de pimienta de Cayena. Para servir, ponga las ostras sobre las espinacas colocadas en las conchas. Deposite un poco de aliño en cada ostra y espolvoree encima un poco de pimienta de Cayena.

Adorne la parte superior con caviar negro (opcional).

Sirva las ostras sobre un lecho de hielo machacado.

GRAMOS POR PERSONA (aperitivo) 14,0
GRAMOS POR PERSONA (plato principal) 28,0

Filete de lubina con puerros y tomates en salsa de aceite de oliva

4 personas

4 filetes grandes de lubina
2 puerros medianos, cortados en tiras pequeñas
2 tomates grandes y duros, sin piel ni pepitas y picados
1 cucharada sopera de albahaca desmenuzada
1 cucharada sopera de vinagre balsámico
4 cucharadas soperas de aceite virgen de oliva
1 cucharada sopera de mantequilla
pimienta negra recién molida

Fría la lubina en una cucharada sopera de aceite de oliva hasta que adquiera un tono dorado oscuro en ambos lados. Luego, retírela de la sartén y manténgala caliente.

Eche la mantequilla en la misma sartén y saltee los puerros hasta que queden blandos. Añada el vinagre balsámico, sacudiendo la sartén. Agregue poco a poco las 3 cucharadas de aceite de oliva para ligar una salsa. Retire del calor y añada los tomates picados, la albahaca desmenuzada y la pimienta negra molida. Ponga la mezcla en un plato y sirva encima los filetes de pescado.

TOTAL DE GRAMOS 26,0
GRAMOS POR PERSONA 6,5

Muselina de vieiras con salsa de azafrán

 4 personas

Mousse:
14 gramos de cebolletas picadas
170 gramos de vieiras
50 gramos de filetes de lenguado
225 gramos de nata espesa
1 clara de huevo
pimienta de Cayena
sal y pimienta

Guarnición:
4 hojas de espinacas grandes escaldadas
4 vieiras por persona

Salsa:
1/10 de litro de vino blanco seco
3 espinas de lenguado
50 gramos de chalotes en rodajas
50 gramos de ralladura de champiñones

1 gramo de azafrán
225 gramos de nata doble
30 gramos de mantequilla

Recubra 4 platos individuales untados de mantequilla con las hojas de espinacas escaldadas. Mezcle las vieiras y los filetes de lenguado en una batidora con la clara de huevo. Pase el puré de pescado por el chino y colóquelo en un bol sobre hielo para que se enfríe. Bata despacio la nata. Sazone con sal, pimienta y cayena; luego añada las cebolletas picadas. Coloque la muselina en los platos con las hojas de espinaca y cúbralos con papel de aluminio caliente.

Ponga al baño María y métalo en el horno a 175 grados durante 10 minutos. Ponga todos los ingredientes excepto la nata en un cazo.

Reduzca los ingredientes de la salsa hirviendo a fuego lento en recipiente destapado hasta que quede la cantidad aproximada de una cucharada sopera espesa y añada la nata. Acelere la ebullición.

Bata en 30 gramos de mantequilla y sazone.

Para servir:
Coloque los platos sobre una bandeja caliente. Disponga alrededor un poco de salsa, en la que espolvoreará el azafrán caliente, y guarnezca con 4 vieiras ligeramente ahumadas.

TOTAL DE GRAMOS 39,2
GRAMOS POR PERSONA 9,8

Ensaladas y aliños

Ensalada caliente de langosta
con aliño de mantequilla y estragón

*450 gramos de langosta cocida, cortada en trozos
    grandes*
1 cebolla cruda picada
1 cabeza de lechuga romana o iceberg
*1 manojo de estragón fresco, 1/2 picado, 1/2 para
    adorno*
1/2 taza de nata espesa
100 gramos de mantequilla sin sal
1 cucharada sopera de vinagre de estragón
una pizca de pimienta de Cayena

Aliño:

Ponga en un cazo el estragón picado y el vinagre y lleve a ebullición. Añada la nata. Hierva a fuego lento durante aproximadamente 2 minutos. Retire la cazuela del fuego y bata la mantequilla con la nata. Añada una pizca de pimienta de Cayena.

Para servir:

Limpie y seque bien la lechuga. Pártala en trozos del tamaño de un bocado y dispóngalos en una bandeja.

Ponga la langosta y la cebolla picada en el aliño caliente hasta que se haya templado la langosta. Coloque todo sobre la lechuga iceberg y adorne con hojas de estragón fresco.

TOTAL DE GRAMOS 40,0
GRAMOS POR PERSONA 10,0

Ensalada rápida de salmón

1 persona

30-200 gramos de salmón en lata
2 chalotes picados
1/2 tallo de apio cortado a dados
3 cucharadas de aliño de Roquefort (véase a
  continuación)

Quite la espina y la piel del salmón. Pártalo en trozos en un bol. Mezcle los chalotes y el apio con el salmón. Échelo en la ensaladera y vierta encima el aliño. Se puede servir también sobre hojas de lechuga.

TOTAL DE GRAMOS: 2,6

Nuestro aliño de roquefort favorito

1 taza

1/4 de taza de vinagre de estragón
1/4 de cucharadita de sal
3 pellizcos de pimienta molida
6 cucharadas soperas de aceite de oliva
2 cucharadas soperas de nata espesa
1/2 cucharadita de zumo de limón
1/4 de taza de queso de Roquefort desmenuzado

Bata juntos todos los ingredientes, excepto el queso. Revuelva en el queso.

TOTAL DE GRAMOS: 6,7

Ensalada de champiñones

6 personas

8 lonchas de tocino cortadas a dados
1 cebolla pequeña picada
2 cucharadas soperas de mantequilla fundida
3 cucharadas soperas de zumo de limón
2 cucharadas soperas de perejil
450 gramos de champiñones cortados en rodajas finas
queso parmesano rallado

Fría el tocino hasta que se ponga transparente. Añada cebolla picada; continúe friendo hasta que el tocino quede crujiente y la cebolla dorada. Retire la grasa del tocino.

Añada mantequilla, zumo de limón y perejil. Ponga a hervir. Eche los champiñones y adorne con queso parmesano a su gusto.

TOTAL DE GRAMOS 29,4
GRAMOS POR PERSONA 4,9

Aliño francés básico

1/2 taza

3 cucharadas soperas de vinagre de estragón
1 cucharada sopera de zumo de limón
1/2 cucharadita de sal
3 pellizcos de pimienta molida
6 cucharadas soperas de aceite de oliva
2 cucharadas soperas de aceite vegetal

1/2 cucharadita de mostaza de Dijon
1/4 de cucharadita de mostaza seca

Bata todos los ingredientes hasta que queden bien mezclados.

TOTAL DE GRAMOS 2,5

Aliño de aguacates

24 cucharadas soperas

1 aguacate mediano maduro, cortado a dados
1/2 taza de zumo de limón
1/4 de taza de mayonesa
sucedáneo de azúcar equivalente a 1 cucharadita
1/4 de cucharadita de sal
1/4 de cucharadita de pimentón

Mezcle enérgicamente todos los ingredientes hasta que se forme una masa homogénea.

TOTAL DE GRAMOS 24,0
GRAMOS POR CUCHARADA 1,0

Aliño ruso

20 cucharadas soperas

1/2 taza de mayonesa
1/2 taza de nata agria
1 cucharada sopera de mostaza de Dijon
1 cucharada sopera de salsa de Worcestershire

2 cucharadas soperas de salsa de tomate
1/2 cucharadita de cebolla rallada
1/8 de cucharadita de ajo en polvo

Combine los ingredientes. Mezcle bien.

TOTAL DE GRAMOS 10,0
GRAMOS POR CUCHARADA 0,5

Pepinos en nata agria

4 personas

1 pepino grande cortado en rodajas finas
1/2 cucharadita de sal
1/2 taza de nata agria sucedáneo de azúcar
*   equivalente a 1/4 de cucharadita*
1 cucharada sopera de vinagre
1/2 cucharadita de eneldo

En un bol poco hondo ponga el pepino y espolvoree sal.

Deje reposar 1/2 hora. Escurra.

Añada el resto de los ingredientes. Mezcle bien. Enfríe.

TOTAL DE GRAMOS 13,2
GRAMOS POR PERSONA 3,3

Ensalada de carne, champiñones y berros sazonada con rábanos picantes

4 personas

450 gramos de carne de buey picada
225 gramos de champiñones crudos en rodajas
2 manojos de berros frescos
1 cucharada sopera de rábano picante recién rallado
2 yemas de huevo
1 cucharada sopera de vinagre de vino
4 cucharadas soperas de aceite de sésamo
1 cucharada sopera de semillas de sésamo tostadas

Lave y escurra bien los berros.

Mezcle el vinagre y el aceite de sésamo. Vierta la mezcla sobre los berros y revuelva. Disponga los berros en una fuente fría.

Mezcle la carne picada, los champiñones, el rábano rallado y la yema de huevo. Coloque la mezcla sobre los berros y espolvoree encima las semillas de sésamo tostadas.

TOTAL DE GRAMOS 13,6
GRAMOS POR PERSONA 3,4

Ensalada fría de huevos revueltos y queso fresco con espárragos

4 personas

6 huevos, ligeramente revueltos y dejados enfriar
1 taza de queso fresco
1 cucharada sopera de cebolletas picadas
12 tallos de espárragos pelados

3 tazas de lechuga iceberg, endibias, achicoria, hojas de
   espinaca; lavadas y picadas
1 cucharada sopera de vinagre de vino
4 cucharadas soperas de aceite de oliva
sal y pimienta

Revuelva los huevos hasta que queden blandos. Déjelos enfriar. Mézclelos con el queso fresco y las cebolletas. Añada la sal y la pimienta según el gusto.

Cueza los tallos de espárragos sumergiéndolos en agua hirviendo y manténgalos en ella 5 minutos. Enfríelos luego metiéndolos en agua helada.

Mezcle el vinagre y el aceite de oliva. Vierta la mezcla sobre la lechuga y revuelva. Ponga la lechuga en una fuente fría. Eche encima la mezcla de huevo y queso y adorne con los tallos de espárragos.

TOTAL DE GRAMOS 36,0
GRAMOS POR PERSONA 9,0

Ensalada de pollo

6 personas

2 pechugas grandes de pollo hervidas
2 eneldos grandes en conserva picados
3 huevos duros picados
3 chalotes, cortados y lavados
1/2 cucharadita de pimienta recién molida
1/3 de taza de mayonesa sin azúcar
1/3 de taza de nata agria
2 cucharadas soperas de alcaparras escurridas
3 cucharadas soperas de eneldo fresco picado
1/2 taza de mitades de pacana

Corte en tiras la carne de pollo. Combine todos los demás ingredientes. Agregue el pollo y revuelva bien.

TOTAL DE GRAMOS 30,6
GRAMOS POR PERSONA 5,1

Platos vegetarianos

Judías verdes con salsa de nueces

6 personas

500 gramos de judías verdes frescas cortadas
1/2 taza de concentrado de pollo
2 dientes de ajo picados
1 cebolla mediana muy picada
1/4 de taza de vinagre balsámico
3 cucharadas soperas de eneldo finamente picado
1/3 de taza de aceite de nuez
125 gramos de nueces picadas en trozos grandes

Ponga a hervir 3 litros de agua con sal. Añada las judías verdes y hierva, sin tapar, durante unos 10 minutos hasta que estén *al dente*. Escurra las judías verdes.

Combine todos los demás ingredientes. Agregue las judías verdes cocidas y revuelva hasta que las judías queden bien cubiertas. Sirva caliente o frío.

TOTAL DE GRAMOS 68,4
GRAMOS POR PERSONA 11,4

Ensalada de raíz de apio

2 personas

1 raíz de apio
2 cucharadas soperas de nata agria
2 cucharadas soperas de mayonesa sin azúcar
1 cucharadita de salsa de soja

Ralle el apio. Combine con el resto de los ingredientes. Mezcle bien y sirva.

TOTAL DE GRAMOS 10,6
GRAMOS POR PERSONA 5,3

Tarta de huevos y espinacas

4 personas

2 paquetes de espinacas congeladas o el equivalente de
espinacas frescas
1 cebolla grande rallada
3 dientes de ajo machacados
1/2 taza de mantequilla
1/2 cucharadita de sal
pimienta recién molida según el gusto
1/2 cucharadita de nuez moscada
6 huevos
1 cucharadita de bicarbonato sódico

Precaliente el horno a 175 grados.

Descongele las espinacas y saltéelas en 3 cucharadi-tas de mantequilla durante 5 minutos.

Ponga los huevos en un bol grande. Añada pimienta, sal y bicarbonato sódico y bata hasta que se forme espuma. Añada las espinacas salteadas, ya frías, la cebolla rallada, la nuez moscada y el ajo machacado y mezcle bien.

Unte bien un molde con la mantequilla sobrante y póngala en el horno a 175 grados. Cuando la mantequilla se derrita, saque el molde del horno y vierta la mezcla de huevos y espinacas. Vuelva a meter el molde en el horno y deje cocer durante unos 45 minutos o hasta que se dore la parte superior.

TOTAL DE GRAMOS 31,2
GRAMOS POR PERSONA 7,8

Espinacas cocidas sazonadas
con albahaca y requesón

4 personas

900 gramos de hojas de espinacas tiernas
1 cucharada sopera de albahaca fresca picada
2 cucharadas soperas de requesón
2 yemas de huevo
2 tazas de nata agria
1 cucharada sopera de queso parmesano rallado
sal, pimienta y nuez moscada rallada

Precaliente el horno a 230 grados.

Cueza las espinacas poniéndolas en agua hirviendo durante 1 minuto. Enfríelas con agua helada. Escurra el agua sobrante de las espinacas cocidas y páselas por la batidora con la albahaca, el requesón, las yemas de huevo, una pizca de sal, un poco de pimienta molida y nuez moscada rallada.

Haga un puré con toda la mezcla y póngalo en una fuente para hornos.

Hierva a fuego lento y sin tapar hasta que la nata se reduzca a la mitad y viértala sobre el puré. Espolvoree queso parmesano y meta en el horno a 230 grados hasta que adquiera un color dorado oscuro.

TOTAL DE GRAMOS 54,4
GRAMOS POR PERSONA 13,6

Coles de Bruselas asadas

2 personas

100 gramos de coles de Bruselas
3 cucharadas soperas de aceite de oliva
1/4 de cucharadita de sal

Precaliente el horno a 190 grados.

Corte el extremo de cada col y separe todas las hojas.

Ponga las hojas en una fuente, espolvoree sal y póngala en el horno a 190 grados durante 40 minutos. Revuelva de vez en cuando.

TOTAL DE GRAMOS 17,0
GRAMOS POR PERSONA 8,5

Berenjenas fritas

8 personas

4 berenjenas medianas
2 cucharadas soperas de harina
1 huevo grande
1/2 cucharadita de pimienta blanca
1 pimiento verde pequeño
1 taza de aceite vegetal
sal según el gusto

Pele las berenjenas, cuartéelas y hiérvalas en agua con sal hasta que queden tiernas.

Combine todos los ingredientes excepto el aceite vegetal en la batidora hasta que se forme una pasta suave.

Caliente el aceite vegetal en un puchero grueso y vaya echando en él a cucharadas la pasta de berenjenas. Fría hasta que se dore. Añada sal según el gusto. Escurra sobre papel de cocina.

TOTAL DE GRAMOS 66,4
GRAMOS POR PERSONA 8,3

Champiñones fritos rellenos con queso de cabra

4 personas

16 sombrerillos de champiñones frescos y de tamaño mediano
225 gramos de queso de cabra
1 diente de ajo
1 cucharadita de orégano
1 huevo batido
1 taza de almendras molidas
sal y pimienta

Limpie los sombrerillos con un paño limpio.

Ponga el queso de cabra, el ajo y el orégano en la batidora y redúzcalo todo a puré. Añada sal y pimienta según el gusto.

Coloque la mezcla en los sombrerillos de los champiñones, luego páselos por el huevo batido y después por las almendras molidas. Repita la operación y fría seguidamente las setas en manteca caliente hasta que se pongan crujientes.

TOTAL DE GRAMOS 33,2
GRAMOS POR PERSONA 8,3

Tentempiés

Bocadito suizo

1 persona

100 gramos de queso suizo cortado a dados
4 lonchas de tocino
aceite

Envuelva cada dado de queso en 1/2 loncha de tocino. Fría en aceite muy caliente durante 30 segundos.

TOTAL DE GRAMOS 4,1

Tentempié de queso dulce

18 bocaditos

100 gramos de queso cremoso a temperatura ambiente
2 huevos, con las yemas separadas de las claras
1 cucharada de edulcorante

Precaliente el horno a 175 grados. Bata el queso con las yemas de huevo hasta obtener una consistencia cremosa y suave. Añada sucedáneo de azúcar. Bata las claras a punto de nieve. Envuelva la pasta de queso en las claras. Tenga cuidado de que éstas no bajen.

Unte de grasa la tartera. Vaya echando en ella a cucharaditas la mezcla obtenida y métala en el horno a 175 grados durante 10 minutos.

TOTAL DE GRAMOS 5,4
GRAMOS POR UNIDAD 0,3

Guacamole

1 aguacate maduro a dados
2 tomates medianos a dados
1 cebolla mediana picada
2-3 cucharadas soperas de cilantro picado
1 cucharadita de sal marina
1 cucharadita de limón fresco

Pique juntos todos los ingredientes. Enfríe y sirva.

TOTAL DE GRAMOS 34,8
GRAMOS POR PERSONA 8,7

Panes, tortitas y bollos

Pan de proteínas básico

1 barra

3 huevos, con las yemas separadas de las claras, a
*   temperatura ambiente*
2 cucharadas soperas de nata agria
2 cucharadas soperas de mantequilla fundida
1/2 taza de soja en polvo
1 cucharada sopera de bicarbonato sódico

Precaliente el horno a 175 grados.

Combine las yemas con el resto de los ingredientes. Mezcle bien. Bata las claras hasta que queden firmes y póngalas en la masa. Deposite todo en una bandeja untada de mantequilla y téngalo en el horno a 175 grados durante 50 minutos o hasta que se dore.

Guárdelo en el frigorífico.

TOTAL DE GRAMOS 18,0

Tostada francesa

1 cucharada sopera de mantequilla
1 cucharada sopera de aceite de canola
1/4 de taza de nata
1 huevo
1/2 cucharadita de extracto de vainilla
canela en polvo endulzada con ciclamato y aspartame
una pizca de sal
6 rebanadas de pan de proteínas

Caliente en una sartén la mantequilla y el aceite de canola.

Ponga en un bol pequeño huevo, nata y extracto de vainilla y arce, y bata suavemente con un tenedor. Sumerja el pan en el bol y échelo en la sartén hasta que adquiera un tono dorado oscuro. Espolvoree la canela según el gusto.

3-4 GRAMOS POR REBANADA

Tortitas básicas

6 personas

1/2 taza de soja en polvo
3 huevos
1/2 taza de agua
1/4 de cucharadita de sal
aceite de cocina

Combine los 4 primeros ingredientes en una batidora. Caliente una sartén o cazuela de 20 centímetros cubierta de aceite. Cuando el aceite hierva, añada 3 cucharadas soperas de masa. Extiéndala homogéneamente sobre la sartén. Saltee rápidamente un lado y luego el otro. Pase la tortita a una fuente y continúe hasta terminar la masa. Estas tortitas pueden utilizarse como base para canelones, lasaña, crêpes, incluso pizza.

TOTAL DE GRAMOS 12,0
GRAMOS POR PERSONA 2,0

Pizza

2 personas

4 tortitas (véase receta anterior)
2 cucharadas soperas de salsa de tomate sin azúcar
2 tomates medianos
3/4 de taza de mozzarella rallada
1/2 taza de queso parmesano rallado

Ponga una tortita encima de la otra. Extienda salsa de tomate. Ponga mozzarella encima de la salsa. Coloque rodajas finas de tomate sobre la mozzarella. Espolvoree queso parmesano. Ponga al fuego hasta que se dore el queso. Puede hacer cualquier pizza que quiera sólo con añadir sus ingredientes favoritos a la receta básica.

TOTAL DE GRAMOS 29,8
GRAMOS POR PERSONA 14,9

Tortitas pequeñas

2 personas

1/2 taza de soja en polvo
1/4 de taza de polvo de proteínas
3 huevos
1/2 taza de sifón
1/4 de taza de nata espesa
1/4 de cucharadita de sal
1/2 taza de aceite de oliva
nata agria

Mezcle todos los ingredientes menos el aceite en la batidora. La masa resultante debe ser lo bastante fluida como para que se pueda verter.

Caliente una cazuela o tartera gruesa. Añada 2 cucharadas soperas de aceite. Cuando el aceite esté caliente, vaya echando la masa a cucharadas. Deje que se extienda por sí sola. Saltee un lado durante unos 2 minutos. Déle la vuelta y saltee el otro lado.

Cuando esté hecha, póngala en una bandeja y manténgala caliente en el horno o sirva inmediatamente con mucha nata agria.

TOTAL DE GRAMOS 14,6
GRAMOS POR PERSONA 7,3

Bizcochos de soja y salvado

6 personas

3 huevos, con las claras y las yemas separadas, a
temperatura ambiente
3 cucharadas soperas de nata agria
1/2 taza de soja en polvo
1/5 de taza de salvado de trigo
1/4 de taza de nueces
1 y 1/2 cucharadita de bicarbonato

Precaliente el horno a 175 grados
Mezcle las yemas con el resto de los ingredientes. Bata las claras a punto de nieve. Enrolle cuidadosamente. Póngala en moldes de bizcocho untados de mantequilla y meta en el horno a 175 grados hasta que se hagan.

TOTAL DE GRAMOS 31,2
GRAMOS POR PERSONA 5,2

Postres

Trufas al ron

10 personas

1/2 litro de nata espesa
12 onzas de chocolate sin azúcar
5 bolsitas de edulcorantes de diferentes marcas
3 cucharadas soperas de ron o coñac
1/2 taza de almendras molidas

Hierva la nata. Añada ron o coñac y hierva a fuego lento durante unos 5 minutos. Añada chocolate y fúndalo, revolviendo continuamente durante unos 2-3 minutos. Añada las almendras. Mezcle bien. Apague el fuego. Deje enfriar 10 minutos y, luego, añada los edulcorantes. Mezcle bien.

Cubra una bandeja con papel encerado. Extienda homogéneamente sobre ella la mezcla de chocolate. Tape con papel de aluminio y meta en el frigorífico. Deje reposar varias horas o toda la noche.

Al ir a servir, corte la lámina de chocolate en cuadraditos y póngalos en un recipiente de estaño.

TOTAL DE GRAMOS 124,0
GRAMOS POR PERSONA 12,4

Mousse de limón

12 personas

7 huevos, con las yemas y las claras separadas, a
*   temperatura ambiente*
1 y 1/2 taza de nata espesa
el zumo de 3 limones grandes

1 sobre de gelatina no edulcorada
3 cucharadas soperas de licor de naranja
6-10 bolsitas (según el gusto) de tantos sucedáneos de
*   azúcar diferentes como pueda encontrar*

Bata los edulcorantes y las yemas.

En una olla doble, combine el zumo de limón con la gelatina y derrita la mezcla. Una vez derretida, eche poco a poco las yemas endulzadas, revolviendo constantemente. Retírelo.

Bata la nata. Cuando esté montada échela sobre la mezcla de huevo y gelatina.

Bata las claras hasta que el líquido presente una superficie irregular. Añada la crema.

Gradúe el dulzor.

Tape con papel de aluminio y deje reposar en el frigorífico durante varias horas.

TOTAL DE GRAMOS 19,2
GRAMOS POR PERSONA 1,6

Trufas de chocolate

10 personas

12 onzas de chocolate sin azúcar
3/4 de litro de nata espesa
2 yemas de huevo
3 cucharadas soperas de ron
10 bolsitas de varios edulcorantes
1/2 taza de almendras tostadas

Hierva a fuego lento la nata durante unos 5 minutos.

Bata las yemas con los edulcorantes. Añada ron. Reserve.

Derrita el chocolate en la nata. Apague el fuego y vaya echando las yemas muy despacio, revolviendo continuamente. Agregue las almendras y mezcle.

Extienda la masa de chocolate en una fuente forrada con papel de parafina y deje reposar varias horas en el frigorífico.

TOTAL DE GRAMOS 63,6
GRAMOS POR PERSONA 6,3

Pastelillos de nueces con mantequilla

12 personas

1 taza de nueces molidas
1 cucharada sopera de sucedáneo de azúcar (o según el gusto)
3 cucharadas soperas de ron
2 huevos, separadas las claras y las yemas, a temperatura ambiente
75 gramos de mantequilla
1 cucharada sopera colmada de proteínas en polvo
1/3 de taza de nueces picadas

Precaliente el horno a 175 grados.

Mezcle las yemas con el sucedáneo de azúcar.

Bata las claras a punto de nieve y déjelas a un lado.

Mezcle todos los ingredientes, excepto las nueces picadas, e incorpórelos a las claras.

Ponga la masa (en porciones de 1 cucharada) sobre una placa untada de mantequilla, coloque encima las nueces y hornee durante unos 40 minutos o hasta que se dore.

TOTAL DE GRAMOS 63,6
GRAMOS POR PERSONA 5,3

Bizcocho italiano

8 personas

*5 huevos, separadas las claras de las yemas, a
temperatura ambiente
sucedáneo de azúcar equivalente a 3 cucharaditas
1 cucharada sopera y 1 cucharadita de vainilla
1/2 cucharadita de corteza de limón rallada
3 cucharadas soperas de soja en polvo
4 cucharadas soperas de nata espesa
1/2 cucharadita de cremor tártaro*

Precaliente el horno a 165 grados. Unte una cazuela con mantequilla o aceite. Ponga en un bol las yemas y el sucedáneo de azúcar. Páselo por la batidora de mano hasta que se mezclen bien. Añada vainilla y corteza de limón. Continúe batiendo y agregue de una en una las cucharadas de soja en polvo. Bata hasta que se mezcle bien. Añada nata. Bata las claras con el cremor tártaro hasta que queden firmes. Incorpore suavemente la mezcla a las claras, teniendo cuidado de no romper éstas.

Vierta todo en la cazuela y manténgala en el horno a 165 grados hasta que se haga (una 1/2 hora).

TOTAL DE GRAMOS 24,0
GRAMOS POR PERSONA 3,0

Zabaglione

6 personas

*1 taza de nata espesa
3 huevos, separadas las claras de las yemas
sucedáneo de azúcar equivalente a 1 y 1/2 cucharada*

1/4 de vaso de jerez
1 cestillo de fresas, lavadas y sin tallos

Escalde la nata sin que llegue a hervir. Bata las yemas con 1 cucharadita de sucedáneo de azúcar. Vierta la nata sobre las yemas y páselo por la batidora manual hasta que se mezcle bien. Caliente al vapor en una olla doble, batiendo constantemente con batidora manual hasta que empiece a espesarse la mezcla. Enfríe.

Retire del fuego y añada el jerez. Bata las claras con el resto del edulcorante hasta que queden firmes. Incorpore cuidadosamente la mezcla de la nata de modo que las claras no se rompan.

Enfríe y sirva con fresas, enteras o cortadas a trozos.

TOTAL DE GRAMOS 33,0
GRAMOS POR PERSONAS 5,5

Molde de frutas

8 personas

2 sobres de gelatina de frambuesa sin azúcar
1/2 taza de fresas cortadas a trozos
1 taza de nata espesa batida

Prepare un sobre de gelatina siguiendo las instrucciones que figuren en él. Añada las fresas. Vierta en un molde. Enfríe hasta que quede firme.

Prepare el segundo sobre de gelatina sin agua fría. Enfríe. Incorpore la nata batida.

Échelo sobre la gelatina y las fresas. Enfríe en la nevera durante, al menos, dos horas.

Para desmoldear:

Pase un cuchillo húmedo por todo el borde. Sumerja el fondo del molde en agua caliente. Vuélquelo sobre una fuente húmeda.

TOTAL DE GRAMOS 16,8
GRAMOS POR PERSONA 2,1

Helado de bayas

9 personas (1/2 taza cada una)

5 yemas de huevo
3 cucharaditas de extracto de vainilla
sucedáneo de azúcar equivalente a 2 cucharaditas
1/4 de taza de agua
1/2 taza de bayas congeladas, bien escurridas
2 tazas de nata espesa batida

Pase por la batidora las yemas, el extracto de vainilla, el sucedáneo de azúcar y el agua a velocidad media durante 30 segundos.

Agregue las bayas. Bata 10 segundos más.

Incorpore la masa de las yemas a la nata batida. Bata suavemente hasta que adquiera una tonalidad jaspeada. Vierta en el recipiente congelador. Congele.

TOTAL DE GRAMOS 36,0
GRAMOS POR PERSONA 4,0

Helado de vainilla

1 litro u 8 raciones (1/2 taza cada una)

5 yemas de huevo
3 cucharaditas de extracto de vainilla
sucedáneo de azúcar blanco equivalente
  a 2 cucharaditas
1/4 de taza de agua
2 tazas de nata espesa batida

Pase por la batidora las yemas, el extracto de vainilla, el sucedáneo de azúcar y el agua. Bata a velocidad media durante 30 segundos.

Incorpore la mezcla de las yemas a la nata batida. Mezcle bien, cuidando de no disgregar la nata batida. Vierta en la bandeja congeladora. Congele durante 2 horas.

TOTAL DE GRAMOS 25,6
GRAMOS POR RACIÓN 3,2

Flan

4 personas

5 huevos
1/4 de litro de nata espesa
1/4 de litro de agua
5 paquetes de flan en polvo
1 taza de jarabe de almendra
nuez moscada en polvo o canela en polvo

Precaliente el horno a 175 grados. Pase los cinco primeros ingredientes por la batidora durante 3-4 minutos. Vierta todo en una fuente grande de hornear o en platos individuales y espolvoree por encima nuez moscada o canela. Métalo en el horno al baño María. Hornee a 175 grados durante 40 minutos o hasta que cuaje.

TOTAL DE GRAMOS 24,0
GRAMOS POR PERSONA 6,0

Tabla de gramos de hidratos de carbono

	Gramos de hidratos
Alimentos	*de carbono*

Productos lácteos

Leche (entera, 1 taza)	12
Semidesnatada (1 cucharada)	1
Nata (ligera, 1 cucharada)	1
(agria, 1 cucharada)	1
(batida, 1 cucharada)	1
Leche de soja (sin endulzar, 1 taza)	16
Yogur natural (desnatado, 1 taza)	13
(entero, 1 taza)	12

Queso

Cheddar (30 g)	1
suizo (30 g)	1
americano (30 g)	1
fresco (con nata, 1 taza)	7
(desnatado, 1 taza)	5
cremoso (para extender)	5
Camembert (30 g)	1

Feta (30 g)		1
Muenster (30 g)		1
Provolone (30 g)		1

Frutos secos

Pasta de almendras	(30 g)	15
Almendras (30 g)	6	
(12-15 unidades)	3	
Nueces de Brasil (4)	3	
Anacardos (11-12 tostados)	5	
Coco (4 cucharadas)	12	
Avellanas (10 o 12)	3	
Nueces de Australia (6)	2	
Varios mezclados (8-12 unidades)	3	
Cacahuetes (4 cucharadas)	7	
Mantequilla de cacahuete (1 cucharada)	3	
nueces (10 mitades)	2	
Piñones (2 cucharadas)	2	
Pistachos (30)	3	
Pepitas de calabaza (30 g)	4	
Pepitas de sésamo (30 g)	3	
Semillas de soja (30 g)	7	
Pepitas de girasol (30 g)	6	
Nueces (8-10 mitades)	3	

Cereales

Pan moreno (1 rodaja)	13
Pan de trigo integral (1 rodaja)	14

Bollo austriaco (1)	30
Bizcocho de maíz	20
Tortita de alforfón	6
Barquillo	28
Arroz: cocido (1 taza)	50
inflado (1 taza)	13
Tallarines (1 taza)	37
Avena (1 taza)	23
Harina de maíz (1 taza)	22
Palomitas de maíz (1 taza)	5

Sopas

Consomé de pollo (1 taza)	2
Crema de pollo (1 taza)	8
Sopa de pollo y verduras	9
Crema de setas (1 taza)	10
Arroz turco (1 taza)	10

Hierbas

Calicanto (1 cucharada)	2
Albahaca (1 cucharada)	1
Alcaravea (1 cucharada)	1
Apio (1 cucharada)	1
Canela (1 cucharada)	2
Hoja de cilantro (1 cucharada)	1/2
Semillas de eneldo (1 cucharada)	1
Dientes de ajo (1)	1
Azafrán (1 cucharada)	1
Tomillo (1 cucharada)	1

Estragón (1 cucharada)	1/2
Vainilla (doble fuerza, 1 cucharada)	3
Raíz de jengibre (fresca, 30 g)	3
Raíz de jengibre (molida, 1 cucharada)	2

Verduras

Espárragos (6 tallos)	3
Brécol (1 tallo)	8
Coles de Bruselas (4 o 1/2 taza)	5
Berza (1/2 taza)	4
Zanahoria (15 cm)	6
Coliflor (1 taza)	5
Apio (3 unidades, 12 cm)	4
Colza (1 taza)	9
Maíz (1 mazorca ,12 cm)	16
Col (115 g)	16
Pepino (6 rodajas, 3 mm)	2
Diente de león (1/2 taza)	6
Endibia (1/2 taza)	2
Bretones (1/2 taza)	2
Colinabo (2/3 de taza)	7
Lechuga: romana (2 hojas)	2
Boston (1 cabeza, 10 cm)	6
Iceberg (1/6 de cabeza)	2
Champiñones (10 pequeños o 4 grandes)	4
Mostaza (1/2 taza)	3
Abelmosco (8)	5
Cebolla (6 cm)	10
Perejil (1 cucharada)	1
Chirivías (1 cucharada)	18

Guisantes (cocidos, 1 taza)	19
Pimientos: verdes (2 anillos)	1
rojos (secos, 1 cucharada)	8
Patata (cocida 12 x 6 cm)	21
Ensalada de patata (1/2 taza)	16
Calabaza (100 g)	7
Rábanos (4 medianos)	1
Espinacas (1/2 taza)	3
Cidra cayote: de verano (1 pequeña)	7
de invierno (1 pequeña)	16
Patata dulce (11 x 5 cm)	36
Tomate: crudo (6 cm)	9
cocido (1/2 taza)	5
zumo (1/2 taza)	5
Nabos: cocidos (1/2 taza)	4
verdes (1/2 taza)	5

Proteínas (solos, sin piel ni empanado)

Pescado, aves, carne o huevos	0-rastros

Grasas/aceites

Oliva, canola, alazor, etc.	0-rastros

Judías (cocidas)

Navy (1 taza)	40
Judías de enredadera (1 taza)	40
Guisantes secos (1 taza)	52

Guisantes de Lima (1/2 taza) 25
Judías rojas (1/2 taza) 21
Judías de glicina (cocidas, 1/2 taza) 11
Judías chinas (100 g) 3
Cacahuetes (4 cucharadas) 7

Fruta

Manzana (1 mediana, 7 cm) 18
Compota de manzana (sin azúcar, 1/2 taza) 13
Albaricoques (3 frescos) 14
Aguacate (12 cm de diámetro) 27
Plátano (1) 26
Moras (1 taza) 19
Bayas (1 taza) 21
Frambuesas (1 taza) 17
Fresas (1 taza) 13
Melón de Cantaloupe (1/2, 12 cm) 14
Cerezas (1/2 taza) 13
Pomelo (rosado, 1/2) 13
Uvas (1 taza) 15
Melocotón (6 cm) 10
Pera (8 cm) 25
Piña (1 taza) 19
Ciruela (1 mediana) 9
Ciruelas pasas (cocidas, 1/2 taza) 39
Melón (1/2, 12 cm) 16
Kiwi (1 mediano) 11
Papaya (1/3, mediana) 19
Mango (1/2 mediano) 17
Naranja (1 mediana) 18

Ejemplos de alimentos que engordan

Bizcocho de bayas (1 mediano)	17
Hamburguesa con queso	30
Batido de vainilla (1 normal)	50
Banana Split	91
Batido (mediano)	90
Tortilla de carne, queso y guisantes	48
Tortilla de carne y lechuga	14
Hamburguesa de 125 gramos	33
Polos	17
Tarta helada de bayas	34
Bizcocho casero (1)	28
Tortitas (1, con mantequilla y sin aderezo)	15
Tarta de manzana (casera, 1 ración)	61
Helado de soda (1 taza)	49
Chocolate con nueces (casero, 1 mediano)	15
Mermelada (uva, 1 cucharada)	15
Aros de cebolla (en comidas rápidas)	33
Crema de tapioca (1/2 taza)	22
Pastel de manzana	30
Tarta de almendras (casera, 1 trozo)	41
Dónut (glaseado, 1)	22
Perrito caliente, en bocadillo (1)	24
Pepito de ternera	20
Tostada francesa (2 rebanadas)	34
Macarrones con queso (1 taza)	40
Pizza (1 ración)	24
Rollos de huevo, carne y verduras (1)	30
Sorbete (limón, 1/2 taza)	45

índice

TERCERA PARTE
Por qué la dieta le da salud

CUARTA PARTE
Cómo crear la dieta vitalicia

QUINTA PARTE
Menús y recetas

Robert C. Atkins, doctor en Medicina por la Universidad de Michigan, es fundador y director del Atkins Center for Complementary Medicine. Sus programas de radio se emiten diariamente por la WOR de Nueva York y son retransmitidos a numerosas cadenas de EE UU.